ИНТРИГА

Мэри-Роуз Хейз

Бумажная звезда

ИЗДАТЕЛЬСТВО
МОСКВА
1999

УДК 820(73)
ББК 84(7США)
Х 35

Серия основана в 1996 году

Mary-Rose Hayes
PAPER STAR
1991

Перевод с английского Г.П. Байковой

Серийное оформление А.А. Кудрявцева

*В оформлении обложки использована работа,
предоставленная агентством FOTObank.*

Печатается с разрешения автора и его литературных агентов
Ellene Levine Literary Agency, Inc.
c/o Andrew Nurnberg Associates Limited.

Хейз М.-Р.

Х35   Бумажная звезда: Роман/Пер. с англ. Г.П. Байковой.–
М.: ООО "Фирма "Издательство АСТ", 1999. – 464 с. –
(Интрига).

ISBN 5-237-02443-2

Они встретились в Нью-Йорке — городе, в который, как мотыльки на огонь, слетаются молодые таланты. Их было четверо: красавец-актер, обворожительная актриса, незаметная художница и блестящий писатель. Они поклялись добиться успеха — еще не зная, какую высокую цену придется за это заплатить. Зависть и ложь, шантаж и интриги, предательство любимых, одержимость поклонников — такова дорога к блеску и славе...

УДК 820(73)
ББК 84(7США)

*Посвящается Эллен Левин, моему агенту, в знак глубо-
кой признательности*

Пролог

1989 год

Залив, по форме напоминавший подкову, со всех сторон обступали густые леса. Маленькая рыбачья деревушка Ла-Плаита ютилась за золотистым песчаным баром* в устье реки Рио-Верде.

Тихое идиллическое местечко затерялось среди тропических лесов, отрезанное от прочего мира, — настоящий рай на западном побережье Мексики.

Залив еще в семнадцатом веке открыли испанцы и за очертания назвали Баия Эррадура. Но вскоре разочаровались, так как он находился в стороне от торговых путей.

Новое открытие залива произошло уже в 1972 году, когда венесуэльский нефтяной миллиардер, очарованный дикой красотой этого места, задумал превратить его в удаленный фешенебельный курорт.

За три минувших столетия деревушка почти не изменилась; население возросло незначительно, и люди продолжали жить, промышляя ловлей рыбы и возделывая плодородную вулканическую почву.

Электричество было только в кантине и лавке бакалейщика, где имелись свои собственные генераторы. Вода весьма сомнительного цвета с большими перебоями по-

---

* Бар — подводная мель вблизи устья реки. — *Здесь и далее примеч. пер.*

5

ступала по проржавевшим водопроводным трубам и требовала по крайней мере двадцатиминутного кипячения, прежде чем становилась пригодной для питья. Ни телефонов, ни машин, ни улиц, ни канализации в деревне не было.

Деревушка по-прежнему была отрезана от внешнего мира высокими горами протяженностью в двадцать пять километров, непроходимыми джунглями, барранкосами* и бурными водами Рио-Верде, и хотя испанцы принесли с собой на эту землю католическую веру, местные жители продолжали поклоняться исконным божествам и демонам, предпочитая их Иисусу Христу и Деве Марии. Среди них были такие, как Эксичаморро, огромная безногая собака, кричавшая женским голосом, и Чириуатетл — светловолосая богиня моря. Тем, кому случалось видеть или слышать Эксичаморро, умирали задолго до наступления утра. Мужчины, которых Чириуатетл заманивала в свои объятия, приобретали ненасытный сексуальный темперамент, во всяком случае, ходили такие слухи.

Единственным изменением, произошедшим в деревне за последние три столетия, стало появление нового вида деятельности: в дополнение к фруктам и дикому рису фермеры принялись выращивать высоко в горах высокосортную марихуану и продавать ее туристам, дважды в неделю приплывавшим в деревню на маленькой круизной лодке из Пуэрто-Валларты.

Однако с 1972 года началось строительство дорог, и в окрестных горах многие годы раздавались скрежет и лязг работающих машин, фырчание тяжелых грузовиков, везущих к месту стройки гравий, лес, трубы, металлические листы, катушки телефонных проводов, разнообразную арматуру, холодильники и мебель.

Постепенно отель начал обретать свои очертания: вверх по склону устремились отдельные коттеджи, построенные

* Барранкосы — глубокие овраги, прорезающие склоны вулканических конусов.

из саманного кирпича и связанные между собой лабиринтом лестниц и воздушных террас, увитых цветущими кустарниками; прямо в горной породе выдолбили просторный бассейн; из окон ресторана, возглавляемого одним из известнейших шеф-поваров мира, открывался захватывающий вид на джунгли, скалы и океан.

Отель «Ла-Плаита» открылся в 1976 году и стал сенсацией. Газеты всего мира писали о приеме, устроенном в честь этого грандиозного события. Он стал самым дорогим и фешенебельным отелем мира. Но просуществовал всего один сезон, после чего сказка превратилась в настоящий кошмар.

В марте кончилась вода, а электрогенератор перестал справляться со всевозрастающими потребностями в электричестве. Работа в прачечной прекратилась, запасы продуктов испортились, и служащие отеля, включая и шеф-повара, стали покидать тонущий корабль.

За лето ливневые дожди размыли большой участок дороги, а частые ураганы снесли телеграфные столбы.

Курорт, разрушенный и восстановленный на скорую руку, открылся на День благодарения, но к Рождеству закрылся опять.

В мае тропический циклон полностью уничтожил новый мост. Жители деревни снова стали при отливе переходить Рио-Верде вброд, а во время прилива переплывать реку на выдолбленных из бревен каноэ.

Отель пустили в продажу, однако предложений о покупке не поступало.

Открытый плавательный бассейн растрескался и высох. Тростниковые крыши коттеджей сгнили или их унесло ветром. Загадочный пожар полностью уничтожил ресторан. Джунгли поглотили все культурные растения и кустарники; буйные побеги проросли сквозь ступени лестниц, уничтожили все дороги, покрыли стены, и вскоре в отеле поселились новые обитатели: змеи, грызуны, насекомые и, наконец, Ройал Гутиеррес, желтоглазый метис, выращивавший марихуану в верховьях реки.

Жители деревни очень боялись Ройала, который всегда носил с собой острое как бритва мачете и в полнолуние страдал приступами сумасшествия.

Никто больше не поднимался по разрушенным лестницам, не заходил в пустынные, заваленные мусором комнаты отеля, хотя некоторые жители осмеливались пасти свой скот под обуглившимися стенами ресторана. Дорога, проложенная в горах и связывавшая деревню с внешним миром, постепенно разрушалась, пока не стала совсем непригодной, и Ла-Плаита вернулась к изначально скучной жизни. И так длилось до тех пор, пока Виктор Даймонд, прослышавший об этих местах, не приплыл сюда на лодке из Пуэрто-Валларты, чтобы увидеть все воочию.

Величественная природа и грандиозная разруха, царившая на месте бывшего отеля, превзошли его ожидания, и он сразу решил, что лучшего места для съемок нового фильма «Старфайер II» не найти.

В рекордно короткий срок восстановили и заасфальтировали дорогу, и вскоре грохот грузовиков вновь огласил горы. Восстановили мост через Рио-Верде, и по нему помчались машины с самыми различными грузами, и вскоре в джунглях появились руины проколумбийского периода, сооруженные из блоков, выглядевших древнее, чем развалины в верховьях реки.

Вслед за этим прибыли платформы с электрогенераторами и трейлеры со спутниковыми антеннами. Тишину утра разрывали гудящие гидросамолеты, и к полудню их рев напоминал раскаты грома; в заливе сновали, подпрыгивая на волнах, огромные яхты с очень важными людьми на борту.

Работа находилась для всех желающих, торговцы марихуаной снова бойко сбывали свой товар.

С приходом гринго жизнь забурлила, Ла-Плаита вновь обрела связь с внешним миром.

Об этих днях будет ходить много сплетен, сложат целые легенды.

О Вере — художнице, рисовавшей портреты детей, которую все любили.

Об Арни — кинозвезде, таком известном и таком несчастном, которого все жалели.

О писателе, известном под именем Сент*, пережившем все ужасы мрачной тюрьмы Санта-Паулы, которым все восхищались.

О Старфайер — самой странной женщине на свете, такой бледной и прекрасной, что многие принимали ее за саму Чириуатетл.

И наконец, о самом Викторе Даймонде, известном голливудском продюсере. По словам девяностодвухлетнего отца Игнасио, исповедующего католицизм и в то же время, как и все жители деревни, язычество, Даймонд имел, вне всякого сомнения, дурной глаз. Его боялись. Все считали, что он обладает такой силой, которая может победить саму Чириуатетл.

* Сент — святой *(фр.).*

Часть первая

Глава 1

1979 год

Вера Браун сидела за письменным столом и увлеченно работала над воскресным рассказом в картинках, который назывался «Приключения Дианы Старр». Диана была девушкой легкого поведения из Лондона. Вера плохо представляла себе, что такое «девушка легкого поведения», но было в этом что-то привлекательное, возбуждающее и волнующее, одним словом, то, чего так не хватало самой художнице.

Диане, как и Вере, семнадцать лет, но на этом их сходство заканчивается. Диана — высокая, стройная, с тонкой талией и пышной грудью. Ее пышные светлые волосы тяжелой копной падают на плечи. Диана почти красавица или сможет таковой стать, как только Вера окончательно придумает ей лицо, и, уж конечно, она девушка супермодная. Сегодня на ней черная кожаная мини-юбка, шелковая блузка с таким глубоким вырезом, что захватывает дух, — короче, все то, что хотелось бы носить самой Вере, но что ей не разрешали покупать и что она сама никогда бы не осмелилась надеть.

На последнем рисунке Диана, уперев руки в бока, с вызывающим видом смотрела на большой особняк с многочисленными колоннами, башнями, фронтонами и ярко сверкающими окнами. Еще несколько штрихов, и появилась вереница роскошных машин, по очертаниям легко было догадаться, что это не что иное, как «роллс-ройсы» и «ягуары». Диана собиралась произвести фурор на приеме, который давал в честь совершеннолетия своего сына Александра лорд Адольфус Крисос, магнат и миллиардер.

Вот уже месяц, как Вера работала над рассказом «Приключения Дианы Старр» и очень гордилась своими рисунками: они были выполнены профессионально, с правильным соблюдением светотени и представляли собой «крупный план», «общий план» и «изображение в виде силуэта». Еще немного поработать, и можно предложить свой рассказ в картинках какому-нибудь издательству. Только бы удалось правильно схватить облик Дианы.

Снова и снова Вера рисовала лицо, которое никак ей не давалось, несмотря на то что она его ясно видела и знала, что такая девушка реально существует. Почему-то все время хотелось сделать лицо Дианы похожим на свое, но это было бы большой ошибкой, так как, даже сильно приукрашенное, оно не могло стать лицом ее персонажа.

Диана была богатой, шикарной и красивой. Она жила одна в роскошной квартире в фешенебельном районе, которая досталась ей после гибели обожаемых родителей в авиакатастрофе над Атласскими горами. Уж такая красавица, как Диана, никак не могла жить со стареющими отцом и матерью в маленьком, жалком пригородном домишке, рядом с Орпингтоном, графство Кент.

Все, что бы ни делала Диана, было полно очарования. Она поздно вставала и вместо завтрака пила черный кофе. Днем ходила по дорогим магазинам, посещала художественные выставки, фотографировалась для раздела «светской хроники» многих газет. По вечерам пила шампанское в ресторане отеля «Ритц», затем с кем-нибудь из своих многочисленных поклонников отправлялась на званый вечер или прием. По первому желанию она летела отдохнуть на юг Франции и очень любила гонять на бешеной скорости в своем шикарном автомобиле «астон мартин». Единственное, чего никогда не делала Диана, так это не ела все подряд, поэтому-то и была такой изящной.

В этом ее большое отличие от самой Веры, постоянно жевавшей и оттого страдавшей от излишнего веса. Даже чересчур излишнего.

«Обычный аппетит подростка», — говорила мама. «Вера, ты должна непременно сесть на диету», — говорил доктор Уилер.

Доктор Уилер был наполовину американцем, но мама не доверяла американцам из принципа. Игнорируя тот факт, что отец доктора англичанин и, следовательно, таковым являлся и сам доктор, мама не уставала повторять: «Все американцы просто помешаны на диетах». А самому Уилеру отвечала: «Придет время, и она похудеет. Это просто подростковая полнота».

Вере нравился доктор Уилер, нравились его дружелюбие, простота в общении, заразительный смех. Ей особенно нравилось, что он воспринимает ее как вполне самостоятельную личность, способную на собственные мысли и чувства, а не относится к ней как к глупой расплывшейся девице.

— Что за книга? — спросил ее как-то доктор, застав одну в гостиной за чтением.

— «У подножия вулкана», — ответила Вера, показывая книгу.

— Господи, Вера! — воскликнул он, посмотрев на нее с неподдельным интересом. — И что ты о ней думаешь?

— Я не все понимаю, — ответила Вера, — но это не имеет значения. Книга мне нравится, и в ней все так... — она задумалась, подыскивая подходящее слово, — ...все так не похоже на нашу жизнь.

После этого разговор перешел на книги, что для Веры было гораздо важнее, чем постоянные разговоры с матерью о проблемах подросткового возраста. Доктор Уилер спросил, не мечтает ли она стать писательницей. Вера покачала головой. Возможно, доктору Уилеру показалось, что девушка вынашивает такую мечту. Затем он поинтересовался, не ведет ли она дневник, что могло бы ей пригодиться в будущем.

— Это не записи, а рисунки, — призналась Вера, впервые открывая постороннему человеку свой секрет.

С каждым днем мама все больше ненавидела доктора Уилера, понимая, какое огромное влияние тот оказывает на ее дочь.

— Будь с ним осторожна, молодая леди, — говорила она. — Доктор преследует свои собственные цели. Все американцы одинаковы. — И добавляла с презрением: — Он не только американец, но еще и из Калифорнии.

Для нее Калифорния ассоциировалась с Голливудом, который, в свою очередь, был воплощением Содома и Гоморры.

Маму успокаивало только то, что доктор Уилер пробудет в их стране года два-три, ну от силы пять лет, а затем вернется туда, откуда приехал, и оставит их в покое.

— Чай готов, дорогая, — услышала Вера голос матери, словно прочитавшей ее мысли.

— Вот черт! — в сердцах воскликнула Вера, отбрасывая ручку с пером. Девушка ненавидела эти чаепития. Каждый день она клялась себе, что не положит в рот ни крошки бисквита, и каждый день нарушала данную клятву. Папа, который считался инвалидом, поднимался к чаю, и мама устраивала из этой церемонии целое представление.

Она, переодевшись в лучшее коричневое с белым платье и серый вязаный кардиган, усаживалась во главе стола и разливала из серебряного чайника, принадлежавшего еще бабушке, душистый чай, передавая Вере самые разнообразные булочки, пирожные, печенье и бутерброды.

А Вера ела и ела. Такая сосредоточенность на еде помогала игнорировать рассказы отца о его самочувствии и вздохи мамы по этому поводу. У папы были гипертония, бессонница, закупорка вен, непроходимость кишечника и множество других самых разнообразных болезней, и он почти постоянно лежал в окружении лекарств и медицинской аппаратуры на своей кровати в дальней комнате на первом этаже, поднимаясь только к чаю.

Вера не разделяла озабоченности матери по поводу здоровья отца. К ее стыду, все в ней восставало против такой демонстрации своего нездоровья, и чтобы заглушить в себе стыд, девушка машинально ела все, что попадалось под руку. Сегодня, как, впрочем и всегда, она ела, не замечая вкуса еды.

После чая отец возвращался к себе в комнату, измерял температуру и давление, записывал показатели в дневник, чтобы утром сообщить их по телефону доктору Уилеру. Трубку снимала медсестра, вежливо, но без особого энтузиазма принимавшая эти данные. По мнению мамы, сестра была такой же бессердечной, как и сам доктор Уилер.

Вера помогла матери вымыть посуду и приготовить ужин, затем тоже ушла в свою комнату. У нее оставался еще час свободного времени до того, как приготовить отцу ванну и перестелить ему постель.

Она глядела на лежавший на столе рисунок с изображением Дианы Старр, которая с победоносным видом стояла перед роскошным особняком лорда Адольфуса.

Вера принялась раздеваться, предварительно перевернув рисунок. Что подумает о ней Диана?

Девушка посмотрела на свое отражение в зеркале: юная грудь уже заплыла жиром, на животе складки, выпирающие ягодицы. Вера заплакала. Как, должно быть, Диана презирает ее! Но что она может с собой поделать?

Вера не могла понять, почему ее всегда тянет есть, даже когда отступает чувство голода.

Презирая себя, Вера выдвинула ящик стола и достала стратегические запасы. Затем стала поспешно засовывать в рот шоколадные батончики «Марс», наблюдая в зеркало, как приторная масса растекается по губам, течет по подбородку, смешиваясь с потоком слез.

Как же девушка ненавидела все это! Ей совсем не хотелось быть Верой Браун. Вот бы стать Дианой! Вера продала бы душу дьяволу, лишь бы денечек провести с Дианой Старр.

Компания «Тредвелл комьюникейшенз нетворк» занимала сороковой этаж небоскреба на Мэдисон-авеню.

Главный вход с неоклассическими фронтонами и дверями высотой в двадцать футов, сделанными из двухдюймового стекла с бронзовыми переплетами, вел в просторный мраморный вестибюль, заполненный снующими от дверей к лифтам и обратно людьми.

Приемная администрации компании располагалась на тридцать девятом этаже и представляла собой просторное, застланное зеленым ковровым покрытием помещение, в котором нежные звуки транслируемой по радио музыки перемежались с телефонными звонками и гулом работающих лифтов.

Дверь одного из них бесшумно открылась, и оттуда вышел подросток с черными, длиной до плеч волосами. Он был приятной наружности, с тонкими чертами лица и темными, полными тревоги глазами. Его загар резко контрастировал с мертвенно-бледными лицами жителей зимнего Нью-Йорка.

Легкой, изящной походкой он подошел к выполненной из огнеупорной пластмассы стойке секретаря. Женщина лет тридцати, вышколенная, с бесстрастным, застывшим лицом, наводившим на мысль, что и она также является частью мебели, холодно посмотрела на него.

— Пожалуйста. Мне хотелось бы повидаться с мистером Тредвеллом, — сказал подросток и поспешно, словно опасаясь, что она не знает имени президента своей компании, добавил: — мистером Слоуном Сент-Джоном Тредвеллом.

— Да, сэр, — ответила секретарь с заученной профессиональной улыбкой. — Попробую выяснить, на месте ли он. Как о вас доложить?

15

— Скажите, что его сын хотел бы с ним увидеться.

— Присаживайтесь, пожалуйста.

Секретарь сняла трубку белого телефона и доложила:

— Здесь сын мистера Тредвелла.

Мальчик не сел, как было предложено, а продолжал стоять, переминаясь с ноги на ногу и глядя на секретаря потемневшими от волнения глазами.

— Мне очень жаль, — сказала женщина, положив трубку, — но он сейчас на совещании. Мисс Геррити сказала...

Всегда одна и та же история: никому нельзя беспокоить президента компании, когда тот на совещании, особенно членам его семьи с их мелкими будничными проблемами. Но на этот раз случай особый. Дело очень важное и не терпит отлагательства. Отец скоро сам убедится в этом.

Мальчик извлек из кармана узких джинсов вскрытый конверт.

— Мне не нужна мисс Геррити, — сказал он. — Я хочу лично переговорить с отцом.

— Нет, сэр. — Секретарь подняла руку, как бы защищаясь от назойливого посетителя. — Мне сказали, чтобы вы ждали здесь. Мисс Геррити появится с минуты на минуту.

— Не обращайте на меня внимания. Я сам знаю дорогу.

Мальчик решительно направился в коридор, ведущий к личному лифту президента компании, чтобы подняться в его офис, расположенный на крыше небоскреба.

Он нажал на кнопку, но дверь лифта не открылась.

— Послушайте! — закричал он. — Лифт не работает!

— Я знаю, мистер Тредвелл.

— Вы не могли бы пустить его? — попросил мальчик, стараясь быть вежливым.

— Мне очень жаль, мистер Тредвелл, но я не могу этого сделать. — Секретарь изобразила на лице вежливую улыбку и предложила: — Не хотите ли присесть и почитать журнал? У нас есть «Роллинг стоун»...

От злости лицо мальчика начало покрываться красными пятнами. Опять они не хотят впускать его, но ведь сегодня такой важный день. Неужели они не понимают?

— Мисс Геррити уже спускается, — сказала секретарь. — Пожалуйста, присядьте.

Мальчик открыл было рот, чтобы высказать все, что думает, но в последний момент передумал и взял себя в руки. Что толку устраивать скандалы? Мисс Геррити не любит его, так как считает причиной всех неприятностей его отца, но она хорошая секретарша и только выполняет свою работу. Она передаст письмо отцу, и тогда мистер Слоун Сент-Джон Тредвелл поймет свою ошибку.

Отойдя от стойки секретаря, мальчик опустился в одно из уютных, обитых серым бархатом кресел, расположенных вокруг стеклянного стола, на котором стояла белая керамическая ваза с утопающими во мху цикламенами. Вокруг вазы были разложены красочные журналы на любой вкус.

Нарочито вздохнув и закинув ногу на ногу, мальчик откинулся в кресле и стал разглядывать залитый электрическим светом потолок. Минуту спустя он съехал на краешек кресла и зажал руки между ног. Покачавшись из стороны в сторону, юный Тредвелл, вместо того чтобы читать «Роллинг стоун», как ему было предложено, вытащил из кармана солидный конверт и вновь принялся изучать письмо.

Еще через пять минут к нему подошла женщина средних лет в опрятном синем костюме и белой с большим бантом блузке.

— Господи, Джуниор*! Какая неожиданность!

Мальчик вскочил, задыхаясь от возмущения: он ненавидел, когда его так называли.

---

* Джуниор — младший из двух лиц, носящих одну фамилию.

17

— Добрый день, мисс Геррити, — последовал вежливый ответ.

Между тем секретарша отца сразу бросилась в атаку.

— Что ты делаешь в Нью-Йорке? — потребовала она ответа.

— Я хочу повидаться с отцом.

— Твой отец очень занятой человек. Почему ты не в школе?

— Потому что я убежал.

— О, Джуниор, опять! Как ты можешь?

— Это пустая трата времени. Я много раз говорил об этом.

Он понимал, что выглядит глупо, но ничего не мог с собой поделать. Мисс Геррити всегда отмечала только его отрицательные качества.

Юный Тредвелл наперед знал все, что сейчас будет сказано, и приготовился выдержать любые упреки. Он в третий раз сбежал из средней подготовительной школы. «Как необдуманно ты поступил, ведь твой отец приложил столько сил, устраивая тебя туда», — затянет она свою песню.

Мальчик прекрасно знал ход мыслей мисс Геррити: «Ты имеешь все самое лучшее. Лучшие школы, лагеря, путешествия, лечение, лучшие игрушки. Где же твоя благодарность? Отец тебя так любит, а ты?»

И он, в свою очередь, затянет в ответ: «Как он может так говорить, если совсем не видит сына? Я не хотел уезжать из дома, но меня каждый раз отсылали все дальше и дальше, пока я не оказался в Санта-Барбаре, так далеко, что порой кажется, будто я живу в другой стране. У меня не было случая доказать ему, на что я способен».

Но, возможно, на этот раз все будет по-другому. Сейчас отец удивится и останется доволен. «Ему придется отнестись ко мне серьезно, и у него найдется для меня время, — думал мальчик. — Сейчас, когда компания открывает новую серию ночных передач, там найдется работа и для меня». Стоило только подумать об этом, как на следующий же день пришло письмо. Это хорошее предзнаменование.

— Я не хочу больше ходить в школу, — ответил он. — Я хочу работать здесь, рядом с отцом. У меня для него кое-что есть.

Тредвелл-младший протянул письмо, но мисс Геррити его не взяла.

— Джуниор, будь разумным. Отец не может тебя сейчас принять. У него важное совещание, а в пять тридцать он вылетает в Японию.

— Я не отниму много времени и могу проводить его в аэропорт.

— Но и по пути туда у него назначена важная встреча.

— Мое дело тоже очень важное.

Мальчик буквально сунул в руки мисс Геррити письмо, чтобы та увидела, что оно пришло от главного редактора журнала «Страшные рассказы».

Юный Тредвелл следил, как секретарша отца пробегает по строкам глазами.

— Понимаете теперь? — спросил он.

В этом письме редактор благодарил за присланный в журнал рассказ и сожалел, что в данный момент редакция не может опубликовать его, но впредь просил присылать все, что будет написано. Мальчик пальцем ткнул в строку, где говорилось «все, что будет написано».

— Им понравился мой рассказ.

— Но они же не купили его.

— Пока нет, но... — Для большей убедительности он повысил голос: — Но обязательно купят.

— И ты проделал такой долгий путь из Санта-Барбары, чтобы показать это письмо отцу? — с неосознанной жестокостью спросила мисс Геррити. — Ну хорошо, — добила она с покорным видом, — я покажу его. Жди меня здесь.

Прошло десять долгих минут, в течение которых мальчик без дела слонялся по приемной, разглядывая висевшие на затянутых зеленой материей стенах фотографии кинозвезд и других знаменитостей. Не выдержав, он встал перед закрытой дверью, ожидая решения своей судьбы.

По радио звучала тихая музыка, сначала мелодии из мюзикла «Моя прекрасная леди», затем из «Вестсайдской истории».

Наконец вернулась мисс Геррити, по-прежнему держа в руках письмо и еще какой-то толстый конверт.

— Ну? Что он сказал?

— Ты должен немедленно вернуться в Калифорнию. Отец позвонил директору, в школе готовы принять тебя обратно.

Потрясенный, он смотрел на мисс Геррити широко раскрытыми глазами.

— Но неужели он не понимает? Я не хочу туда возвращаться. Что отец сказал о письме?

— ·Ничего.

— Вы хотите сказать, что он даже не прочел его?

— Я предупреждала тебя, Джуниор. У него нет времени. Мистер Тредвелл уже опаздывает. — Мисс Геррити протянула ему конверт. — Это на расходы. Думаю, вполне достаточно.

Мальчик вынул из конверта деньги и тщательно пересчитал. Десять новеньких купюр по сто долларов каждая.

— Тысяча баксов, — спокойно констатировал он. — Что же, этого вполне достаточно.

— Очень щедро, — заметила мисс Геррити.

Он положил деньги обратно в конверт. Лицо его побледнело, он тяжело дышал.

— Передайте моему отцу, что мне нужно было всего пять минут его драгоценного времени, а не эти проклятые деньги.

Он разорвал конверт на две аккуратные половинки, которые бросил на пол к ногам мисс Геррити, обутым в изящные коричневые туфли.

— И не смейте называть меня Джуниор! — прокричал он.

Злой и униженный, мальчик бросился к лифту, который спустил его в вестибюль. Расталкивая людей, не обращавших на него ни малейшего внимания, он бросился к выходу, чувствуя, как рыдания душат его, а из глаз вот-вот потекут слезы. Это заставляло его чувствовать себя еще более жалким и униженным в глазах окружающих. Но напрасно он так распалялся — никому не было до него никакого дела. С таким же успехом он мог быть человеком-невидимкой.

«Фил сандвич шоп» — небольшой ресторанчик, где Джо-Бет Финей работала пять дней в неделю после школы и один полный день в субботу, располагался на главной и единственной улице маленького городка Корсика. Здесь находились автозаправочные станции, закусочные, магазины и молельный дом сестер-евангелисток, где мать Джо-Бет проводила все свободное время, отработав горничной в мотеле, расположенном на границе двух штатов. С тыльной стороны ресторана не было ничего, кроме пыльного двора да покосившегося забора, за которым на тридцать миль вокруг простиралась выжженная солнцем земля, поросшая редкими карликовыми деревьями и колючим кустарником. Лишь перекати-поле, подстегиваемые порывами ветра, носились со скоростью урагана из одного конца в другой.

Джо-Бет было семнадцать лет. Ростом в пять футов, с выгоревшими на солнце светлыми волосами она могла показаться стороннему наблюдателю просто хорошенькой, но тот, кто приглядывался к ней повнимательнее и замечал блестящие светло-серые глаза, смело называл девушку красавицей, с чем, впрочем, сама Джо-Бет никогда бы не согласилась. Она привыкла, что ее всю жизнь сравнивают с Мелоди Рос, старшей сестрой, а Мелоди, как всем хорошо известно, самая что ни на есть красавица.

Джо-Бет всю свою жизнь прожила в Корсике, штат Техас. Городок Амарилло, расположенный в тридцати пяти милях, был для нее большим городом, а Даллас, удаленный за сто миль, чуть ли не концом света, но Мелоди Рос умудрилась забраться еще дальше, в Нью-Йорк. Сейчас она известная модель, а ее фотографии печатают в самых лучших журналах.

В это утро Джо-Бет, облаченная в розовую нейлоновую униформу официантки, рассматривала глянцевые страницы, где на фотографиях рыжеволосая манекенщица демонстрировала последние модели одежды.

К ней подошла Чарлина, полноватая девушка лет на шесть старше Джо-Бет, и, завязывая на голове розовый бант, посмотрела через ее плечо в журнал.

— Хорошенькая, но, поверь мне, совершенно не похожа на Мелоди Рос, — констатировала Чарлина.

— Скажешь тоже, — возразила Джо-Бет. — Это самая что ни на есть Мел.

Ну конечно же, это Мелоди, ее родная сестра, топ-модель, работающая в «Экзотика инкорпорейшн», всемирно известном модном агентстве.

— Но у этой рыжие волосы, — не сдавалась Чарлина.

— Ну и что? — Джо-Бет начала сердиться. — Может, она их покрасила или надела парик?

Мелоди Рос писала редко, а если и писала, то присылала письма на адрес ресторана и никогда не направляла домой, боясь, что их прочтет Флойд или ему расскажет о них мать, которая в надежде, что муж перестанет ее бить, никогда ничего от него не утаивала.

В доме запрещалось говорить о Мелоди Рос. Та сбежала из дома в прошлом году после очередного скандала с Флойдом.

Единственным, кто знал, что произошло, был соседский мальчик, слышавший ужасные крики и рассказавший обо всем Джо-Бет.

— Они выкрикивали такие страшные вещи, что просто ужас. Потом твой отчим ей так всыпал, что Мел долго верещала. Потом Флойд ушел на работу, а она схватила сумку и убежала. Я все видел.

Обнаружив, что Мелоди сбежала, отчим разозлился так, что его чуть не хватил удар. Он топал ногами и орал как сумасшедший: «И это после всего, что я для нее сделал! Я растил ее как собственную дочь!»

Флойд обвинил мать в том, что та помогла Мелоди сбежать, и влепил увесистую пощечину.

— Не смей ее трогать! — закричала Джо-Бет. — Она ничего не знала!

— Заткнись! Как ты смеешь кричать на отца!

— Ты мне не отец. У нас нет ничего общего. Попробуй только еще раз тронуть маму, и я не знаю, что сделаю! Ты настоящий сукин сын!

У матери еще долго красовался синяк под глазом, она с трудом могла шевелить распухшими губами, но считала, что Иисус послал ей Флойда во испытание и она обязана молча нести свой крест.

Целых три месяца Джо-Бет волновалась за Мелоди. Куда та пропала? Что с ней случилось?

С четырнадцати лет Мелоди мечтала стать высокооплачиваемой моделью где-нибудь в Нью-Йорке. Может, сейчас она уехала именно туда? Но где взяла деньги? Кто ей помог?

Наконец Мелоди прислала открытку. Сестра была здорова, снимала квартиру и работала. Джо-Бет с облегчением вздохнула. Спустя несколько месяцев пришли еще две открытки. Одна с видом Эмпайр-стейт-билдинг, другая с видом Манхэттена на фоне закатного неба. Мелоди начала работать моделью в известном агентстве. Нью-Йорк ей очень нравился.

Три открытки за девять месяцев — это, конечно, мало. Джо-Бет хотелось, чтобы сестра писала почаще, хотелось знать о ней все: как живет, с кем проводит время, кто ее друзья?

И вот сегодня наконец пришел увесистый пакет, в котором был журнал, да еще какой. Вне всякого сомнения, это Мелоди, красивая и уверенная, демонстрирует роскошную одежду.

Джо-Бет ни на минуту не усомнилась, что на фотографиях ее сестра.

— Чар, не будь дурой. Зачем Мел присылать мне журнал, если на снимках кто-то другой?

Увидев фотографии Мелоди Рос, Джо-Бет пришла к выводу, что все на свете исполнимо, и начала фантазировать: как только она окончит школу, то навсегда уедет из Корсики, подальше от Флойда. Она отправится в Нью-Йорк и будет жить с Мелоди. В Нью-Йорке полно дорогих ресторанов, где можно работать официанткой, заработать кучу денег и забрать маму к себе.

Бедная мама когда-то была хорошенькой. На старой фотографии она, смеющаяся, запечатлена в цветастом платье и с двумя маленькими дочерями на руках. Тоненькая, похожая на жеребенка девочка с серьезным лицом, сама Джо-Бет. Мелоди Рос, вся в кудряшках и бантиках, ухватившись за мамино платье, победоносно смотрит прямо в камеру. Мелоди Рос всегда была самой красивой в их семье. Мама часами расчесывала ей волосы, часто меняла платья, приговаривая при этом, что она вылитая Ширли Темпл.

Отец сделал снимок незадолго до того дня, как ушел. Однажды утром он сел в свой серебристо-голубой «кенвуд» и навсегда исчез из их жизни. Джо-Бет тогда было пять лет, и до семилетнего возраста она не переставала спрашивать маму, почему папа ушел? Почему оставил их? Когда вернется? В доме не осталось фотографий отца, и мать никогда его не вспоминала. Джо-Бет уже не помнила, как он выглядел, но хорошо помнила, как страдала. Она и сейчас продолжала страдать, вспоминая его, особенно на Рождество и в день рождения. Ее рана до сих пор не затянулась.

Вскоре мама вышла замуж за Флойда, который бил ее, когда напивался, а иногда и просто так, под горячую руку.

— Почему ты вышла за него замуж? — не переставала удивляться Джо-Бет, требуя ответа.

— Женщине нужен мужчина, дорогая, — отвечала мать, которая давно перестала улыбаться, и Джо-Бет не могла понять, зачем ей нужен такой страшный человек. Неужели она не понимает, что без Флойда им всем было бы гораздо лучше?

Как Джо-Бет хотелось, чтобы мама снова стала улыбаться. Девушка поклялась себе, что заберет ее в Нью-Йорк и сделает счастливой. Ей не придется больше работать, у нее будет много красивых вещей.

Однако ее сбережения росли очень медленно. Флойд знал, сколько Джо-Бет зарабатывает, и требовал, чтобы все до копейки оставалось дома, приговаривая при этом, что она ему многим обязана. Слава Богу, что отчим не догадывался о чаевых. «Ты могла бы зарабатывать гораздо больше, если бы правильно себя вела», — любила повторять Чарлина.

— Позволять хватать себя за задницу? — отвечала Джо-Бет. — Нет уж, спасибо.

— Однако не обязательно вести себя, как королева, — настаивала Чарлина. — Что ты строишь из себя девственницу?

— Но именно таковой я и являюсь. Это что, преступление?

Чарлина с недоверием уставилась на нее:

— Вот это да! Кто поверит, зная, что вы с Мел сестры!

Время шло, и чаевые росли, хотя Джо-Бет не поощряла посетителей, но не могла же она запретить мужчинам пялить на нее глаза.

— Что же тут удивительного, дорогая? — говорила Чарлина. — Ты взрослеешь, и у тебя формируется фигура. Не говори только, что ничего не замечаешь.

Джо-Бет краснела. Она и сама это чувствовала. За последний год ее фигура сильно изменилась. Налившаяся грудь, став высокой и крепкой, распирала платье, и

Джо-Бет старалась сделать ее менее заметной, прикрывая скрещенными руками или подносом.

— Напрасно стараешься, — говорила Чарлина. — Они все видят. У них глаза, как радары, мужчин не проведешь.

— Похоже, что так, — отвечала Джо-Бет, пугавшаяся своего нового тела, на которое бросал плотоядные взгляды и отчим, однажды жестоко избивший их с Мелоди за компанию с матерью.

Сейчас, оглядываясь назад, она считала, что побои ничто по сравнению с его вкрадчивым голосом и жадными руками.

Джо-Бет старательно избегала отчима. Она проводила на работе все свободное время и экономила на чем могла, стремясь сберечь побольше денег.

— Слушай, Джи Би, — говорила Чарлина, — почему бы нам не пойти куда-нибудь развлечься? Сколько можно сидеть дома, когда вокруг немало интересных мест?

— Да, — соглашалась Джо-Бет, — я знаю.

А про себя думала: «Это Нью-Йорк».

Чтобы всегда иметь пример перед глазами, Джо-Бет рискнула повесить над своей кроватью фотографию сестры.

На снимке Мелоди Рос в сногсшибательном синем жакете с блестящими медными пуговицами и элегантных белых слаксах стояла на палубе яхты, и ветер развевал ее волосы. Она улыбалась красивому мужчине в голубой, под цвет глаз, рубашке. Лежа в постели, Джо-Бет рассматривала фотографию и представляла себя на месте Мелоди. «Неужели я никогда не увижу моря?» — думала она.

— Это еще что такое? — возмутилась мама, заметив снимок.

— Просто фотография из журнала, — ответила Джо-Бет. — Мне она очень нравится.

Мать поджала губы, явно не одобряя выбора дочери.

— Все эти ребята гомосексуалисты, — вымолвила она наконец, обойдя молчанием девушку, похожую на Мелоди Рос.

И Джо-Бет совершенно успокоилась: уж если мать не узнала свою дочь, то нечего беспокоиться, что ее узнает отчим.

Глава 2

Это был один из январских дней, среда. Порывистый ветер гнал по небу длинные темные тучи, из которых временами сыпал теплый, словно апрельский, дождик. В этот день, какой-то странный, тревожный, не по сезону весенний, жизнь Веры изменилась раз и навсегда.

Доктор Уилер открыл дверь кабинета, собираясь на обход, и увидел Веру, пришедшую за рецептами для отца. Доктор был без пиджака, в бежевых твидовых брюках и просторном рыбацком свитере из ирландской шерсти, короче говоря, в той самой одежде, которая так не нравилась Вериной матери. По ее понятиям, доктор не должен одеваться так, словно намерен поиграть в футбол, покопаться в саду или покататься на яхте.

Доктор Уилер был довольно симпатичным, по крайней мере так считала Вера. Рыжеволосый, с зелеными глазами, с готовой на все случаи жизни улыбкой, он был очень приятным, жаль только, немного староватым, что-то около тридцати пяти лет, но, впрочем, сама Вера об этом не задумывалась. Она часто спрашивала себя, нашла бы его симпатичным Диана или нет. Пожалуй, для Дианы он слишком энергичен, да к тому же ее могли заинтересовать только специалисты с Харлей-стрит, а не какой-то там провинциальный доктор, даже родившийся в Америке.

Увидев Веру, доктор улыбнулся:

— Привет, Вера.

Он распахнул дверь и почти втолкнул девушку в кабинет.

— Я рад, что ты забежала. Мне надо с тобой поговорить. Ты действительно считаешь, что так нужна им? Ты когда-нибудь выходишь из дому? Бегаешь на свидания? У тебя есть мальчик?

Вера покраснела.

— Конечно же, нет, — ответила она с возмущением.

Сейчас девушка просто ненавидела доктора Уилера. Как он может задавать такие ужасные вопросы? Это жестоко с его стороны.

Доктор вздохнул:

— Вера Браун, ты сама себе злейший враг. Не красней и не отводи взгляд. Посмотри на меня.

Вера подняла глаза. Ей стало жарко, внутри все горело от возмущения. Доктор Уилер очень внимательно изучал девушку. Его глаза, опушенные длинными белесыми ресницами, не мигая, уставились на нее.

— У тебя должен быть мальчик. Ты должна работать, должна многому научиться, просто обязана. Твой отец вовсе не болен. Он переживет нас всех, вместе взятых.

— Что вы говорите! — закричала Вера. — Он же инвалид!

Доктор Уилер оставил ее замечание без внимания.

— Ты счастлива дома? — спросил он.

— Счастлива? — Вера пожала плечами. Девушка никогда не думала об этом. — Полагаю, что да.

— Почему ты не придерживаешься диеты, которую я тебе дал?

— Я это делаю!

— Не считай меня идиотом, — почти грубо заметил доктор Уилер. — За последний месяц ты прибавила в весе.

— Это подростковая полнота. Мама говорит...

— Возможно, мне стоит свернуть шею, потому что я говорю о вещах, которые меня не касаются, но послушай, Вера, ты когда-нибудь задумывалась, почему мама не хочет, чтобы ты похудела?

Только в середине дня, когда отец, как обычно, дремал в своей комнате, а мама ушла в магазин, Вера смогла спокойно обдумать слова доктора.

Она села за стол, разложив перед собой последние рисунки с изображением Дианы, которая была на приеме в советском посольстве. На ней узкое, облегающее фигуру черное платье, а роскошные волосы заплетены в косу. Она вызвала подозрение у Юрия Андреева, сотрудника КГБ, человека лет тридцати, с жестким лицом...

Вера разглядывала рисунки и никак не могла сосредоточиться: из головы не выходил разговор с доктором Уилером.

— Какие у тебя планы, Вера? — резко спросил он.

— Планы? — От удивления девушка захлопала ресницами.

— Я имею в виду планы на будущее. Тебе почти восемнадцать. Что ты собираешься делать?

— В каком смысле? — смущенно спросила она.

Доктор побарабанил пальцами по столу.

— Я говорю о твоей карьере. Если ты не хочешь поступать в колледж, то, может быть, начнешь работать?

— Я... Я как-то не думала об этом.

— Почему?

— Я нужна дома.

«Я не знаю, что бы без тебя делала, Вера, — прозвучал в ушах голос мамы. — Ты так нам нужна, дорогая».

— Во всяком случае, я ничего не умею делать, — ответила Вера, раздумывая. И это было правдой. Вера не кривила душой. Она не умела даже печатать, но у нее было хобби: рисовать. Об этом знали все.

Доктор наклонился, взял Веру за подбородок и заглянул ей в глаза. Вид у него был очень серьезный.

— У тебя приятные черты лица, хорошее сложение и замечательные глаза. В тебе сидит очень привлекательная девушка, но ты не даешь ей проявиться. А она заслуживает лучшей участи. Помочь ей можешь только ты.

Вера рассеянно пририсовала советскому послу маленькую бородку и ряд орденов, но в голове все еще звучал голос доктора.

— Твой мирок слишком узок, Вера, и будет еще у́же, когда отец совсем состарится. Ты должна жить настоящей жизнью, а не подменять ее прочитанным в книгах или выдумывать собственные рассказы, — говорил Уилер и вдруг предложил уж совсем из ряда вон выходящее: — Ты не хотела бы поработать за границей у одной супружеской четы? Там не требуется особого умения. Думаю, это поможет тебе расправить крылья, а там... кто знает? Если хочешь, я могу помочь, у меня есть связи.

У Андреева, сотрудника КГБ, густые брови, плотно сжатые губы и высокие скулы. Вере хотелось сделать посла зловещим, но не лишенным сексуальной привлекательности, поэтому девушка нарисовала ему нижнюю губу более полной и чувственной.

Вере было над чем подумать. Все как-то смешалось. В голове полная путаница, на сердце тревога. «Почему мама не хочет, чтобы я худела?» — задавалась она вопросом.

И внутренний голос холодно отвечал: «Тебе не разрешают иметь мальчика, выходить из дома, работать — и все это только для того, чтобы ты всегда оставалась дома и ухаживала за ними, когда они совсем состарятся».

На следующий день за завтраком состоялся следующий разговор.

— Твоя любимая картофельная запеканка! — жизнерадостно провозгласила мама. — За то, что ты такая хорошая девочка и всегда помогаешь маме.

Вера съела мясную начинку, а картофельное пюре отодвинула на край тарелки. Мама моментально обиделась.

— Я готовила ее специально для тебя, — сказала она с оскорбленным видом.

— Доктор Уилер говорит, что мне нельзя есть продукты, в которых много крахмала.

— Ох уж этот доктор! Что он понимает? У него никогда не было детей. Он даже не женат. Отчего это тебе уделяется столько внимания? Мне это совсем не нравится и кажется противоестественным.

— Ма, но он же доктор.

— А я твоя мать.

— Но я хочу похудеть.

— Станешь постарше и похудеешь.

— Но мне почти восемнадцать.

«В это время другие девочки уже хорошо одеваются, ходят с мальчиками в кино и на танцы», — промелькнуло у Веры в голове.

— Я не позволю ему вмешиваться. Я сама знаю, что для тебя лучше. Немедленно очисти тарелку.

— Нет, ма. Мне очень жаль.

— Вера! — Лицо матери покраснело, на нем появилась жалкая улыбка. — Наступит день, и ты пожалеешь об этом, но будет поздно.

Впервые в жизни дочь не бросилась на колени, вымаливая прощение.

Сейчас, машинально работая над рисунком, оттеняя его и приукрашивая, Вера раздумывала над предложением доктора Уилера.

Неужели и впрямь он может помочь ей найти работу помощницы по дому? Да еще где-то за границей? Может, во Франции или Италии? Возможно, в Америке. Но как все-таки страшно уезжать из дома. Она покидала его лишь однажды и то очень давно, когда ездила к тете Синтии в Йоркшир.

Диана наверняка презирает ее за трусость. Уж она бы не упустила такой возможности. Диана вообще ничего не боится. Вера подправила своей героине глаза. Сейчас та смотрела на Андреева, улыбалась ему и говорила «до свидания» и «спокойной ночи».

Америка.

«Дикая страна, полная хиппи, наркотиков и гангстеров, где никто никого и ничего не уважает», — так всегда утверждала мама.

«Место, где может случиться все что угодно», — думала Вера.

Интересно, что значит быть помощницей по дому? Она умеет ухаживать за стариками, но какова работа в доме, где могут быть дети? Наверное, это гораздо веселее.

Средний план.

Диана выходит из своей спортивной машины, видны длинные, красивые ноги. На заднем плане лимузин с затемненными стеклами.

Силуэты Дианы и Андреева.

Диана. Что вы от меня хотите?

Андреев. Хочу, чтобы вы поехали со мной.

Крупный план.

Диана (глаза как плошки). Нет. Вы не можете мне приказывать.

Крупный план.

Андреев (на лице зловещая улыбка). Нет, могу. Садитесь в машину.

Диана в машину не села. Вместо этого...

Что же случилось? Внезапно Вера почувствовала, что какая-то неведомая сила водит ее рукой. Карандаш так и летал по бумаге, словно чьи-то пальцы держали его, словно в нее кто-то вселился и руководил. Так что же происходит?

Она рисовала все быстрее и быстрее.

Задний план.

Силуэты Дианы и Андреева. Между ними сверкнула молния, озарив все ярким светом. Слышится голос.

Голос. Диана Старр?

Крупный план.

Диана (ее рот раскрыт от удивления). Да?

Голос. Я энергетическая сила из системы Ригел, удаленной от Земли на много световых лет. Мне необходимо принять физическую форму, и я выбрала ваше тело.

Диана. Нет! Не делайте этого!

Голос. Не бойтесь. Вы станете обладательницей необычайной гармонии ума и духа, теперь ваше имя Старфайер.

Диана. Но зачем? Что вам нужно от меня?

Голос. В свое время узнаете.

Вера быстро нарисовала зигзаги молний, звезды, восклицательные и вопросительные знаки.

Передний план.

Диана уже не легкомысленная девушка, а воплощение силы. Она стала выше, мощнее, тверже. Ее волосы светящимся ореолом окружают голову, глаза блестят. Она — Старфайер.

Средний план.

Андреев и Старфайер. Он продолжает силой удерживать ее за руку.

Андреев. Немедленно в машину, и никаких глупостей.

Крупный план.

Старфайер. Отпустите меня *(ее глаза широко раскрыты, вокруг головы мерцают зигзаги молний).*

Передний план.

Андреев (словно получивший удар электрическим током. Рот перекошен, волосы встали дыбом). Какого...

Передний план.

Старфайер (с решительным видом указывает пальцем). Убирайтесь туда, откуда пришли.

Задний план.

Москва, зима, Красная площадь. Видны купола собора Василия Блаженного, кирпичные стены Кремля. Андреев смотрит на собор сквозь пелену падающего снега.

Крупный план.

Андреев (растерянно крестится). Господи, что со мной произошло?

Крупный план.

Старфайер. Неужели я обладаю такой силой? Надо научиться управлять ею...

Уставшая и измученная, Вера отложила карандаш и посмотрела на рисунки, сделанные ее рукой. В голове эхом прозвучал вопрос Андреева: «Что со мной произошло?»

Этот же вопрос задала себе и Вера. Сейчас Старфайер стала совершенно другим человеком, а рассказ приобрел новую концепцию. Откуда появилась эта новая девушка, способная отправить человека за тысячи миль?

И Вера ответила себе: она создана моим воображением. Художница внезапно почувствовала себя разбитой и опустошенной и даже немного испуганной.

Вера разглядывала Старфайер, а та спокойно смотрела на нее, глаза в глаза.

В голове звучал голос доктора Уилера: «В тебе сидит очень привлекательная девушка... И помочь ей можешь только ты».

Вера посмотрела на Старфайер и мысленно спросила: «Ты — это я? Неужели я действительно на тебя похожа?»

Внезапно Вера почувствовала необычайный прилив энергии.

Слоун Сент-Джон Тредвелл быстро шагал по Пятой авеню в сторону Центрального парка. Чувство унижения сменилось злостью, которая настолько переполняла его, что хотелось бешено крушить все на своем пути. Но и злость скоро прошла, а на смену пришли разочарование и горечь, такие сильные, что перехватывало дыхание.

Как ему хотелось продемонстрировать отцу, на что он способен! Пускай сейчас рассказ не взяли, но ведь обязательно возьмут следующий. Всего-то требовалось пять минут, пять жалких минут. Это же так мало! Неужели у него не нашлось времени прочитать письмо и произнести несколько добрых слов? Ведь мог же он сказать: «Молодец, Слоун. Я даже не подозревал, что у тебя такой талант». Несколько слов, и все было бы по-другому.

Он скомкал письмо и швырнул в урну на углу Пятьдесят второй улицы, но, пройдя полквартала, бросился обратно, почувствовав, что не может расстаться с этим клочком бумаги. С трепещущим сердцем он достал из урны письмо, расправил и положил в карман.

Черт бы побрал Тредвелла-старшего! Впрочем, он и сам хорош. Сколько можно подвергать себя таким испытаниям? Почему ему так хочется, чтобы отец понял его? Неужели не ясно, что этого никогда не произойдет? Он никогда не интересовался им, так почему же вдруг должен перемениться?

Его глаза слезились от холода, и влага застывала на щеках, покрытых неуместным в это время года загаром. Он совершенно забыл, как холодно бывает в Нью-Йорке.

Слоун засунул руки поглубже в карманы своего тонкого пиджака, наклонил голову, чтобы ветер не хлестал по лицу, и продолжал путь, чувствуя, как колючий снег залепляет уши.

Он не ел с пяти утра, и сейчас, несмотря на то что душа была опустошена, а сердце болело, ощутил волчий голод. Как хорошо было бы поесть мяса с брокколи.

Мальчик на мгновение пожалел, что отказался от отцовских денег, потому как у него в кармане осталось всего три доллара и семьдесят пять центов. У него даже мелькнула мысль вернуться в офис отца и попросить мисс Геррити отдать ему деньги, но нет, решил он с внезапной злостью, лучше замерзнуть и умереть с голоду, чем снова пережить такое унижение.

Слоун поднял воротник и зашагал быстрее, стараясь согреться. Он подумал, что напрасно сжигает калории, ускоряя темп, ведь, по сути дела, идти ему некуда.

На Пятьдесят девятой улице ему попалась тележка с горячими хот-догами, и он резко остановился. На полосатом тенте было написано: «Польские сосиски с капустой. Берни». Сам Берни, грузный мужчина в теплой шапке с наушниками, стараясь согреться, переминался с ноги на ногу, и его ботинки на толстой резиновой подошве скрипели на снегу.

Слоун купил хот-дог со всем, что к нему полагается: горчицей, луком, маринованным огурцом, и принялся жадно есть.

Берни посмотрел на его тонкий хлопчатобумажный пиджак и зябко повел плечами.

— Снежит, — сказал он. — Ты заметил?

— Да, — согласился Слоун. — Я заметил.

Те полторы минуты, что он простоял у исходящей паром тележки, с жадностью заглатывая еду, Слоун чувствовал себя комфортно, но что дальше? Все съедено до последней крошки, а через полчаса снова захочется есть. И что тогда? Нет, его поведение просто смешно. Да и вообще все глупо.

Он совершенно один в Нью-Йорке, зимой, с одним долларом и двадцатью пятью центами в кармане. Правда, у него есть водительская лицензия штата Калифорния с фотографией и именем; есть чековая книжка, а на счету, насколько ему известно, имеются деньги; есть кредитная карточка телефонной компании, и он может позвонить.

Так что нечего строить из себя сироту, умирающего от голода и холода, приказал себе Слоун, не все потеряно. Никто не виноват в твоих проблемах, так что перестань валять дурака.

Может, позвонить матери? Но он так редко виделся с ней, со своей знаменитой матушкой, что вполне мог и не узнать. Одно дело видеть ее в телевизионных сериалах в гриме и при полном параде, другое — при редких встречах.

Все приятели сейчас в школе.

За исключением Арни Блессинга, который закончил ее в свои шестнадцать...

Арни! Мысли в голове Слоуна бешено завертелись. Господи, конечно же, Арни!

Они какое-то время учились вместе в частной средней школе при академии Сент-Реджис в Вермонте.

Арни был тучным, близоруким, слишком интеллигентным калифорнийским евреем. К тому же имел безобразные рыжие волосы. Все это послужило поводом для многочисленных насмешек и издевательств со стороны старшеклассников, детей американцев среднего достатка. В те дни Слоун Сент-Джон Тредвелл-младший был его единственным другом.

— Как ты можешь заступаться за эту жирную свинью? — возмущался двенадцатилетний сын известного бостонского судьи. — Грязный ублюдок. Меня от него просто тошнит.

Сначала Слоун заступался за Арни потому, что ненавидел слепую злобную жестокость. Все вскипало в его душе, когда он видел, как издеваются над толстым беззащитным мальчиком, но вскоре, однако, простое заступничество переросло в теплую, искреннюю дружбу. Слоун полюбил Арни. За неказистой наружностью скрывались живой ум, юмор и, несомненно, мужество, помогавшее стойко переносить этот каждодневный ад. Арни был также единственным человеком, который никогда не называл его Слоун, Тредвелл или Джуниор.

Дружба с Блессингом поставила и самого Слоуна в положение изгоя, но защитой ему служили не только положение родителей, состоятельность, красивая внешность, чрезмерная отвага, но и такое немаловажное оружие, как полное безразличие. Слоун всегда оставался спокойным, с холодным, непроницаемым лицом. Положение отщепенца не задевало его гордость, так как он просто ничего не замечал.

В конце концов ребятам пришлось смириться с тем фактом, что ненавистная жирная свинья находится под защитой Тредвелла, и они оставили его в покое. Во всяком случае, пока Тредвелл был поблизости.

С тех пор прошло шесть лет, но они продолжали поддерживать отношения. За это время многое изменилось в жизни Арни.

Он все еще жил в Калифорнии и продолжал оставаться умным евреем, но похудел, вставил контактные линзы зеленого цвета, лицо его стало гладким и чистым, и произошла метаморфоза: Арни превратился в очень приятного мальчика.

Мать Арни нашла талантливого агента и направила сына к нему, чтобы тот прошел курс обучения и занялся бизнесом безалкогольных напитков. Но Арни поступил по-своему и, несмотря на все невзгоды, в очень короткое время превратился в голливудский феномен.

Камера и Арни сроднились. За два года он стал предметом обожания многих тинейджеров, соперником самого Шона Кэссиди.

Теперь его звали Арнольд Блейз, и каждую неделю он получал тысячи писем от своих поклонников со всего мира.

Блессинг владел большим домом стоимостью в миллион долларов на одном из пляжей в Малибу и фешенебельной квартирой на крыше небоскреба на Парк-авеню. В обычные дни ездил на «феррари», а на деловые встречи его возил шофер в «линкольне».

Однако Арни все больше и больше зависел от кокаина, хотя Слоун, не видевший его два года, пока ничего не знал.

Арни пристрастился к наркотику, так как тот давал ему возможность почувствовать себя таким красивым и популярным, каким его считали люди, и, пока длилось действие кокаина, он забывал о жалком, толстом мальчике, которым был раньше. В это время Арни чувствовал себя нужным, и у него появлялись миллионы друзей.

Когда же действие наркотика заканчивалось, возвращался прежний толстый увалень. А у толстого Арни совсем не было друзей.

Кроме одного...

Слоун позвонил из отеля «Плаза».

Секретарша сверилась со списком желательных звонков и нашла там имя Слоуна Сент-Джона Тредвелла, как человека весьма желательного, с которым Арни готов встретиться в любое время дня и ночи. Девушка дала Слоуну исчерпывающую информацию:

— Он сейчас в Нью-Йорке. Снимается в фильме «Дискотека «Мечта». Вы можете позвонить ему по номеру...

Арни в Нью-Йорке. Вот так удача! Слоун сразу решил, что это хорошее предзнаменование. Теперь все наладится.

Он набрал местный номер, но в трубке раздавалось только шипение, потрескивание, а затем было долго занято, пока наконец с третьего раза не взяли трубку и не ответил уставший мужской голос:

— Да, они закончили, и мистер Блейз уже здесь.

Арни взял трубку. Слоун еще не привык к его новому, взрослому голосу, хотя и узнавал в нем прежние вкрадчивые нотки. Блессинг всегда был такой ранимый и страстно желал всем понравиться.

— Сент! — закричал приятель. — Это ты? Неужели! Сколько времени прошло! Где ты, старик? Я просто не верю своим ушам! Сегодня был кошмарный день, и вдруг такой подарок! Просто не верится. Давай шагай ко мне. — Он дал Слоуну свой адрес. — Приеду, как только освобожусь. Сейчас я позвоню и попрошу, чтобы тебя пропустили, и пусть попробуют этого не сделать...

В трубке послышался радостный вздох:

— Господи, Сент! Как я рад тебя слышать!

Этим февральским утром Джо-Бет поднялась как обычно и стала собираться в школу, стараясь не обращать внимания на свое ужасное состояние: голова разламывалась, горло болело. Она попыталась рассмотреть его в зеркало и пришла в ужас, увидев распухшие и покрасневшие миндалины с многочисленными нарывами.

«Вот черт», — выругалась про себя Джо-Бет. Школу можно пропустить, а как быть с работой? Если не ходить, то ничего не заработаешь.

За окном дул сильный ветер и пучки перекати-поля носились как безумные. Небо стало серым и хмурым, похолодало.

Джо-Бет вернулась на свою двухъярусную койку. Когда Мел уехала, она переместилась с верхней койки на нижнюю. Девушка сняла с себя только джинсы, чтобы было теплее, и решила не поддаваться болезни. Возможно, если немного полежать, то к вечеру станет лучше.

Джо-Бет не привыкла бездельничать. Если не было дел в школе или на работе, то находились домашние занятия. Сейчас девушка осталась одна, делать ничего не могла, а потому принялась размышлять.

Прежде всего о Флойде и о том, как отчим смотрел на нее в последнее время. Его взгляды раздевали, заставляя чувствовать себя грязной. Затем о маме, превратившейся в привидение, безропотно принимающей оскорбления и зуботычины.

Нет, лучше ни о чем не думать. Гораздо приятнее мечтать о том, как Джо-Бет, Мелоди Рос и мама будут жить в Нью-Йорке в шикарной квартире и как счастливы они будут!

Джо-Бет посмотрела на висевшую на стене фотографию Мелоди на роскошной яхте. Возможно, им втроем когда-нибудь тоже удастся покататься на такой яхте. Ведь в конце концов Нью-Йорк расположен на побережье Атлантического океана. Джо-Бет воображала себя красивой, свободной и счастливой...

Джо-Бет грезила наяву, как белая яхта скользит по залитой солнцем воде, свежий ветер обдувает их лица, о борт плещутся волны, а в небе над головами носятся чайки. Джо-Бет даже слышала плеск волн. Она сама стоит за штурвалом, волосы развеваются на ветру, и яхта послушна ее рукам.

Внезапно неприятный скрип ворвался в ее грезы. Белая яхта, небо, вода, смеющиеся лица расплылись и исчезли.

Перед глазами Джо-Бет вновь грязная зеленая стена с приклеенной скотчем фотографией.

Она сразу узнала звук, это был скрип двери.

Трейлер закачался под тяжелыми шагами. В кухне открылась и с грохотом захлопнулась дверца холодильника. Кто-то громко пил, затем бросил пустую банку в корзину, открыл дверь в ванную, долго возился в туалете, потом тяжелые шаги проследовали по коридору и затихли перед ее дверью.

Это пришел Флойд, работавший на этой неделе во вторую смену.

Он толкнул дверь плечом и ввалился в комнату.

Флойд Финей — грузный мужчина, его голубой джинсовый комбинезон на толстом животе весь заляпан жиром, так как отчим всегда вытирает о него руки.

— Почему ты дома, Джо-Бет?

— Я заболела. Похоже, у меня грипп.

Джо-Бет старалась не смотреть ему в глаза, а разглядывала вышивку на правом нагрудном кармане.

— А как насчет «этого»? — Голос Флойда звучал интригующе сердечно. — Может, уважишь старенького папочку?

— Боюсь, что я заразна и на твоем месте не стала бы подходить близко.

Джо-Бет отползла подальше к стене.

Флойд смотрел на нее, кутавшуюся в теплое стеганое одеяло.

— Это меня нисколько не беспокоит, — сказал отчим и подошел так близко, что толстые ляжки уперлись в край кровати. Он заполнял собой всю комнату. Джо-Бет чувствовала запахи пива и грязного тела.

— Флойд, оставь меня в покое.

Отчим протянул к ней большую волосатую руку со сломанными грязными ногтями.

— Какого черта, дорогая. Будь хорошей девочкой и доставь удовольствие папочке. Меня давно уже никто не ласкал.

Резким движением он сорвал с нее одеяло и вцепился девушке в груди.

Джо-Бет обхватила его за запястья и попыталась оторвать от себя, но руки отчима были как клещи.

— Не смей меня трогать! Прошу, не делай этого!

— Дай мне их помять немного. Что, тебе жалко? Такие славные. Зрели, зрели и наконец дозрели.

— Флойд, прекрати немедленно! Ты меня слышишь?

— Не дергайся, дорогая. Ведь на самом деле я тебе не родной отец.

Флойд попытался разжать падчерице ноги. Джо-Бет хотела закричать, но больное горло не слушалось, и вместо крика раздался жалкий писк. Все превращалось в кошмар.

Тяжело дыша, Флойд подмял ее под себя и раздвинул ноги коленом. Девушка слышала, как отчим рванул «молнию» у себя на комбинезоне. Затем разорвал на ней кофту и снова ухватил ее за грудь. Джо-Бет чувствовала подступающую к горлу тошноту.

Упираясь спиной в стену, она большими пальцами что есть силы надавила ему на глаза. Двухъярусная койка заскрипела, зашаталась и отъехала от стены.

Флойд дико закричал, дернулся назад и с размаху ударился головой о боковину верхнего яруса. Джо-Бет откатилась к краю кровати, сползла в образовавшийся промежуток и, нырнув под кровать, побежала к двери.

Флойду удалось ухватить девушку за разорванную кофту. Резко развернув Джо-Бет лицом к себе, отчим ударил ее по голове. Его налившееся кровью лицо было ужасным, дыхание хриплым и прерывистым, по лбу текла кровь.

Джо-Бет почувствовала, что вот-вот упадет и потеряет сознание. Флойд всей тяжестью снова навалился на нее, и тогда, собрав последние силы, Джо-Бет резко ударила его ногой в пах.

Удар получился не очень сильным, но вывел отчима на некоторое время из строя, что дало девушке возможность выскочить из комнаты.

Она побежала к наружной двери, слыша за собой хриплое дыхание и понимая, что шансов на спасение очень мало.

— Не трогай меня, — услышала она собственный крик, — иначе я убью тебя, скотина!

Но Флойд настиг ее.

— Ты допустила большую ошибку, дорогая...

То, что случилось затем, будет преследовать ее в бесконечных ночных кошмарах. Как при замедленном показе, она видит себя, хватающую фарфоровую статуэтку Девы Марии с младенцем Иисусом на руках и опускающую ее на голову Флойда.

Действуя статуэткой, как бейсбольной битой, Джо-Бет наносит ему удар за ударом. Он шатается и начинает падать. Его лицо — сплошная рана, но жадные руки все еще тянутся к ней. Девушка слышит свое прерывистое, смешанное с рыданиями дыхание, видит, как снова и снова наносит удары, и так до тех пор, пока статуэтка не разлетается на куски. Глаза Флойда закатываются, и он, как складная линейка, извиваясь всем телом, оседает на пол.

Глава 3

— Привет.

Старфайер приветливо улыбается и протягивает руку лондонскому секретарю Спринг Кентфилд. Она пришла на собеседование в отель «Дорчестер».

— Меня зовут Вероника Браун, но все называют меня просто Верой. Я бы очень хотела работать у мисс Кентфилд в Нью-Йорке.

Позже в тот же день.

— Я им понравилась, — говорит Вера доктору Уилеру. — Они меня наняли. Я до сих пор не могу в это поверить.

43

Конечно, она сама никогда бы не прошла собеседование. Своим успехом девушка полностью обязана Старфайер, которая не пасует ни перед какими трудностями и никогда не смущается.

Именно Старфайер принесла эту новость в дом, объяснив:

— Спринг Кентфилд, известная актриса, этим летом будет жить в Нью-Йорке, чтобы сниматься в телевизионном сериале. У нее есть маленький сын Вильям. Она поместила в «Таймс» объявление, что ищет няню. Я ходила на собеседование — и выбрали меня.

Только Старфайер смогла бы вынести сцену, последовавшую за этим.

— Но, Вера, как мы сможем обойтись без тебя?

— Доктор Уилер обещал найти сиделку для папы, которая будет ежедневно ухаживать за ним.

— Но папа не терпит посторонних. Я просто не понимаю. Как ты могла? Может, ты нас совсем разлюбила? И это после всего, что мы для тебя сделали... Папа так болен... Твой отъезд убьет его. Ты убиваешь своего отца, Вера.

— Мне очень жаль, ма, но я хочу уехать.

Голос мамы задрожал, подобно героине викторианской эпохи она заломила руки.

— Последнее время у тебя такой жесткий взгляд. Ты начинаешь пугать меня, Вера. — И более вкрадчивым голосом: — Моя дочь не может говорить такие ужасные вещи, моя Вера совсем другая.

Весь остаток дня девушка просидела, закрывшись у себя в комнате, она рассматривала рисунок, где Старфайер входит в отель и обменивается рукопожатием с секретарем. Вид у нее более впечатляющий, чем был в тот момент у самой Веры. Старфайер с независимым видом соглашается на работу.

В жизни произошли большие изменения, и это сразу нашло отражение в ее рисунках. Старфайер станет играть роль самой Веры, и каждый вечер художница будет рисовать то, что произошло с ней за день.

Сейчас Вера изображала Старфайер, сообщающую отцу и матери о своем решении, но рисунок не получался: Вера чувствовала себя виноватой. Закусив губу, она старалась удержать слезы. Старфайер гораздо легче, чем ей, ведь это ее, Верины, родители. Очень не хотелось причинять им боль. Голова девушки склонялась все ниже, пока разгоряченный лоб не коснулся бумаги. Она чувствовала себя виноватой, любила родителей и в то же время ненавидела за то чувство вины, которое постоянно испытывала перед ними. «Они не имеют права зависеть от меня, — думала Вера, — они должны оставить меня в покое».

Спринг Кентфилд в свои сорок два года была звездой «мыльных опер».

Недавно она вышла замуж за человека гораздо моложе себя, маклера по недвижимости из Беверли-Хиллз, и ее беременность также тщательно спланирована, чтобы привлечь к себе еще большее внимание зрителей. Беременность и роды — удел молодых, поэтому, по мнению Спринг, способность рожать делала ее моложе по крайней мере лет на десять.

План сработал. Популярность Спринг еще больше возросла. Поклонники были от нее без ума, засыпая любимую актрису письмами и подарками. Телесериал переделали, добавив в него рождение ребенка, а все журналы запестрели фотографиями красивой, молодой счастливой матери с младенцем на руках.

В доме оборудовали роскошную детскую, а в газетах появились объявления, что для ребенка требуется английская няня.

Однако хорошую няню найти легче, чем удержать, особенно когда хозяйка такая, как Спринг: требовательная и эксцентричная, отдающая самые противоречивые указания и не терпящая возражений. К тому же актриса всегда жалела деньги и расставалась с ними очень нехотя, конечно, когда это касалось других. На себя же она тратила с большим удовольствием, особенно если деньги были чужие. Первая няня прослужила у нее полгода, другие и того меньше. «Он очаровательный мальчик, — говорили женщины, — но его мамочка — сущий кошмар».

Вера начала работать в конце мая, после того как сбежала очередная воспитательница.

— Вы исчадие ада, — сказала она своей хозяйке. — Я немедленно покидаю ваш проклятый дом.

Спринг решила не нанимать новую, специально обученную няню. Вильям уже вышел из пеленок, и с ним могла справиться и Вера, для которой это было повышением.

— Иногда она разбирается в людях, — заметила Джерония, домоправительница, взбивая тесто и пританцовывая в такт музыке, звучавшей по радио.

Тощая и черная, как виноград, Джерония носила под прозрачной белой униформой яркие платья. Она была замужем за полицейским и имела троих сыновей-подростков. Вере прежде не приходилось сталкиваться с цветными, так как в захудалом городишке графства Кент их просто не было, поэтому она находила Джеронию очень забавной и привлекательной.

— Тебе добавили денег? — спросила домоправительница.

Вера покачала головой. Джерония понимающе кивнула:

— Думает, с тебя хватит. Мисс Кентфилд жадна. Баксы для нее все. На твоем месте я бы устроила скандал.

Вера с интересом наблюдала, как Джерония закладывает тесто в специальную форму, начиняя его клубникой, смешанной с медом.

— Я не могу, — ответила она с жалким видом. — Хозяйка тут же уволит, и мне придется уехать домой, так как у меня всего лишь туристическая виза.

— Вот этим она и пользуется.

Джерония сердито подтолкнула к Вере блюдо с домашним песочным печеньем. Вздохнув, та взяла одну штуку.

Вера жила в постоянных хлопотах о ребенке, по вечерам в одиночестве смотрела телевизор и постоянно думала об отце с матерью, ощущая свою вину перед ними.

Она очень уставала, не высыпаясь по ночам, ожидая, когда вернется Спринг. Обычно та возвращалась под утро с какого-нибудь званого вечера, подвыпившая и веселая. В ней пробуждались материнские чувства, и она требовала, чтобы принесли Вильяма.

— Малыш спит, мисс Кентфилд.

— Тогда разбуди его, Вера. За что я тебе плачу? Мне не терпится увидеть свое золотко... Я не виделась с ним целый день!

Золотко, зевающее и протирающее глаза, доставлялось к мамочке, которая играла с ним пять минут и отдавала обратно, так как на большее материнской любви не хватало.

— Отнеси его обратно в постель, Вера.

С этими словами Спринг уплывала в свой будуар, а ребенок, окончательно проснувшийся, готов был играть всю ночь и ревел не меньше часа, когда Вера возвращала его в кроватку.

Мама писала чуть не каждый день.

«Мы стараемся держаться изо всех сил. У папы был новый приступ. Он совсем плох. Как только я подумаю, что ты так далеко от дома, то начинаю плакать...»

Спасением Веры была Старфайер.

Ее миссия на Земле сейчас была четко обозначена: изучение планеты с целью захвата. Диана Старр становилась связующим звеном двух галактик и должна проникнуть во все слои общества.

Она обязана пользоваться своей сверхсилой с большой осторожностью. Ее выпад против Юрия Андреева был слишком эффектным, что недопустимо, так как это могло привлечь к ней нежелательное внимание.

Диана должна внедряться осторожно и по возможности в такие дома, как дом Спринг Кентфилд, где собирается немало знаменитостей.

Однако пока ничего не получалось и скорее всего не получится, если, конечно, положение не изменится. Старфайер (вернее Вера) встречалась с одной лишь прислугой: швейцарами, лифтерами, посыльными и другими нянями, которые приходили гулять с детьми в Центральный парк.

Не имея другого источника, Вера задумала создать свою собственную галерею знаменитостей. Решив отомстить Спринг, девушка сделала на нее беспощадную карикатуру в своей новой работе.

Основная сюжетная линия: Старфайер хочет помешать Спринг выйти замуж за молодого преуспевающего сенатора Мура (тот был точной копией доктора Уилера), который на ближайших выборах собирался выдвигать свою кандидатуру на пост президента страны. Спринг с длинными, в спешке наклеенными ресницами, с вызывающе обтянутой тонким шелком платья грудью вынашивает амбициозные планы, стремясь завладеть сенатором, с его помощью добиться власти и войти в Белый дом.

Однако у Старфайер свои планы относительно сенатора.

Задний план.

Белый дом. Все окна ярко светятся, и в них видны силуэты людей. Идет важный прием.

Крупный план.

Старфайер. Позади нее толпа нарядных гостей. Глаза Старфайер широко распахнуты, и в них угадывается напряжение. Вокруг головы зигзаги молний, она готовится к работе.

Старфайер (улыбаясь). Я покажу ему, чего она от него добивается.

Крупный план.

48

Сенатор и Спринг, которая с очаровательной улыбкой смотрит на него, но в ее глазах вместо обожания видны президентская печать и долларовая купюра.

Сенатор (в ужасе отпрянув). Ты не любишь меня, а просто хочешь заполучить мои деньги и власть.

Крупный план.

Сенатор и Старфайер танцуют.

Сенатор. Вы самая красивая женщина на свете.

Крупный план.

Спринг, кипя от злости. Вот дрянь! Я с ней еще посчитаюсь, сдам на руки иммиграционным властям...

Но в один жаркий июльский день жизнь Веры коренным образом изменилась.

Спринг без предупреждения влетела в квартиру, преследуемая по пятам личной горничной. Она должна немедленно ехать в аэропорт Кеннеди. Женский журнал посвящал ей целый разворот: Спринг Кенфилд — жена и мать — на отдыхе у себя дома вместе с мужем и ребенком. Она просто уверена, что говорила Вере о своем отъезде в Лос-Анджелес на съемки для журнала. Неужели нет? Этого просто не может быть. И почему ребенок до сих пор не собран? Спринг забирает Вильяма с собой. Вера ведет себя недопустимо. Так больше продолжаться не может, придется серьезно поговорить по возвращении. Неужели Вера не способна запомнить простые вещи? Нет, она ей там не нужна. В Калифорнии слуг достаточно, поэтому няня останется в Нью-Йорке и может целую неделю наслаждаться жизнью, хотя того совсем не заслуживает.

Выкрикивая угрозы, Спринг промчалась в гардеробную и принялась доставать оттуда многочисленные туфли, сандалии, блузки, купальные костюмы, вечерние платья и швырять не глядя своей горничной и портнихе Барбаре, которая умудрилась продержаться в доме десять лет, невзирая на скверный характер своей хозяйки. Барбара на лету ловила вещи и складывала в чемоданы, в то время как

Вера лихорадочно собирала Вильяма: панамки, нагруднички, пеленки, лосьоны, бутылочки и игрушки, и запихивала все это в большую парусиновую сумку.

Наконец женщины ушли. Вера не могла поверить своему счастью.

Открыв в гостиной окно, она наблюдала с высоты двадцати этажей, как крохотная, словно птичка, Спринг усаживается в белый длинный лимузин. Когда машина уехала, Вера поняла, что действительно свободна, и облегченно вздохнула. Она сейчас ни от кого не зависела и чувствовала себя полностью раскрепощенной. Девушка смешала джин с тоником, добавила туда побольше льда, положила кусочек лимона и плюхнулась в большое удобное кресло, обтянутое шелком персикового цвета с акварельным рисунком. Затем удовлетворенно подняла стакан и пожелала себе счастливой жизни.

Покончив с джином, Вера прошла в комнату и взялась рисовать. Какое счастье знать, что тебя никто не побеспокоит!..

Крупный план.

Старфайер и сенатор на заднем сиденье лимузина. Сенатор протягивает Старфайер конверт.

Сенатор. Ваша зеленая карточка, Диана. Поздравляю. Теперь вы можете спокойно жить в этой стране.

Вера улыбнулась своей находчивости. Хотелось изобразить их целующимися, но рука в последний момент дрогнула.

Наверное, это оттого, что она сама никогда ни с кем не целовалась. Девушка еще не знала вкуса мужских губ, не знала, что при этом чувствует женщина, а поэтому не могла передать выражение лица Старфайер. Возможно, ей так никогда и не удастся узнать вкус поцелуя. От этой мысли Вере стало грустно.

Она выбросила рисунок, решив отправить сенатора в его родной штат Калифорнию, а Старфайер в Нью-Йорк и начать все сначала.

Крупный план в зеркале.

Старфайер оценивающе изучает себя, губы ее слегка приоткрыты, светлые волосы заплетены в косу. Она выглядит потрясающе, кажется беззаботной, готовой на новые подвиги.

Опять что-то не так. Вера не знала, как продолжить. Разочарованная, девушка отложила карандаш. На душе стало тревожно.

Для нее недостаточно отправить Старфайер погулять в пропахших лавандой сумерках в поисках интересных приключений. Вере и самой хотелось пройтись, но она боялась выходить одна.

Девушка поняла, что опять проведет вечер дома, еще более одинокая, чем всегда.

Господи, какая тишина!

Словно сомнамбула Вера потащилась на кухню, сверкавшую белизной кафеля, многочисленной утварью, такую тихую и скучную без Джеронии, постоянно гремящей кастрюлями, пританцовывающей под музыку и одним глазом наблюдающей за происходящим на экране маленького телевизора «Сони», подвешенном в одном из углов помещения.

Вера включила радио, телевизор и открыла холодильник.

Она достала завернутую в фольгу половинку цыпленка и положила ее на тарелку, добавив хорошую порцию картофельного салата и кусочек чесночного хлеба. Девушка обнаружила на полке шоколадный торт и отрезала большой кусок.

Безысходность и отчаяние охватили Веру. Она вернулась в гостиную, приготовила себе новую порцию джина с тоником и включила телевизор.

Вера лениво жевала цыпленка, наблюдая, как мужчина мчался на бешеной скорости в спортивной машине по улицам города, стреляя на ходу в другого мужчину в такой же несущейся со скоростью света машине. Девушка прибавила звук, желая разогнать воцарившуюся в комнате гнетущую тишину. Большая гостиная заполнилась звуками скрипящих тормозов, звоном разбитого стекла, громкими криками. Дальше пошла реклама. Вера отправила в рот большую порцию картофельного салата, наблюдая, как красивая девушка с гривой золотых волос и в обтягивающем фигуру черном платье брызнула духами себе на грудь, запястья, за уши. Девушка с экрана смотрела прямо Вере в глаза и говорила:

— У моего мужа сегодня был долгий, трудный день. Вам не кажется, что он заслуживает сказочной ночи? Я сделаю...

Вера посмотрела на торт. Наверняка девушка на экране не ест пирожных, она такая тоненькая и грациозная, скорее всего носит четвертый размер одежды.

Когда тарелки опустели и на них остались одни крошки, Вера отнесла их на кухню и положила в посудомоечную машину.

Она запустила ее, хотя та была почти пустой. Даже с включенными радио и телевизором кухня казалась огромной и холодной, а звук плещущейся воды действовал на Веру успокаивающе.

Она снова открыла холодильник и посмотрела на торт, раздумывая, не съесть ли еще кусочек, но затем с решительным видом захлопнула дверцу.

Вера переходила из комнаты в комнату, включая все приемники, транзисторы, телевизоры, а их в квартире насчитывалось целых пять штук — пока наконец не забрела в золотисто-белую спальню хозяйки.

Но ничего не помогало. Вера оставалась такой же одинокой, как и прежде. Единственное утешение находилось там, в холодильнике — вкусный застывший крем так и манил к себе.

Вера вспомнила слова доктора Уилера: «В тебе сидит совсем другая девушка. Помоги ей выбраться наружу».

— Нет! — закричала Вера. — Не смей!

Девушка приказала себе не думать о торте. Она ни за что не поддастся соблазну. С этим покончено.

Покончено раз и навсегда!

Нужно забыть дорогу на кухню!

Вера решительно закрыла дверь хозяйской спальни и огляделась. Она редко заходила сюда. Повсюду на стенах висели зеркала. Куда ни посмотришь, везде твое отражение. Вся комната — сплошная Вера Браун.

Вера присмотрелась. Пожалуй, она немного похудела за последнее время. Прогулки с Вильямом в парке пошли на пользу.

Девушка начала медленно раздеваться.

Сняла голубую блузку, затем длинную бежевую юбку, наконец очередь дошла до бюстгальтера и хлопковых трусиков.

Раздевшись, Вера принялась придирчиво рассматривать себя в зеркале. Несмотря на недавнюю обильную трапезу, она не казалась себе слишком полной, как это было прежде.

Доктор Уилер говорил: «У тебя приятные черты лица».

В спальне Спринг имелся полный набор косметики от лучших фирм. Вера села на обтянутую материей скамеечку. Освещенное безжалостным электрическим светом, ее лицо смотрело на нее из каждой створки.

«... Хорошее сложение и красивые глаза». Возможно, доктор польстил ей, но Вере хотелось верить. Она втянула щеки, чтобы скулы стали заметнее, и посмотрела в зеркало. Хорошо или нет, понять трудно. Может, косметика сделает ее более привлекательной?

С минуту Вера внимательно рассматривала себя в зеркале, затем, тщательно отобрав нужные коробочки, занялась лицом.

Вся косметика была от Элизабет Арден. Девушка напудрила щеки и стала красить глаза: нанесла на веки голубовато-серые тени, подчеркнув по краям серебряной полоской, как это делала Спринг. Теперь вишневая помада, ну и для большей помпы длинные пушистые ресницы, которые она старательно загнула.

Вера снова внимательно посмотрела на себя в зеркало. Похоже, в ней мало что изменилось. Косметика не дала желаемого результата. Ну и пусть. Все равно ее никто не увидит.

Вера открыла дверцу шкафа размером тридцать на пятнадцать футов, вспыхнул яркий свет. На вращающихся вешалках висели бесконечные ряды самой разнообразной одежды на все случаи жизни. Сотни пар обуви, полки с аксессуарами...

— Господи, что это?

Вера в ужасе отпрянула, увидев перед собой белые неподвижные лица с устремленными на нее немигающими глазами. Каждое лицо обрамлялось разноцветными волосами, уложенными в аккуратные прически.

Вера замерла, чувствуя, как сердце рвется из груди. Присмотревшись внимательнее, девушка невольно рассмеялась. Надо же быть такой глупой! Ведь это всего-навсего парики! Парики, надетые на муляжные головы.

Она выбрала самый шикарный из них, с пепельными длинными волосами, и осторожно натянула на свои тусклые волосы мышиного цвета. Затем взглянула в зеркало. Пожалуй, неплохо.

Вера отобрала пару серебристых итальянских сандалий и примерила. Размер ноги у Спринг немного больше, но ее собственные ноги оказались более широкими, поэтому сандалии пришлись впору.

Подбоченившись, Вера снова посмотрела в зеркало и осталась довольна. Несмотря на наготу, пышный парик и блестящие сандалии придавали ей загадочный вид. Вера весело рассмеялась.

Сейчас самое главное — подобрать красивое платье. Здесь есть из чего выбрать. Да вот, пожалуй, и оно: платье из крученой серебристой сетки, расшитое стеклярусом и бисером, — серебро вперемешку с черным. Великолепно! Конечно, Спринг немного худее, но ведь покрой свободный, так что вполне подойдет.

Втянув живот, Вера через ноги надела платье. Она просунула руки в бретельки, и ткань плотно обхватила грудь.

Пока все шло хорошо. Пожалуй, сейчас она выглядит сногсшибательно, решила Вера, и самое время появиться очаровательному молодому человеку, который подаст ей руку и уведет за собой.

Решительно вздохнув, Вера потянула «молнию». И конечно, ту тотчас же заело. Вера тянула ее туда и обратно, но, увы, заело прочно.

Хорошее настроение моментально улетучилось. Господи, что теперь делать? Куда бежать? К швейцару? К лифтеру? Вера представила их насмешливые лица, и у нее внутри все похолодело. Кто, кто может ей помочь?

Вера подумала, сколько может стоить такое платье. Скорее всего несколько тысяч долларов. Какой ужас! Как же теперь быть?

Осторожно ступая на высоких каблуках, Вера вернулась в спальню.

На огромном телевизионном экране молодая пара в вечерних туалетах обедала в ресторане на свежем воздухе в горах Аризоны. За их спинами виднелся роскошный сверкающий автомобиль.

Всю квартиру Спринг заполнили звуки музыки: в симфонию Моцарта вплетались мелодии в исполнении нью-орлеанского джаза и гавайской гитары.

Нахмурившись, Вера подошла к зеркалу и, повернувшись к нему спиной, попыталась сдвинуть «молнию». Поглощенная своим занятием, девушка не слышала, как дверь спальни отворилась.

Кто-то громко рассмеялся, но понадобилось целых две минуты, чтобы Вера осознала, что смех раздается не с экрана телевизора, а от человека, который был совсем рядом...

... и стоял за ее спиной. Господи, да вот же он. Она видит его в зеркале.

Вера в ужасе застыла. У нее не было сил даже закричать.

Она видела в зеркале, как побелело ее лицо и весь грим превратился в клоунскую маску.

Девушка не могла пошевелить даже пальцем. Она стояла и ждала, когда он убьет ее, а в том, что незнакомец ее непременно убьет, не было и тени сомнения. Боже, как же страшно...

Внезапно человек заговорил, и Вера увидела ослепительную полоску белых зубов, контрастирующих с темным загаром.

— Привет! Все нормально, расслабься. Я не хотел тебя пугать. Ты, наверное, не слышала, как я вошел.

Вера попыталась улыбнуться, но зубы ее стучали. Она явственно слышала этот предательский стук.

Перепуганная, Вера начала медленно поворачиваться лицом к незнакомцу.

Приглядевшись, девушка поняла, что незваный гость уже не выглядит таким страшным, как в зеркале. Он оказался совсем юным, того же возраста, что и Вера, и очень симпатичным, действительно симпатичным. Одним взглядом девушка охватила немного длинноватые прямые черные волосы, веселое лицо с лукавыми глазами, фиолетовую футболку, черные джинсы и черный пиджак. Ну, парень — просто глаз не отвести. Намного красивее, чем она могла вообразить в своих мечтах.

Незнакомец все еще смеялся.

— Что все это значит? К чему такая какофония звуков? Кто ты такая?

— Я... я няня. Присматриваю за ребенком.

— А где ребенок? И где сама Спринг?

— В Лос-Анджелесе, — ответила Вера и тут же спохватилась: определенно не следовало говорить этого. Теперь он знает, что девушка в квартире совершенно одна, хотя и маловероятно, что он убьет ее. Человек, который заразительно смеется, не может быть убийцей.

— Шум такой, будто в квартире толпа народа, — заметил молодой человек.

56

Веру осенила догадка: парень из бюро технического обслуживания. Ну конечно, соседи пожаловались на шум и попросили проверить — все ли исправно.

— Простите. Я сейчас все выключу. Я... Вы ведь из бюро технического обслуживания?

— Нет.

— Ой! — вскрикнула Вера, вновь охваченная страхом. — Тогда как же вы вошли?

— С помощью вот этого.

Парень повертел перед ее носом ключами.

— У вас ключи, но... — Вера оказалась в полном замешательстве. — Кто вы такой?

— Я Слоун. — Парень выжидающе посмотрел на Веру, но та никак не отреагировала. Его имя ей ни о чем не говорило. — Я Слоун Сент-Джон Тредвелл-младший. Неужели никогда обо мне не слышали? Хотя и так все понятно. Я самый главный секрет моей матери.

— Матери?

— Мне никогда не нравилось мое имя. Вы можете звать меня Сент. Это гораздо лучше.

Парень вышел в коридор, и Вера последовала за ним. Они ходили из комнаты в комнату, приглушая звуки работающей радио- и телеаппаратуры.

— Спринг ваша мать?

— Да.

— Но почему она держит это в секрете?

Сейчас молодые люди находились в гостиной.

— Потому, что Спринг молодеет год от года, а я становлюсь старше. Скоро мы сравняемся в возрасте. Зачем ей портить свой имидж, рассказывая о взрослом сыне.

В квартире наступила тишина. Парень помолчал и с грустью добавил:

— У меня нет к ней претензий. Мы так редко видимся...

— Вы живете с отцом? — полюбопытствовала Вера.

— Ты что, шутишь? Для этого он слишком занят.

Слова прозвучали как бравада, в которой, однако, чувствовалась фальшь.

— Но должен же ты где-то жить, — разумно заметила Вера.

— Конечно. В школах-интернатах; летом в лагерях, а между ними с тетей Глорией. Но теперь с этим покончено. Теперь я свободный человек.

Вера не могла отделаться от мысли, что он нарочно столь цинично говорит о своих родителях, что на самом деле ему очень горько. Она не знала, что сказать, и некоторое время они стояли, молча глядя друг на друга.

— Ну... — начала Вера. — Жаль, что ты не застал свою мать. Тебе очень нужно ее видеть?

— Это она хотела меня видеть. Во всяком случае, так говорила. Думаю, просто забыла.

— Она уехала в Лос-Анджелес фотографироваться для журнала, — вежливо разъяснила Вера. — Все случилось так неожиданно.

Сент кивнул. На его лице появилась кривая ухмылка.

— Все ясно. Она никогда не упустит возможности лишний раз сфотографироваться. Ну... — Он направился в холл. — Рад был с тобой познакомиться. Мне пора.

Вера видела Сента всего пятнадцать минут, но ей вдруг стало очень грустно: такой чудесный парень внезапно ворвался в ее жизнь, чтобы сразу и навсегда с ней расстаться.

— Если хочешь, не уходи, — сказала она, подражая гостеприимной хозяйке. Они подошли к лифту. — Куда ты идешь?

— На вечеринку.

— Ах да, конечно... — Вера смутилась. — Ведь сегодня пятница...

Мысль о том, что она опять останется одна в огромной пустой квартире, была невыносима. Сейчас одиночество будет особенно невыносимым. Неужели ей больше никогда не увидеть Сента?

Вера вспомнила о своем несчастье, о котором в страхе совсем забыла.

— Перед тем как уйти, помоги мне расстегнуть застежку, — попросила она.

— Конечно.

Сент развернул ее спиной к себе и взялся за «молнию». Вера чувствовала на спине его дыхание, теплое прикосновение пальцев к обнаженной коже.

— Заело, — сказал он со вздохом. — Ни туда ни сюда.

— Господи, что же мне делать?

— Давай разрежем платье.

— Ты что? Оно же ее.

— Догадываюсь... Но зачем? Зачем ты надела платье моей матери? — в первый раз за все время спросил Сент.

Вера молчала. Не могла же она сказать этому парню, что хотела почувствовать себя красавицей, такой, какой ее видел доктор Уилер.

— Ну... Просто от скуки... Но ты ведь ей не скажешь?

— Ты скучала? — спросил он с таким удивлением, как будто впервые слышал это слово. — Почему же не пошла куда-нибудь?

— Потому, что я... — Вера опустила голову. — Я боюсь выходить одна.

— Это глупо. Знаешь что... — Сент очень довольный собой прищелкнул пальцами. — Уж коли ты полностью одета и тебе все равно самой не выбраться из этого платья, пошли со мной на вечеринку!

Уже в лифте он рассказал ей, что они идут в гости к Арни Блейзу. Самому Арни Блейзу. Вера несказанно удивилась.

— Неужели ты знаком с ним?

— Уже много лет. Я иногда останавливаюсь у него. Он недавно купил новую квартиру. Сегодня что-то вроде новоселья. Надо бы позвонить и предупредить, что я не один.

Веру охватила паника.

— Сент, я туда не пойду. Это исключено! Прошу тебя, не настаивай.

— Но почему?

Двери лифта раскрылись, но Вера, прижавшись к стене, и не думала выходить.

— Иди один!

У лифта столпились люди, ожидая, когда им позволят войти. Независимого вида девушка в голубых джинсах и сердитая женщина в большой шляпе с перьями, державшая на поводке двух тявкающих йоркширских терьеров, с любопытством разглядывали их.

Сент схватил Веру за руку и потащил через весь вестибюль к двери, ведущей на улицу.

— Мы хорошо проведем время. Верь мне.

В не предназначенном для парковки месте стоял белый «Ягуар ХК-Е». Сент открыл дверцу.

Вера неохотно влезла в машину и села на удобное сиденье, обтянутое кожей шоколадного цвета. Сент сел за руль, а Вера вновь начала причитать, объясняя, что не хочет идти потому, что очень застенчива, не умеет общаться с людьми, особенно такими известными и богатыми.

— Они ничем не отличаются от простых людей.

— К тому же я ужасно выгляжу, — заметила Вера, уверенная, что все будут смеяться над ней и она сгорит со стыда.

— Ты выглядишь гораздо лучше, чем моя мать. Ты просто неотразима.

Сент включил зажигание, и мотор мягко заурчал. Он осторожно вывел машину на проезжую часть. Вера сидела ни жива ни мертва и думала, что отдала бы сейчас все на свете, лишь бы вернуться обратно в квартиру Спринг и провести остаток вечера у телевизора.

Сент вел машину быстро, но аккуратно. По радио звучала песня известной группы о любви к Калифорнии и о том, что та снится им холодными ночами. Сент тихонько подпевал.

Вера была рада, что молодой человек не обращает на нее никакого внимания. Заведи он разговор, девушка вряд ли сумела бы поддержать его.

Она сидела и думала, что как по мановению волшебной палочки ее мечта осуществилась, что она похожа на Золушку, которой увлекся очаровательный принц и сейчас везет в роскошной карете на бал во дворец. Жаль только, что эта Золушка так напугана и не уверена в себе, но на ней хотя бы великолепное платье.

Они проезжали по Пятьдесят девятой улице.

Вера развернулась и посмотрела в заднее стекло, наблюдая, как в темноте исчезают очертания Манхэттена. На зубчатые башни небоскребов опускалась отливающая багрянцем грозовая туча. Вере это показалось очень красивым и впечатляющим, хотя она, как всегда, была не уверена в своей оценке.

Девушка бросила осторожный взгляд на невозмутимого водителя. Его черные волосы развевались на ветру, падая на лоб, мускулистые руки свободно лежали на руле, и лишь пальцы тихонько шевелились в такт музыке.

Почувствовав на себе взгляд Веры, Сент обернулся и улыбнулся ей. В свете уличных огней она вдруг увидела, что глаза у него не карие, а темно-голубые. Внезапно Вера ощутила, как что-то дрогнуло в ее душе и по телу разлилась сладкая истома. Что бы ни случилось сегодня вечером, каким бы унижениям она ни подверглась, ей не забыть эту поездку.

«И он сказал, что я неотразима».

Вера вспомнила Старфайер и сенатора, целующихся в лимузине, вспомнила как не давался ей этот поцелуй... Да, подумалось ей, а уж нарисовать, как они занимаются любовью, она бы никогда не смогла. Внезапно ей в голову пришла странная мысль: «А что будет со мной завтра? Буду ли я знать больше, чем сегодня?»

Может быть, именно сегодня предстоит узнать, что это такое, когда тебя целует и обнимает мужчина? Может быть, сегодня она и Сент...

Представив себя в его объятиях, Вера почувствовала слабость во всем теле. Девушка украдкой взглянула на своего спутника, туда, где обтянутый узкими джинсами возвышался тугой бугор плоти, и заерзала на сиденье. Но тут же спохватилась: «О Господи! Что же я делаю? Ведь я же вся взмокла от таких мыслей!»

Платье она надела на голое тело, и оставалось только надеяться, что на ткани не останется предательских следов.

Вера приказала себе не глупить. Кто может на нее польститься? Кому захочется целовать какую-то Веру Браун? Надо быть просто сумасшедшим.

От этих мыслей девушке стало грустно и сразу захотелось, чтобы дорога никогда не кончалась, а сказка длилась вечно.

И тут Вера поняла, что влюбилась.

Глава 4

— О'кей, беби, — произнес мужчина дрожащим голосом. — Давай посмотрим, что у тебя там.

— Согласна. Поехали!

Джо-Бет угрожающе оскалила зубы и начала игру. Она задрала высоко вверх ноги, обтянутые гольфами в красно-белую полоску.

— Первая буква — Д...

— Вторая — и...

— Третья — к...

— Четвертая и пятая — и, е...

У Джо-Бет теперь были ярко-рыжие волосы, заплетенные в тугие косички, на губах вульгарная красная помада. Нейлоновая сетчатая футболка, не скрывавшая ее полные, крепкие груди, теннисные туфли и гольфы в красно-белую полоску — вот все, что на ней было.

— К... о... ш... к... и...

Мужчина средних лет, одетый в добротный дорогой костюм из легкой шерсти, тяжело дышал, и воздух с шумом вырывался через раздутые, побелевшие от напряжения ноздри.

— Продолжай! — закричал он охрипшим голосом. — Давай, давай, давай!

Он сидел, широко расставив ноги и возбуждая себя руками.

— ДИКИЕ КОШКИ!

— Дикие кошки! Ура!

Джо-Бет взмахнула в воздухе ногами. Мужчина подался вперед, его лоб покрылся каплями пота, глаза, казалось, вылезали из орбит. Пылкое воображение рисовало то, что таилось за треугольником светлых волос: жаркие влажные глубины женского тела, куда он так стремился.

— О Господи! — воскликнул мужчина и еще яростнее принялся массировать себя, со стоном заглядывая туда, где за крепкими ягодицами таилась вожделенная цель. Джо-Бет шире раскинула ноги, нарочно дразня его.

— Господи! Не может быть!

Случилось то, чего уже давно не случалось: у него на ладони осталось несколько капель липкой жидкости.

Джо-Бет, сведя к переносице брови и уперев руки в бока, встала перед ним.

— Ну что, доволен? Хватит с тебя?

Он умоляюще посмотрел на нее:

— Может, ты... ну пожалуйста... очень прошу...

— Что пожалуйста? — Джо-Бет окинула его холодным взглядом. — Хочешь, чтобы я поцеловала тебя там?

— Если ты не возражаешь...

— Возражаю. — Джо-Бет содрогнулась. — Еще как возражаю. Это мерзко.

Губы мужчины задрожали.

— Я знаю, но все же...

— Даже не думай об этом!

В долю секунды Джо-Бет натянула на себя короткую кожаную юбку, жакет цвета хаки и обмотала голову цветастым шарфом, концы которого свисали на плечи. Анжело настаивал, чтобы она носила этот шарф, так как с ним девушка больше походила на школьницу, которой, впрочем, и была всего лишь полгода назад.

Дрожащей рукой мужчина протянул ей пятидесятидолларовую купюру. Двумя пальцами она с отвращением взяла ее, словно нечто мерзкое.

Девушка с шумом захлопнула дверь.

В этот вечер воздух казался Джо-Бет таким густым, что его можно было резать, как сыр, температура все еще держалась на отметке девяносто градусов*. Джо-Бет трясло от возбуждения, сказывалось нервное напряжение. «Это больше никогда не повторится, — уговаривала она себя. — Никогда, никогда, ни за что на свете».

Как он ей был отвратителен, этот уверенный в себе мужчина, богатый бездельник, которого возбуждали только молоденькие девушки. Как вообще могут существовать на земле подобные типы?

Джо-Бет не раз говорила ему, как он ей отвратителен, как она его презирает. Да тот и сам все отлично знал. У него было особое чутье на человеческие слабости.

Как только земля терпит таких людей, как Анжело Примавера?

А что ей самой делать дальше?

Всего за полчаса она заработала три с половиной сотни баксов. В столовой же зарабатывала два с половиной доллара в час, плюс жалкие чаевые.

Конечно, если сделать над собой усилие и думать о чем-то постороннем, может, и удастся... Этим так легко зарабатывать деньги, но ведь это ужасно.

Именно так и попалась Мелоди Рос, но у Мел хотя бы был выбор, а у нее, Джо-Бет, выбора нет.

---

* По Фаренгейту, примерно 32° по Цельсию.

Мимо прошёл мальчик-подросток, неся в руке транзистор. Его голова покачивалась в такт музыке. Он даже не взглянул на Джо-Бет. Навстречу попалась пожилая женщина с изможденным лицом, и Джо-Бет сразу вспомнила маму.

Глаза девушки наполнились слезами. От мысли, что она оставила её одну в таком ужасном положении и даже не дала о себе знать, сердце Джо-Бет заныло. Но что можно сделать? Ведь её разыскивают как убийцу. И что всего ужаснее, девушка никак не могла вспомнить, стёрла ли отпечатки своих пальцев с этой статуэтки. Она помнит лишь лежащего у её ног мёртвого Флойда, мамина статуэтка вся испачкана кровью, на нежный лик Девы Марии налипли волосы отчима, а потом она убегает из дома, покупает билет на автобус до Нью-Йорка.

Поездка в Нью-Йорк обернулась для неё шестидесятичасовым кошмаром. Сначала она не осмеливалась выходить из автобуса, уверенная, что на каждой остановке её поджидает полиция. Боялась разговаривать с людьми и всю дорогу притворялась спящей. Уткнувшись головой в стекло, она сидела на заднем сиденье, стараясь стать совсем незаметной. Где-то на середине пути автобус снизил скорость, пропуская полицейскую машину. Её сверкающие огни и звук сирены пронзили темноту ночи. Джо-Бет сжалась, но полицейские проехали мимо, даже не остановив автобуса, и у неё отлегло от сердца. Понемногу девушка начала успокаиваться, и тут же напомнили о себе больное горло и ломота во всём теле.

Измученная и дрожащая, как в лихорадке, Джо-Бет снова и снова погружалась в кошмар, где Флойд хватал её и она мчалась от него по бесконечному коридору, но каждый раз он ловил её и прижимал к стене; девушка отбивалась и била его по голове маминой статуэткой, била до тех пор, пока лицо не превращалось в кровавое месиво, затем отчим падал к её ногам, истекая кровью. Джо-Бет вздрагивала и просыпалась, сердце гулко стучало в груди.

Стараясь не заснуть, Джо-Бет считала часы, оставшиеся до Нью-Йорка: пятнадцать, двенадцать, десять. В Нью-Йорке она встретит Мелоди, она бросится в объятия сестры, и все страхи исчезнут.

Когда она добралась до Нью-Йорка, был уже вечер. Автобус опоздал из-за плохой погоды, было темно и шел снег.

Вест-Сайдский вокзал весь пропитался смесью всевозможных запахов: пота, жареного поп-корна, гарью выхлопных газов, от невообразимого шума кружилась голова. Джо-Бет никогда не видела такого скопления народа. Люди всех возрастов, размеров и цвета кожи сновали взад-вперед, толкая друг друга и натыкаясь на нее, пока она оглядывала зал в поисках телефона. Однако Джо-Бет чувствовала себя здесь более уютно. Никто не замечал ее, никому не было до нее никакого дела, и страх постепенно исчез. Девушка была здесь лишней и оттого чувствовала себя невидимкой.

В телефонной книге она нашла номер «Экзотика инкорпорейшн», но адрес агентства там не указывался.

К телефону подошла женщина и, мурлыкая, осведомилась, что ей нужно. Голос ее сразу посуровел, когда Джо-Бет попросила к телефону Мелоди Рос. Казалось, женщина даже не знала такого имени, несмотря на то что Мел была их известной моделью и ее фотографии красовались во всех журналах, однако она милостиво согласилась навести справки. Джо-Бет сообщила, кто она и где будет ждать сестру. Звонок прервался, автомат потребовал дополнительную плату. Денег у Джо-Бет не было, и оставалось только ждать.

Девушка без сил опустилась на скамью, вертя в руках пустой кошелек. Она вся дрожала, несмотря на жару, где-то в середине ночи ее сморил тяжелый сон.

Джо-Бет проснулась оттого, что кто-то тряс ее за плечо.

— Джи Би, Джи Би, проснись!

Это была Мел, часы показывали три утра. Сестра выглядела уставшей и измотанной; на лице ее не было и тени радости от встречи с сестрой.

— Джи Би, какого черта ты здесь?

Рядом с Мел стоял элегантно одетый мужчина маленького роста. Его добрые карие глаза, опушенные длинными ресницами, с нежностью смотрели на Джо-Бет, он внимательно изучал ее. Так она впервые встретилась с Анжело.

Дети Респичи играли с крышкой мусорного бака, с громкими криками отпасовывая ее друг другу. Тупо уставившись в стоптанные тапочки и что-то невнятно бормоча себе под нос, на ступенях сидела старая миссис Карлучи. Ее худые пальцы стягивали на груди видавшее виды рваное кимоно, женщину знобило как от холода. Янни Спатис, в забрызганном кровью фартуке, с хмурым видом протирал металлические, скованные одной цепью столы и стулья, расставленные на улице рядом с рестораном.

Джо-Бет помахала ему рукой, Янни небрежно ответил.

— Тебе не жарковато? — спросил он.

Еще один квартал, и она дома, если, конечно, можно назвать домом убогую квартирку в облупившемся трехэтажном доме из коричневого кирпича, где она жила вместе с Мелоди.

В первую ночь для нее это было убежищем. Тогда она, поддерживаемая сестрой, с трудом поднялась по низким ступеням, с тупым видом наблюдая, как Анжело отпирает железные ворота, затем окрашенную темнобордовой краской входную дверь. Узкая лестница, покрытая грязным линолеумом и освещенная лампочкой без абажура, еще замки, и вот они входят в розовую комнату. Все розовое и на вид горячее, как и ее больное, распухшее горло. Анжело плеснул в стакан какой-то жидкости и приказал выпить. Джо-Бет повиновалась и проглотила обжигающий горло напиток.

Как сейчас, она помнит слова Анжело:

— Похоже, у тебя был трудный день.

Он с нежностью, как ребенка, уложил ее в постель, закутал в одеяла. Комната оказалась маленькой и тесной, заполненной всевозможными коробками, какой-то одеждой, ящиками. Последнее, что она помнит, прежде чем впасть в забытье, его легкий поцелуй в лоб, запах дорогого одеколона и нежный голос, прошептавший: «А ты хорошенькая девочка».

Больше недели Джо-Бет неподвижно лежала в постели, накачиваемая антибиотиками, антигистаминами и поливитаминами. Следующие две недели девушка в полной прострации слонялась по квартире, чувствуя апатию ко всему, происходящему вокруг. Ее беспокоили только счета от врачей, но Анжело просил не волноваться — он обо всем позаботится.

Как только Джо-Бет немного окрепла, он лично отвел ее в косметический салон, где ей изменили лицо и покрасили волосы в другой цвет.

Взглянув в зеркало, Джо-Бет себя не узнала: ее волосы стали того же рыжего оттенка, что и у Мел, брови выщипаны и приподняты. В целом лицо прибрело совершенно новое, незнакомое ей выражение. Джо-Бет сразу почувствовала себя свободнее. Анжело сказал ей, что она настоящая красавица. Анжело был первым мужчиной в ее жизни, который к ней хорошо относился, был добрым и нежным, не требуя ничего взамен. Он даже не пытался склонить ее к сексу. Джо-Бет хорошо понимала, почему Мелоди по уши влюбилась в него.

— Он такой заботливый, — сказала она как-то сестре. — Просто не знаю, как мне отблагодарить его.

Почти целый месяц, до самого апреля, Джо-Бет жила как в тумане. Она была слишком слаба, слишком больна и слишком напугана, чтобы понимать, что происходит вокруг нее.

Только в начале апреля девушка начала понемногу прозревать.

Мелоди действительно работала моделью, но не дорогой, которая позирует для журналов высокой моды. Чарлина оказалась права: фотографии в «Воге» были не ее.

— Зачем же ты тогда их мне прислала? — спрашивала Джо-Бет, не понимая намерения сестры.

— Я просто не могла удержаться, — уклончиво ответила Мелоди. — Девушка так на меня похожа. Мне все время казалось, что она и есть я. Меня так и подмывало послать их тебе. Мне и в голову не приходило, что ты можешь приехать сюда... — Голос Мелоди сорвался. — Ты знаешь, золотко, я честно пыталась, но все эти люди из агентств только смеялись надо мной. Они говорили, что у меня тело, как у ребенка.

Но маленькое, чувственное тело Мел оказалось вполне подходящим для агентства Анжело «Экзотик инкорпорейшн», чьи модели работали спутницами богатых бездельников, позировали для порножурналов, демонстрировали нижнее белье и снимались обнаженными для календарей. Джо-Бет представила себе обнаженную Мелоди на календаре, висящем в конторе Флойда, и рассматривающих ее мужчин и, не удержавшись, спросила:

— Это ужасно, Мел. Как ты можешь?

— Это не так уж и ужасно. Все дело в привычке, да к тому же за это хорошо платят. Подумай о деньгах, Джо-Бет.

Деньги для Мелоди всегда были на первом месте.

— Я никогда не буду заниматься этим, — сказала Джо-Бет Анжело. — Лучше умру.

Он отнесся к ней с пониманием.

— Конечно, беби. Эта работа не для тебя. Ты девочка высшего класса. Просто выплати мне то, что должна, и мы квиты.

Он показал ей счета на тысячи долларов.

Джо-Бет была в шоке. Она даже не подозревала, что доктора берут так много. Когда к расходам на лечение добавились счета за работу дантиста, посещение косметического салона и новую одежду, девушка пришла в ужас. Не стоило забывать, что она жила на квартире, арендуемой Анжело для Мел, и он кормил их.

— Мне жизни не хватит, чтобы расплатиться с тобой.

— Ты можешь их отработать, беби, — с улыбкой ответил Анжело.

Джо-Бет не сразу поняла, а когда до нее наконец дошло, на что он намекает, то вспыхнула и, выпрямившись во весь рост, с презрением посмотрела на него.

— Я не собираюсь позировать для твоих грязных журналов. Даже не надейся на это. Забудь об этом раз и навсегда!

Качая головой, Анжело прищелкнул языком:

— Мне кажется, что ты кое-что забыла, о чем забывать не следует. Не так ли, детка?

Джо-Бет почувствовала, как все внутри у нее напряглось и похолодело. Ей стало стыдно за свою наивность. Как можно быть такой доверчивой? Анжело вовсе не добрый и ласковый человек, каким казался, он мужчина и мужчина в худшем понимании этого слова. И сейчас она полностью в его власти. Если не подчинится, он выдаст ее полиции.

Джо-Бет решила посоветоваться с Мелоди:

— Что мне делать, Мел?

Мелоди не имела об этом ни малейшего представления.

— Я бы одолжила тебе денег, если бы они у меня были, золотко, но сейчас я на мели.

Джо-Бет была потрясена. Мелоди зарабатывала кучу денег. Почему же вдруг ничего нет?

— Ну ты же понимаешь, как это делается.

Джо-Бет ничего не понимала, но внезапно к ней пришло прозрение: деньги, заработанные Мелоди, текли мимо ее кармана.

— Перед тобой большие перспективы, — сказал девушке Анжело. — Тебя ожидает прекрасное будущее. Ты можешь жить на широкую ногу, иметь все, о чем мечтала. Подумай о своей матери. Разве тебе не хочется, чтобы она жила с тобой? Но все это стоит недешево, детка.

Джо-Бет попыталась получить работу официантки в бифштексной на Бродвее, но там потребовали страховку, и девушка запаниковала. Полиция сразу пойдет по ее следу. С месяц она поработала в кафе, где не задавали никаких вопросов, но и платили мало. Анжело только улыбался и ждал своего часа.

В конце июня он предложил ей сняться обнаженной для календаря, и Джо-Бет согласилась, прекрасно понимая, что ее загнали в тупик.

Ей повезло, что фотограф и два его ассистента были людьми деловыми и знали цену времени. Они разглядывали тело девушки с профессиональной точки зрения, не замечая ее присутствия, обсудили все детали, вымазали какой-то косметикой и не разрешили сидеть, чтобы, не дай Бог, на коже не осталось рубцов от стула. Она позировала им в нескольких ракурсах, пока фотографы не пришли к окончательному решению. Они сняли ее, стоящую на коленях и поддерживающую руками полные высокие груди, с волосами, свисающими с одного плеча. Девушка категорически отказалась улыбаться. Перед ее глазами всплыли фотографии Мелоди с застенчивой улыбкой на губах, что показалось ей верхом унижения.

В конце концов все обошлось хорошо. Фотографы спокойно расстались с ней, сказав на прощание:

— Если ты нам снова понадобишься, мы дадим знать.

Никто даже не пытался приставать к ней, и ей не пришлось защищаться.

Джо-Бет заплатили сто долларов, которые пошли в карман Анжело в уплату долга.

Спустя две недели ей предложили встретиться с Кохом. Кох был постоянным клиентом Анжело. Самые что ни на есть сливки. Он даже не дотронется до нее, а если и дотронется, то у него ничего не выйдет, он недееспособен.

Кох, президент большой электронной компании, находил удовольствие в том, чтобы над ним издевались и унижали девочки-школьницы.

Джо-Бет сделала все как надо, и он, довольный, заплатил за нее три сотни баксов да еще дал пятьдесят долларов чаевых.

Джо-Бет плотно прикрыла за собой дверь и, едва переставляя ноги, стала подниматься по лестнице, ведущей в квартиру, которая в мечтах представлялась ей огромной и красивой, а на деле оказалась маленькой и затхлой.

Она ненавидела в этой квартире все: вычурные кресла, обтянутые розовым искусственным шелком, с салфеточками на изголовье, маленькие круглые столики, покрытые розовыми скатертями и кружевными салфетками, но особенно горка, где на полках стояли пастухи и пастушки — имитация дрезденского фарфора. Это было ужасное помещение, комната дешевой проститутки.

Войдя в квартиру, Джо-Бет сразу поняла: что-то случилось. Мелоди Рос сидела, развалясь в одном из кресел, и выглядела больной и усталой. Анжело стоял у розового бара, держа в руках стакан с коричневой жидкостью. Оба разом повернулись к Джо-Бет.

Что-то во всем этом настораживало, что-то явно произошло. От страха у Джо-Бет засосало под ложечкой. Неужели полицейские напали на ее след?

Анжело резко поставил стакан на стойку бара.

— Слава Богу, ты пришла вовремя.

Припухшие веки Мелоди выдавали, что она плакала. Джо-Бет почувствовала, как холодок пробежал по спине. Мел смотрит на нее с явной ненавистью. Господи, что же все-таки случилось?

— Вовремя для чего? — потребовала ответа Джо-Бет.

Анжело набрал в легкие воздуха и изобразил на лице подобие улыбки.

— Иди скорей переодевайся. Надень что-нибудь классное. Постарайся выглядеть как школьница.

— Как кто? — переспросила Джо-Бет, заливаясь краской.

— Ты прекрасно слышала. Сегодня на Лонг-Айленде грандиозный прием. Ты будешь подарком нашего агентства для одного парнишки, известной кинозвезды. Для нас наступили хорошие времена, детка. Теперь мы будем грести деньги лопатой.

По голосу чувствовалось, что Анжело нервничает.

— Почему же я не подхожу для этой роли? — впервые подала голос Мелоди.

— Ты что, свихнулась? — Анжело с презрением посмотрел на нее. — Они хотят девочку, совсем моладенькую.

— Ты считаешь, что я недостаточно молода? Господи, мне всего двадцать.

— Заткнись! — Анжело, размахнувшись, ударил Мелоди по лицу.

— Не смей ее трогать, ублюдок! — закричала Джо-Бет. Анжело пристально посмотрел ей в глаза.

— Настал твой звездный час, детка. Иди переодевайся. — Он взглянул на свои золотые часы «Ролекс». — Они будут здесь через пятнадцать минут.

— Я никуда не поеду, — ответила Джо-Бет сквозь зубы.

— Еще как поедешь. Может, у тебя есть выбор?

Когда Джо-Бет выходила за дверь, то услышала, как Анжело сказал Мелоди:

— У нее есть кое-что, чего у тебя нет уже давно. Она девственница.

Глава 5

Старинное поместье Блейнз-Лендинг являло собой образец готической архитектуры с ее стрельчатыми сводами, куполами и огромными окнами, украшенными витражами. Из окон открывался божественный вид на пролив Лонг-Айленд. Широкие французские двери вели из гостиной на кирпичную террасу и далее к плавательному бассейну, выложенному флорентийской плиткой. За террасой располагались лужайки, зеленые и мягкие, как мыльная пена, сбегавшие вниз к полуразрушенной дамбе.

Сент припарковал машину позади дома, втиснув ее между «роллс-ройсами», «шевроле» и «ламборгини». Во втором ряду машин виднелся огромный старинный катафалк. Его окна закрывали черные шторы, а панельные бока испещряли гротескные знаки и буквы. Вся машина была заляпана красными пятнами, словно чья-то неведомая рука вылила на ее крышу ведро красной краски.

— «Скриминг Скаллз», — сказал Сент, кивнув головой в сторону катафалка.

— Кто? — переспросила Вера, не понимая, о ком идет речь.

— Рок-группа. Тяжелый металл.

Сент провел Веру между машинами, минуя троицу здоровенных парней с непроницаемыми лицами, которые перекидывались в картишки на капоте «кадиллака». Все трое были одеты в черные майки, испещренные на спинах такими же непонятными знаками и буквами, что и катафалк. У каждого на одной из рук от плеча до локтя виднелась татуировка в виде змеи.

— Это и есть «Скриминг Скаллз»? — спросила Вера.

— Кто? Эти? Конечно, нет. Для этого ребята слишком чистые и гладкие. Это просто охрана.

Они остановились у входа в особняк, где широкоплечий мужчина по списку сверял имена приглашенных.

В холле девушка с ослепительной улыбкой на лице и минимумом одежды на теле предлагала гостям шампанское, наливая его из бутылки, оплетенной венком из белых цветов. Сент взял у нее два бокала и протянул один из них Вере.

Холодное шампанское приятно щекотало нёбо. Вера почувствовала себя увереннее, вспомнив, что Диана Старр пила шампанское каждый день. А уж Старфайер, конечно, чувствовала бы себя как дома в любой, самой разношерстной компании. Глубоко вздохнув, Вера задержала дыхание и сделала глубокий выдох. Она мысленно рассуждала: «Это то, чего ты всегда хотела. У тебя появился шанс изменить жизнь». Теперь она знала, что ей будет так же легко и непринужденно здесь, как было бы Старфайер.

Пол в холле, где они стояли под огромной, сверкающей огнями люстрой, был выложен в шахматном порядке черно-белыми плитами. Прямо перед ними находилась широкая лестница, разделенная на два крыла, за ней виднелось круглое витражное окно с изображениями изумрудных и бирюзовых павлинов, гуляющих под сенью раскидистой магнолии.

— Это единственное, что осталось от старого дома. Все остальное он к черту переделал, — сказал Сент Вере, ведя ее в глубь дома.

Сент помнил Блейнз-Лендинг с детства. Они часто гостили здесь, когда проводили лето на Северном побережье, где тетя Глория арендовала большой особняк. Тогда он играл на этих зеленых лужайках или в зарослях рододендронов — ему не разрешалось одному ходить на пляж, пока тетя Глория и ее кузина Бетси Блейн Уэллс пили на террасе холодный чай и слушали пластинки Мантовани.

Сент помнил удобную обветшалую мебель, потертые ковры, спальни, оклеенные пожелтевшими обоями с потускневшими розами, и покрытую пятнами плесени акварель с видом Венеции, которую написала еще прабабушка Блейн во время своего путешествия по Европе перед первой мировой войной.

Сейчас же по желанию богатого и известного Арнольда Блейза старинный особняк превратился в чудовище и выглядел так, как выглядела бы почтенная вдова в ярком макияже и мини-юбке. Старую фамильную мебель заменили вычурные сооружения из нержавейки, кожи и стекла; в столовой шестиногие стулья из прозрачного зеленого пластика окружали черного стекла стол, поддерживаемый футуристическим сплетением медных трубок; абстрактная мазня невообразимых расцветок заменила прабабушкину акварель с видом Венеции, и весь дом от погреба до чердака заполнили стереоколонки; патефон выбросили на помойку.

— И он гордится всем этим, — сказал Сент Вере. — Говорит, что это впечатляет.

— Кого впечатляет?

— А черт его знает.

— Зачем ему это надо?

— Это долгая история. Давай сейчас не будем говорить об этом. Пусть себе наслаждается.

Сент взглянул на стоявшую рядом с ним Веру, которая, потягивая шампанское, с искренним удивлением смотрела на все происходящее глазами человека, впервые попавшего в подобное место и никогда не встречавшего таких людей. Увидев всю эту толпу глазами невинной английской няни, Сент почувствовал запоздалое раскаяние. Какого черта он привел ее сюда? О чем он только думал? Сент решил было схватить Веру за руку и увезти обратно в Нью-Йорк, но передумал: во-первых, потому, что им овладело какое-то тревожное чувство, даже предчувствие, что Арни действительно очень нуждается в нем, и, во-вторых потому, что, несмотря на первоначальную панику, Вера уже успокоилась и стала чувствовать себя увереннее. Ей даже удавалось неплохо выглядеть в тесном для нее вечернем платье матери. Хотя, впрочем, ему все равно, во что она одета.

На этом приеме одежда не имела никакого значения.

Некоторые гости, в основном отпрыски известных на северном побережье семей, с кажущейся небрежностью оделись в дорогие слаксы и юбки из крокодиловой кожи; новые приятели Арни по Голливуду, молодые люди с голодными глазами, щеголяли в костюмах, продающихся в единственном экземпляре в бутиках на Родео-авеню; представители артистических кругов Манхэттена носили все, начиная с одежды от Кристиана Диора и кончая тряпьем Армии спасения. Мимо прошел шатающейся походкой пьяный молодой человек, волоча за собой хихикающую девицу в розовом вечернем платье, корсаж которого украшали увядшие гардении. Они явно сбежали с какого-то молодежного бала ради этого приема, где в избытке выпивка, наркотики и громкая музыка.

Сент резко обернулся, почувствовав на плече чью-то сильную, тяжелую руку.

— Привет, Сент! Так ты все-таки решил прийти?

Мужчина был мускулистым, преждевременно полысевшим в свои тридцать с небольшим. В толпе гостей он выглядел белой вороной, но это, возможно, потому, что был абсолютно трезвым. Звали мужчину Фрэнк Зелинский. Он служил телохранителем у Арни. На Фрэнке пузырился надувной клетчатый жилет. Сент знал, что под жилетом в пристегнутой к плечу кобуре лежит «вальтер РРК 380».

— Как у него дела? — спросил Сент.

— А как ты думаешь?

И сразу Сент вспомнил морозный, холодный день, когда прошлой зимой, в очередной раз поссорившись с отцом и чувствуя себя отвергнутым, позвонил Арни, чтобы поплакаться тому в жилетку. Прогостив у него пару дней, он стал свидетелем его сумасбродного поведения и постоянной смены настроений. Арни серьезно беспокоил Сента. Наркотики вошли у приятеля в привычку. Тогда многие увлекались наркотиками, но в случае с Арни дела обстояли достаточно серьезно. Это был тяжелый случай.

— Господи, Сент! — кричал тогда Арни. — Не будь занудой! Со мной все в порядке. Давай я и тебе дам нюхнуть порошочка.

— Нет, Арни. Это не для меня.

Тогда Сент думал, что может помочь Арни, удержать его от роковой черты, к которой друг стремительно катился, но ошибался. Арни не нужна была его помощь.

— Какие проблемы? Что ты придумываешь? Я легко могу отвыкнуть от водки и кокаина. — И уже совсем злобно: — Если тебе все это так не нравится, можешь убираться отсюда. Здесь в тебе никто не нуждается.

Когда же Сент решил вернуться в Калифорнию, у Арни началась истерика:

— Сент, не уезжай. Не оставляй меня одного. Без тебя мне с этим никогда не справиться.

Сент чувствовал себя предателем и трусом, но ничего не мог поделать.

После всего увиденного школа показалась ему райским уголком, и, к своему удивлению, Сент ее прилично окончил. Он очень надеялся, что отец придет на выпускной вечер. Стоя на возвышении в ожидании диплома, молодой человек с надеждой всматривался в лица родителей, расположившихся на раскладных стульях в тени развесистого дуба, ожидая, что вот-вот появится отец. Тот, конечно, не пришел, а вместо этого прислал чек на солидную сумму и приглашение в Нью-Йорк, чтобы обсудить его будущее.

Первым желанием было разорвать проклятый чек, но его приятель по комнате, сын адвоката из Сан-Франциско, вмешался.

— Ты что, совсем из ума выжил? — кричал он.

— Мне не нужны его паршивые деньги.

— Тогда отдай их мне. Я не гордый.

Немного поразмыслив, Сент решил взять деньги и потратить их на что-нибудь несуразное, что явно не вызвало бы одобрения отца. В салоне подержанных машин ему на глаза попался «ягуар», элегантный автомобиль, но целиком и полностью непрактичный, что и заставило Сента его купить. На нем он целый месяц гонял по стране, вел машину не торопясь, а все возможные поломки и аварии делали путешествие еще более интересным и привлекательным.

Прежде чем отправиться в Манхэттен, Сент решил подышать свежим воздухом, а заодно и повидаться с тетей Глорией, которая жила затворницей недалеко от Стамфорда, штат Коннектикут, в полуразвалившемся старом доме на более чем скромную ренту. Помимо великолепного сада, у тети Глории было мало интересов, ну разве что вновь и вновь перечитывать по вечерам «Героев» Хогана. Однако она очень обрадовалась Сенту.

От тети Глории он наконец позвонил отцу, чтобы вновь разочароваться. Мисс Геррити сказала, что тот улетел в Лондон.

Тогда молодой человек решил позвонить матери.

— О, это ты, Слоун? Мне очень жаль, что я не смогла присутствовать на твоем выпускном вечере, но я приготовила тебе подарок. Может, ты заскочишь ко мне вечером в пятницу? Только, пожалуйста, не слишком рано. Что-нибудь часиков в девять-десять. Ты еще не потерял ключ от моей квартиры?

И напоследок он позвонил Арни, о котором постоянно тревожился.

— Господи, Сент, куда ты запропастился? Я тебя везде разыскиваю. Я купил этот дом, Сент. Теперь Блейнз-Лендинг мой. Ты должен его помнить, это тот самый дом, куда вы ездили в гости с тетей Глорией, когда ты был еще ребенком. — Дальше скороговоркой: — У меня в пятницу прием, обязательно приходи.

И вот теперь в двойных дверях, ведущих на террасу, появился сам Арни, Арнольд Блейз, мечта всех подростков, в облегающих бедра ярко-красных брюках и такого же цвета рубахе, в сопровождении, как и полагается, ослепительной модели.

Лицо Арни горело от возбуждения.

— Сент! Пришел все же! А я боялся, что ты не придешь, старик.

За показной веселостью и яркой внешностью Сент снова увидел толстого восьмилетнего мальчика с молящими глазами и жалкой улыбкой. Холодный страх сковал сердце, Сенту стало тревожно, но он взял себя в руки и с притворной веселостью закричал:

— Послушай, старик, ты выглядишь как настоящая кинозвезда!

В следующую минуту Вера почувствовала, что ее руки сжимает, а щеки целует самый известный тинейджер в мире. В мгновение ока она была очарована теплотой его приема, дружеской улыбкой, его знаменитыми зелеными глазами. Он вытащил вперед свою подружку, и девушка услышала:

— Сент и Вера, это...

Имя потонуло в шуме голосов.

Приятельница Арни была высокая, в коротком белом льняном платье, волосы цвета осенней листвы заплетены в толстую косу. При ближайшем рассмотрении она выглядела необычайно красивой, но ей не хватало тепла и живости. Девушка посмотрела сначала на Сента, затем на Веру, и ее прекрасные серые глаза засветились и засияли, как драгоценные камни.

— Привет, — сказала Вера, не в силах оторвать от незнакомки глаз.

— Привет, — с равнодушным видом ответила та.

Девушка смотрела поверх головы Веры на витражное окно. Чувствовалось, что она глубоко несчастна. Вера заметила это сразу и была потрясена до глубины души. Художница понимала, что девушке не хочется присутствовать на этом приеме, что она не расположена разговаривать с ними и ей не нравится быть подругой Арни.

Вера вдруг осознала, что знает эту девушку и что знакомство не случайно. Она знает ее хорошо и даже может читать ее мысли.

— Мы встречались с вами раньше? — внезапно для себя спросила Вера. — Где это могло быть?

Девушка выразительно покачала головой:

— Мы никогда не встречались.

Здесь Вера заметила, что Арни разговаривает с ней:

— ...Он мой давнишний приятель. Самый лучший на свете парень, единственная добрая душа. Только зачем он меня покидает... — Арни схватил Сента за руку. — Будешь пить? Если тебе чего-нибудь захочется, только намекни... Я сделаю для тебя все... — Блейз зашатался, согнулся пополам и ударил себя пониже спины. «Скаллз» заиграли... — Тебе нравится эта группа? — спросил он, обращаясь к Вере.

Вера с трудом отвела взгляд от рыжеволосой девушки и кивнула:

— О, еще как!

— К черту все! Давайте вместе совершим путешествие... Англия, Париж, Гамбург... — Арни ткнул Сента кулаком в живот. — Помнишь школу? А... Теперь все изменилось. Ведь правда?

Сент рассеянно кивнул. Он, как и Вера, не отрываясь смотрел на рыжеволосую девушку, и в его взгляде сквозили удивление и восхищение.

— Ну я пошел, — пробормотал Арни.

Внезапно зеленые глаза Блейза подернулись пеленой, лицо побелело, челюсть отвисла. Еще секунда, и он весь задергался, как кукла на веревочках.

— Здорово, что вы пришли, ребята. Вы это понимаете? Вся эта толпа... эти люди... дрянь. А вас я люблю.

Арни обнял Сента и Веру за плечи. На его глаза навернулись слезы.

— К черту... — Он резко оттолкнул их, безумный взгляд шарил по комнате, на лице появилась умильная улыбка. — Грандиозная вечеринка! Все пришли ко мне. Пойду поциркулирую... Увидимся!

Арни нырнул в толпу, таща за собой свою приятельницу.

— Как ее зовут? — спросила Вера. — Сент, ты расслышал ее имя?

Слоун покачал головой.

— Но Арни же назвал нам его, — не унималась Вера. — Ты должен был его слышать. Я знаю ее, я просто уверена в этом. Правда она очень красивая?

— И даже более того, — ответил Сент, глядя вслед девушке.

Недалеко от них, за росшей в кадке пальмой, корчился парень в смокинге, его тошнило. Рядом с ним причитала девушка в розовом вечернем платье:

— Брендан, ну какой же ты поганец!

К ним уже бежал Фрэнк Зелинский.

— Вам лучше выйти на свежий воздух, сэр, — предложил он «смокингу».

— Он поганец, — повторила девушка. — Самый настоящий.

— Вам виднее, мисс, — ответил Фрэнк.

Он подозвал официанта и указал ему за пальму.

— Пришли кого-нибудь прибрать здесь.

— Послушай! — Сент схватил Фрэнка за рукав. — Что за девушка с Арни?

Телохранитель недоуменно посмотрел на Сента.

— Откуда я знаю?

— Но, может, ты знаешь ее имя?

— Выбирай любое, какое тебе больше нравится. Трейси подходит? Хочешь Тиффани или Саманта...

Сент мертвой хваткой вцепился в Фрэнка:

— Что ты хочешь этим сказать?

— Только то, что она проститутка, старик. Какого черта я должен знать ее имя?

Лицо Сента внезапно побледнело, и он судорожно вздохнул:

— Ты меня разыгрываешь?

— Зачем мне это делать? Студия наняла ее на одну ночь, заплатили по высшему разряду.

— Но этого не может быть, она не такая.

Мимо них пробежала пожилая служанка с ведром и шваброй в руках. Лицо ее было бесстрастно, но весь облик говорил о том, что она ничему не удивляется и уже давно привыкла к выходкам богатых бездельников.

В это время на террасе раздались громкие крики.

— Вот черт, что там еще? Надо посмотреть, — сказал Фрэнк, резко оттолкнув Сента. Расталкивая гостей, телохранитель бросился на террасу.

— Я ему не верю, — сказал Сент. — Эта девушка не может быть проституткой.

Джо-Бет послушно следовала за Арни.

«Настал твой звездный час, детка... Иди переодевайся... Машина будет с минуты на минуту...»

«У нее есть кое-что, чего у тебя давно нет. Она девственница».

— У тебя не будет с ним никаких проблем, — сказал шофер, облаченный в черный шерстяной костюм, белую рубашку и полосатый галстук. Громко чавкая, он всю дорогу сосал таблетки от несварения желудка. — Его интересуют только «колеса». Он быстро сломается, а завтра скажешь ему, что он был великолепен. Это мешок с деньгами.

Джо-Бет ничего не сказала шоферу, ни единого слова, и тот начал волноваться:

— Давай-ка встряхнись, малышка. Ты что, хочешь провалить все дело?

Итак, завтра утром она проснется настоящей проституткой. Господи!

У Лу-Энн Креббс из Корсики была фотография Арни, которую та наклеила на внутреннюю поверхность дверцы своего шкафчика и очень ею гордилась.

— За свидание с таким мальчиком я дала бы отсечь себе правую руку, — часто говорила она.

«Вот бы ее на мое место», — думала Джо-Бет.

— Ты совсем не похожа на проститутку, — заметил Арнольд Блейз, с удивлением рассматривая Джо-Бет. — Ты что, сделаешь все, что я захочу? — спросил он со смущенной улыбкой. — Они тебе хорошо заплатили?

Арни дотронулся до голой девичьей руки, его пальцы оказались неожиданно горячими и сухими.

«Да у него еще никогда не было женщины!» — осенила Джо-Бет внезапная догадка. Арни Блейз такой же девственник, как и она. Этот кумир молодежи всего мира никогда прежде не занимался сексом! Он еще слишком молод и робок, да и выглядит таким испуганным. Джо-Бет на какое-то мгновение даже стало его жалко.

По мере того как время шло, настроение Арни постоянно менялось: он был то робким, то буйным, и Джо-Бет охватило нехорошее предчувствие.

Да и во всем этом вечере было что-то фатальное. Один из барменов открыто готовил наркотики. Гости дошли до такой стадии опьянения, что еще немного — и начнут все вокруг себя крушить.

Что-то непременно должно случиться: драка, несчастный случай, кто-нибудь вызовет полицию.

Если полицейские приедут, то она пропала. Начнут задавать вопросы, захотят узнать, кто она такая, и все выплывет наружу.

Арни раскачивался в такт музыке, отбивая ритм кулаком правой руки по ладони левой. Его лоб покрыли крупные капли пота, по лицу скользили блики огней, пульсирующих со сцены, окрашивая его то в ярко-красный, то в темно-синий цвет. На фоне своей эмблемы, стального черепа с огромными кровоточащими зубами, на сцене завывали четыре демона — затянутые в кожу и загримированные под вампиров. Их солист Фил Зетгейст, если верить прессе, выпивал каждый день кварту крови. Еще он был знаменит тем, что помочился из окна отеля на головы пребывающих в экстазе фанатов.

Извиваясь всем телом и завывая, Фил свирепо сжимал микрофон, словно хотел разгрызть его на куски.

Ожерелье из зубов и костей животных, висевшее на его голой груди, ходило ходуном.

Арни совершенно забыл о Джо-Бет, и та ушла к бассейну, заполненному прыгающими на воде надувными игрушками. Среди них девушка различила Годзиллу, аллигатора и желтого утенка.

На краю бассейна, раскачивая в такт музыке головой и согнутыми в локтях руками, танцевала девушка в черном кружевном белье. Внезапно она поскользнулась и, взмахнув руками, как крыльями ветряной мельницы, с громким визгом полетела в воду. Секундой позже ее голова с прилипшими волосами показалась над поверхностью воды. Она снова завизжала, на этот раз еще сильнее, и двое мужчин с громким смехом бросились ее спасать.

Расталкивая локтями толпу гостей, на шум прибежал телохранитель Арни. К этому времени «Скриминг Скаллз» уже заканчивали свое выступление. Прозвучали последние сатанинские аккорды, и вся группа уползла за сцену, где они, как решила Джо-Бет, будут пить из горлышка пиво, материться и впрыскивать себе наркотики. Арни последовал за ними.

Джо-Бет, впервые за много часов оставшаяся одна, медленно спустилась по зеленым лужайкам к темной воде. Относительная тишина была божественной. Девушка слушала нежный плеск волн, стрекот кузнечиков и думала о том, как давно не наслаждалась тишиной ночи, далекими звездами и шумом ветра в ушах. Как было бы хорошо, если бы по мановению волшебной палочки исчезли и этот дом с его гостями, и «Скриминг Скаллз» с их дьявольской музыкой, и сам Арнольд Блейз и она осталась бы совсем одна.

В небе блеснула молния, освещая ярким светом гряду черных, набухших дождем туч. Сразу вслед за молнией раздались раскаты грома. Джо-Бет с удовольствием вдохнула влажный воздух, она любила грозу.

Сейчас, когда ее глаза привыкли к темноте, девушка могла различить темные очертания плавучих доков, качающихся у причала на черной, как чернила, воде. Рядом с ними на волнах подскакивала маленькая рыбачья шхуна. Вдали виднелся стоявший на якоре парусник, длинный и сверкающий, его белые бока светились в темноте.

Джо-Бет с тоской посмотрела на шхуну. Вот бы сейчас спуститься к докам, взобраться на нее, завести мотор и умчаться далеко-далеко, туда, где начинается шторм. Убежать...

Чья-то рука легла ей на плечо, и Джо-Бет, вздрогнув, оглянулась. Это была английская девушка Вера в тесном вечернем платье и пышном парике. Рядом с ней стоял приятель Арни.

— Я ищу тебя, — сказала Вера. — Мне надо с тобой поговорить. Послушай, как тебя зовут?

— Джо-Бет Финей, — не раздумывая ответила та и тут же прикусила язык. Какая же она дура! Ну зачем сказала им свое настоящее имя? А вдруг они что-нибудь знают о ней? Жизнь так ничему ее и не научила.

— Уверена, что мы встречались.

Джо-Бет неистово замотала головой:

— Ты меня с кем-то путаешь.

Темное небо прорезал зигзаг молнии, и в ее свете парусник стал различим во всех деталях: белая мачта, рубка капитана, оснастка, лебедка и прочее.

— Какой же он красивый! — вырвалось у Джо-Бет. — Как бы мне хотелось уплыть на нем в океан.

— Нет. Я уверена, что это была ты, — настаивала Вера, игнорируя ее слова о паруснике.

Раскатисто прогремел гром.

— Приближается гроза, — сказала Джо-Бет, начиная волноваться от мысли, что Вера действительно могла ее видеть. Но где?

В газете? Или в объявлениях о розыске, висевших в каждом почтовом отделении?

Джо-Бет похолодела от страха, но тотчас же приказала себе не сходить с ума. Даже если Вера и видела фотографию, она бы ни за что не узнала ее, ведь у нее теперь другое лицо и рыжие волосы... Но почему Вера так уверена?

Джо-Бет решила, что ей лучше отделаться от англичанки, но это означало, что придется вернуться к гостям.

Джо-Бет чувствовала себя испуганной и одинокой. Как ей нужен человек, которому можно доверять!

Но такого человека рядом не было. Здесь она никого не знала, кроме Арни, а тот, кажется, уже ничего не соображал.

— Там что-то происходит, — внезапно заметила Вера.

Они одновременно повернули головы и увидели, как Арни Блейз с воинственным криком запрыгнул на пустую эстраду. Он схватил микрофон, и все услышали неприличный звук, сопровождаемый громким свистом.

— Эй, вы там! Слушайте меня все! Вы пришли повеселиться, но этот вечер просто скучный!

Лицо Арни в лучах пульсирующего света отливало то красным, то синим цветом и вдруг, освещенное молнией, превратилось в мертвенно-бледное.

— Эй! — кричал Арни. — Я вам сейчас устрою представление!

Прогремел гром. Люди покатывались со смеху, резкий порыв ветра унес декорацию с эмблемой металлического черепа.

Прижав микрофон к губам, Арни принялся танцевать и петь, подражая тяжелому року.

Светловолосый юноша упал в бассейн, и поднявшаяся волна окатила стоявших рядом, смывая в воду плитки «сникерсов», чью-то обувь и прочую дрянь.

Сент побежал к террасе. Джо-Бет и Вера последовали за ним.

Арни продолжал петь:

— Я хочу вас всех съесть. Я хочу вас съесть живьем...

Начался дождь, сначала упали первые тяжелые капли, затем дождь зачастил, пока не разразился ливень.

Девушка в черном кружевном белье вылезла из воды и, поскользнувшись на скользких плитах бортика, упала лицом вниз.

Лысый человек с курчавой черной бородой простер руки к небу, как бы призывая молнии и гром.

— Давай, давай! — кричал он. — Лей пуще!

— Слопаю вас... слопаю вас, — раздавалось с эстрады.

— Эй, Арни! Слезай оттуда! Слышишь меня, Арни?

Сент вскочил на сцену, но его уже опередил Фрэнк, подхвативший шатающегося Блейза. Их голоса отчетливо слышались в микрофон:

— Кончай, старик, покуражился и хватит. Приди в себя. У тебя гости...

— Ску...чно!

— Эй ты, убирайся отсюда! — закричал Фрэнк Сенту. — Тебе здесь нечего делать. Я сам позабочусь о нем!

— Зачем ты тащишь его? Ему сейчас станет плохо.

— Пошел к черту, Джуниор! Убирайся немедленно!

— Я хочу танцевать... танец дождя...

Арни крепко обнял Фрэнка, и они, качаясь, заскользили по сцене к ее краю. Внезапно Блейз что есть силы со злостью ударил Фрэнка в грудь.

— Убирайся вон! У меня есть друзья! Вот мои друзья...

Фрэнк закачался, споткнулся об усилитель и чуть не упал.

— Эй, Арни! Что ты из себя воображаешь? — Внезапно голос его стал испуганным. — Господи! Отдай сию же минуту! Ты слышишь меня?

— Пошел к черту!

Расставив ноги и качаясь из стороны в сторону, Арни повернулся лицом к публике. Из его рта вниз по подбородку струилась кровь. Возможно, он где-то ударился или просто прикусил губу.

— Арни, это я, Сент. Спустись на землю.

Арни расхохотался.

— Мы все держим под контролем! — закричал Фрэнк. — Отдай мне его. Сейчас сюда прибежит охрана.

Прогремел гром. Какая-то женщина закричала:

— О Господи, у него же..

Ее слова заглушил новый раскат грома.

Послышались крики:

— У него ружье... Господи, у него оружие...

Арни правой рукой поднял «вальтер-38». Левой рукой, вцепившись в запястье, как это делают в фильмах, он стал медленно целиться: сначала в живот Фрэнку, затем перевел дуло на голову Сента и, наконец, остановился на зеркальном стекле одного из окон гостиной. Выстрел, и посыпался дождь мелких осколков.

— Не паниковать! — заорал Фрэнк. — Всем лечь на землю!

— Прекрасно! — закричал Арни, целясь в другое стекло. — Раз, два... три!

Стекло разлетелось на куски. Вера увидела, что по ее руке течет кровь.

Сент хотел приблизиться к Арни, но Фрэнк рявкнул на него:

— Убирайся отсюда! Я сам со всем справлюсь!

Гости, охваченные паникой, бросились к дверям.

Вера плотно сжала веки, затем снова раскрыла их. Старфайер смогла бы силой взгляда выбить оружие из рук Арни, но, к сожалению, ей было далеко до Старфайер...

В небе блеснула молния и осветила все лица мертвенно-белым светом, и внезапно Вера вспомнила, где видела лицо Джо-Бет. Ну конечно, теперь она хорошо ее вспомнила.

Дождь лил как из ведра.

Арни выстрелом разбил еще одно окно.

— Ты только еще больше злишь его! — закричал Сент Фрэнку.

Арни громко рассмеялся и взял на мушку прожектор для подсветки. Выстрел — сноп искр и густой дым.

— Иди сюда, — приказала Джо-Бет Вере.

Девушка нырнула за металлический столик и потянула ее за собой.

Арни нацелился в другой прожектор, излучавший красный свет. Выстрел, прожектор остался цел, но декорация с черепом закачалась из стороны в сторону, затем взад-вперед, и минутой позже все услышали какой-то глухой металлический звук.

С кривой усмешкой Арни посмотрел на череп, прицелился и нажал на курок. Выстрела не последовало, нахмурившись, Арни посмотрел на дуло.

Джо-Бет облегченно вздохнула:

— У него кончились патроны. Теперь они могут...

Но сейчас, когда настала подходящая минута, телохранитель бездействовал.

Стоя на краю эстрады, он с каким-то удивленным испугом смотрел на Арни. Затем ноги его подкосились, и Фрэнк стал заваливаться назад и, наконец, рухнул в бассейн с бирюзовой водой, по которой хлестал дождь и плавали надувные игрушки.

Шатаясь и безвольно держа в руке оружие, Арни сделал несколько шагов к бассейну.

— Фрэнк, Фрэнки... Что с тобой, старик...

Гости высыпали из дверей гостиной и скучились вокруг бассейна, где лицом вниз плавал среди резиновых лягушек, кроликов и уток Фрэнк, вокруг головы которого расплывалось кровяное пятно, казавшееся черным на фоне лазури.

— Он мертв, — сказал кто-то.

— Не говорите ерунды, — раздался в нависшей тишине голос Арни. — Сент, — позвал он испуганно. — Сент, где ты? Помоги мне. — Сейчас его голос был таким же жалким и молящим, как когда-то в детстве.

Глава 6

Вера услышала, как Джо-Бет судорожно вздохнула.

Затем, ни слова не говоря, девушка вылезла из-под стола и бросилась в густые заросли рододендронов, которые отделяли лужайку с бассейном от посыпанной гравием проезжей части.

Вера побежала за ней, прокладывая себе дорогу сквозь колючие кусты, хлещущий дождь и мокрую листву, инстинктивно чувствуя, что она не должна дать Джо-Бет убежать, так как это слишком рискованно.

Она догнала Джо-Бет около парковки.

Лицо Джо-Бет было исцарапано, платье разорвано, густая коса растрепалась, девушка с диким видом озиралась по сторонам. Вера схватила ее за руку.

— Постой!

— Отпусти меня. — Джо-Бет выдернула руку. — Мне надо быстрее бежать отсюда.

Вера растерялась и не знала, что делать, но здесь, к своему великому облегчению, увидела Сента. Тот продирался к ним сквозь толпу гостей, в панике бежавших к воротам. Так бежит публика из театра, почувствовав запах дыма. Сент схватил Джо-Бет за плечи.

— Все нормально, — через силу выдавил он. — Давай вернемся в дом.

Джо-Бет дрожала как осиновый лист.

— У тебя должна быть машина. Увези меня отсюда.

Сент посмотрел на заполненную машинами дорогу.

— Мы не сумеем проехать, нас зажмут. И потом я не могу оставить Арни, я должен быть рядом с ним.

— Но сейчас сюда приедут полицейские, с минуты на минуту. — Джо-Бет вырвалась из рук Сента. — Неужели ты этого не понимаешь?

— Успокойся. Конечно же, я все понимаю.

— Нет, не понимаешь. Как ты можешь? — Голос Джо-Бет стал хриплым, на лице отразилось полное отчаяние. — Ты ведь ничего не знаешь, я не должна попасть к ним в лапы.

— То, что случилось здесь, не имеет к тебе никакого отношения.

— Но я была с Арни, я была его девушкой.

— Тебя не было рядом с ним, и это могут подтвердить десятки людей.

— Но они выяснят, кто я.

Джо-Бет вся обратилась в слух. Сквозь крики людей, гудков машин послышался звук полицейской сирены. Джо-Бет забилась в руках Сента.

— Они уже здесь. Отпусти меня!

Тот еще крепче сжал ее.

— Послушай! Как они узнают, что ты проститутка, если только сама им не скажешь?

Джо-Бет перестала сопротивляться и поникла в его руках.

— Речь идет не об этом, — произнесла она тихо. — Я же сказала, что ты ничего не знаешь. — Плечи Джо-Бет опустились, и она позволила Сенту повести себя к дому, бессвязно объясняя по дороге: — Они выяснят, кто я, и отдадут под суд. Понимаешь, я убила человека, и меня разыскивают...

— Хорошо, — сказал Слоун с нежностью в голосе. Он взял бумажную салфетку, смочил ее в шампанском и стал вытирать грязь с лица Джо-Бет. — Тебе лучше рассказать нам все. Мы придумаем какую-нибудь версию, и никто ничего не заподозрит. Расскажи нам, что случилось. Все с самого начала.

Вера почувствовала прилив гордости от того, что Сент доверяет ей и включил в их разговор. Девушке в голову не пришло, что таким образом она может стать соучастницей в убийстве. Вера приготовилась слушать, руководимая одним желанием — помочь.

— Это случилось у меня дома, — шепотом начала Джо-Бет. — Я убила своего отчима. Он мертв. Он напился и бегал за мной. Флойд пытался заставить меня...

Сначала Вера не могла понять, о чем хочет сказать Джо-Бет. Все было так ужасно. Подобные вещи не случались в ее маленьком мирке, по крайней мере с теми, кого она знала. Однако Сент все сразу понял и пришел в ярость. Вере никогда не приходилось видеть, чтобы человек так гневался. Он выглядел просто свирепым. Если бы Сент так когда-нибудь разозлился на нее, Вера бы в испуге убежала от него.

Позже она попытается нарисовать выражение лица Сента, когда тот смотрел на Джо-Бет, но ей не удастся, и может, к лучшему, потому что это выражение предназначалось не ей. Каждый раз, когда художница будет вспоминать, в какую ярость пришел Сент, слушая Джо-Бет, ей будет больно. Вера уже тогда поняла, что он бесповоротно влюбился в Джо-Бет Финей.

— Хорошо, Джо-Бет, — сказал Сент. — Хватит. Я все понял.

И неожиданно для самой себя Вера заявила:

— А сейчас послушай. Когда они будут задавать тебе вопросы, ты должна...

Шли часы.

Резкий свет над их головами безжалостно высвечивал изможденные лица, грязный, замусоренный пол, разбитые бокалы со следами губной помады по краям. Юноша в смокинге без чувств валялся на полу, рядом с ним сидела его подружка. Ее платье превратилось в грязную, рваную тряпку. Девушка в черном кружевном белье, поверх которого накинула мужской пиджак, забилась в угол и, закрыв лицо руками, дрожала всем телом. Вера чувствовала, что и сама выглядит ужасно: косметика на лице размазалась, вечернее платье Спринг испачкалось и лопнуло по швам, сильный дождь и кусты рододендронов доконали дорогой, тщательно уложенный парик.

Полицейские приезжали и уезжали: врач, фотограф, следователь по особо важным делам. Вера и Джо-Бет сидели бок о бок в столовой на тех самых безобразных пластиковых стульях, которые оказались более удобными, чем представлялись на первый взгляд. Сквозь раскрытые французские двери они видели, как полицейские выловили из бассейна тело Фрэнка, засунули в черный пластиковый мешок и уложили на носилки.

До них долетали смешанные звуки прибывающих и отъезжающих машин, телефонные звонки, сдавленные рыдания из-за раскрытой двери, грязная ругань и голоса

«Скриминг Скаллз», жаждущих дать интервью многочисленным телеоператорам и журналистам.

Прибыла еще одна группа мужчин, одетых в одинаковые костюмы. Оказалось, что это люди из отдела по расследованию убийств. Они увели Сента в комнату, где сидел плачущий Арни, отказывавшийся давать показания, пока его друг не будет рядом.

Лицо Джо-Бет окаменело, сжатые в кулаки пальцы побелели.

— Все будет хорошо, — заверяла ее Вера, гладя по растрепавшимся волосам и вынимая из них застрявшие листья. — Все будет хорошо, вот увидишь.

Детектив с темными кругами под глазами был спокойным и внимательным. Он походил на собаку породы бассет и выглядел очень уставшим в мятой и неправильно застегнутой рубашке, словно одевался в большой спешке.

— Меня зовут Диана Старр, — сказала Джо-Бет и дала ему адрес Спринг Кентфилд на Сентрал-Парк-Вест, все выглядело вполне естественно.

Был уже день, когда они наконец добрались до дома, где их ждали репортеры. Под вспышками фотоаппаратов Сент, Джо-Бет и Вера пробрались к дверям и вошли в вестибюль.

На лестнице Джо-Бет начала плакать. Несмотря на то что она прикрывала лицо руками, ее сфотографировали, и снимки теперь обязательно появятся во всех газетах. Кто-нибудь из знакомых непременно ее узнает.

— Им больше нужен я, — успокаивал девушку Сент. — Я друг Арни и сын Спринг Кентфилд. Не волнуйся, им скоро надоест, и они оставят нас в покое, просто не надо обращать внимания.

Но в покое их не оставили. Наоборот, толпа журналистов и фоторепортеров росла. На углу Семьдесят второй улицы появилась передвижная телевизионная установка.

— Спасибо Господу, что моя мать в Лос-Анджелесе, — произнес Сент твердым голосом. — Представляю, какой бы скандал она мне устроила.

Войдя в квартиру, он первым делом переключил телефон на автоответчик, затем сделал ряд важных звонков. Вера удивлялась его способности трезво мыслить. Сент как-то сразу повзрослел и выглядел старше своих восемнадцати лет.

Первый телефонный звонок был к мистеру Фридману, адвокату его отца. Вера слышала разговор.

— Да, — говорил Сент. — Я был бы рад, если бы вы пришли ко мне. Мне надо кое-что обсудить, не нужно никакой пресс-конференции, ни в коем случае.

Последовала долгая пауза, в течение которой молодой человек внимательно слушал.

— Хорошо, если вы так считаете, то...

Снова пауза.

— Не говорите глупостей, никакой я не герой.

Пауза.

— О'кей! Я сделаю, как вы говорите, но только...

Дальше Сент рассказал о Джо-Бет и ситуации, в которую та попала, ни словом не обмолвившись том, что девушка убила Флойда Финея.

— Я привез ее с собой, она пока останется здесь. Почему нет? Я ведь друг Арни. Разве я не мог их познакомить?.. И еще один момент... Я все объясню, когда приедете. Мне понадобится машина, вы можете взять напрокат что-нибудь не очень заметное?

Затем Сент позвонил тете Глории. Вера продолжала слушать.

— Мне нужна твоя помощь, тетя. Ты дома сегодня вечером? Можно я приеду и привезу с собой друга? На пару дней? Спасибо. Увидимся позже... Нет, это девушка... Я все объясню при встрече.

И последний звонок к Джеронии с просьбой немедленно приехать и по дороге купить необходимые лекарства.

Когда Сент освободил телефон, Джо-Бет позвонила Мелоди Рос. Сестры поговорили всего несколько секунд, после чего девушка повесила трубку и бросилась, рыдая, на кровать Веры, дрожа от гнева и возмущения.

— Она сразу же спросила меня о деньгах, — причитала Джо-Бет. — Им хотелось знать, сумела ли я получить деньги, Мел даже не интересует, как я себя чувствую.

Вера не знала, как заставить девушку взять себя в руки. Решив наконец, что работа отвлечет Джо-Бет от печальных размышлений, она попросила ее помочь высушить и расчесать парик. Натянутый на болванку и спрятанный среди других париков, он все равно выглядел растрепанным и неопрятным.

— Что же мне делать? — растерянно спросила Вера.

— Думаю, стоит пойти в парикмахерскую и попросить уложить его, — ответила Джо-Бет с полным равнодушием к чужой беде.

С платьем дела обстояли и того хуже, особенно если учесть, что Джо-Бет пришлось его разрезать, чтобы вызволить Веру.

— Надо выбросить в мусоропровод, — посоветовала Джо-Бет. — У нее столько платьев, что навряд ли она заметит отсутствие одного из них.

Но Вера чувствовала, что Спринг не тот человек, который не заметит отсутствия платья. Мисс Кентфилд до того дорожила своей собственностью, что заметила бы даже пропажу булавки.

К полудню приехала Джерония, одетая в форму прислуги, держа в руках большую бумажную сумку. Домоправительница сказала Сенту, что никто из журналистов не обратил на нее внимания. Какое им дело до прислуги? Никому даже в голову не пришло, что она имеет к ним какое-то отношение.

Следом за Джеронией приехал мистер Фридман, и они с Сентом с полчаса беседовали с глазу на глаз. Затем адвокат, явно обеспокоенный, долго разговаривал с Джо-Бет.

Сент в сопровождении мистера Фридмана спустился к журналистам, а Джерония тем временем увела Джо-Бет в ванную для гостей и занялась ее туалетом.

Вера наблюдала, как Джерония делала стрижку и красила волосы девушки в неопределенный цвет с коричневым оттенком. «... Жаль, конечно, портить такие волосы», — приговаривала она при этом.

Когда работа была закончена и Джо-Бет посмотрела на себя в зеркало, то на ее лице появилось удивленное выражение.

— Я просто себя не узнаю, — сказала она. — Мне совсем незнакома эта девушка.

— Именно к этому мы и стремились, дорогая, — ответила домоправительница.

Мистер Фридман и Джерония уехали. Сент, Вера и Джо-Бет засели на кухне, ожидая, когда стемнеет.

Это было приятное время. Они ели шоколадный торт, смотрели телевизор, переключая кнопки с одной программы на другую, потом Сенту все это наскучило, и молодой человек пошел слоняться по квартире. В гостиной он наткнулся на рисунки Веры, разбросанные по столу.

— Ой, Сент, — забеспокоилась та, увидев, что он внимательно рассматривает рисунки, на которых изображена Спринг не в самом лучшем для нее свете, а она как-никак была его матерью, — мне не следовало этого делать.

Однако, к ее великому облегчению, Сент нашел рисунки забавными.

— Послушай, да это же великолепно. Я и представить себе не мог, что у тебя такие способности. Вера, у тебя талант. Здесь моя мать — настоящая ведьма.

Джо-Бет взглянула через его плечо на рисунок, где Спринг, надув губы, смотрела из-под полуопущенных ресниц на сенатора Мура, и начала громко смеяться. Сент и Вера присоединились к ней, и скоро все трое, хватаясь за животы, смеялись до упаду. Они разбросали рисунки по ковру, чтобы лучше видеть, и продолжали смеяться, катаясь по полу и взбрыкивая в воздухе ногами. Царившее ранее между ними напряжение моментально исчезло.

Насмеявшись вволю, молодые люди постепенно успокоились. Сент отправился на кухню и выгреб из холодильника все, что имелось. Он вернулся в гостиную с подносом, полным жареных цыплят, фруктов и чесночного хлеба. Затем открыл бутылку шампанского, гораздо лучшего качества, чем то, которое подавали у Арни, и они дружно принялись за еду.

Вера подняла свой бокал и торжественно провозгласила:

— У меня такое чувство, что мы победили. За нашу победу!

Джо-Бет с благодарностью посмотрела на ребят.

— Спасибо вам, — сказала она. — У меня пока не было времени поблагодарить вас. Не могу понять, почему вы со мной так возитесь?

— Потому, что мы теперь одна компания. Мы трио Старфайер. И если дело кончится судом, Джо-Бет, мы тебя не бросим. — Сент весело подмигнул ей. — Ясно?

— Но когда мы встретимся снова? — с беспокойством спросила Вера. — Вы ведь уезжаете...

— Не дальше, чем в Коннектикут, — заверил ее Сент. — Не успеешь соскучиться, как мы уже вернемся. Теперь наша троица — трио Старфайер. — Сент на минуту задумался. — Давайте дадим друг другу торжественную клятву. — Он щелкнул пальцами и приказал: — Прошу всех встать, сделаем это по-русски.

Они поднялись, торжественно взяли свои бокалы, чокнулись и, допив шампанское, через плечо бросили их на пол. Хрустальные осколки покрыли все пространство перед великолепным, оправленным в оникс камином Спринг.

— Вот тебе и мамин баккара, — сказал Сент. — Теперь мы связаны навеки.

После восьми часов вечера Сент и Джо-Бет отправились в Коннектикут к тете Глории. Вера попрощалась с ними у грузового лифта. С короткой стрижкой и каштановыми волосами Джо-Бет стала почти неузнаваемой. На прощание они крепко обнялись.

— Мы трио Старфайер, не так ли? — сказала Вера чуть дыша. — Несмотря на все препятствия.

Дверца лифта закрылась. Прислонившись лбом к решетке, Вера наблюдала, как он бесшумно скользит вниз. Когда его крыша исчезла, она стала смотреть на движущиеся кабели, скоро и они остановились. Теперь девушка знала, что Сент и Джо-Бет спустились вниз и ушли из ее жизни.

Она заперла дверь квартиры, чувствуя, как по щекам текут слезы. День был очень тяжелый, она устала и чувствовала себя разбитой.

Вера разделась и легла в постель, заранее зная, что не заснет.

Но все же уснула и спала очень крепко, пока дверь с шумом не распахнулась и ей в глаза не ударил яркий свет.

— А ну, вылезай из постели! — послышался чей-то визгливый голос. — Что ты скажешь в свое оправдание, ленивая, неблагодарная дрянь?

Вера, протирая глаза, взирала на Спринг Кентфилд, которая в это время должна была находиться в Лос-Анджелесе.

«Мне это снится, — пыталась убедить себя Вера. — Это просто ночной кошмар».

Но никакого кошмара не было, а перед ней стояла живая Спринг, держа в одной руке бутылку из-под шампанского, а в другой — пачку рисунков, которые она медленно и с наслаждением разорвала на мелкие кусочки прямо перед носом у Веры и бросила на пол.

— И это после всего, что я для тебя делала! — орала Спринг. — Немедленно собирай вещи и выметайся отсюда. Убирайся к себе в Англию, и чем скорее, тем лучше!

Вот так все и случилось.

На следующий день Вера уже улетела обратно в Лондон.

К концу недели все, что с ней произошло, казалось сном, как будто она никогда не была в Нью-Йорке, никогда не купала маленького Вильяма, не ела вкусных пирожных Джеронии, не влюблялась, не знакомилась с кинозвездой, не присутствовала на приеме на Лонг-Айленде, о котором писали все газеты.

Началась прежняя рутина.

— Как чудесно, — говорила мама отцу за чаем в первое же воскресенье. — Наша маленькая девочка опять с нами, как будто никуда и не уезжала. — Она погладила пухлое колено Веры. — Ты рад, папочка?

Вера вздохнула, съела очередную порцию оладий и вытерла салфеткой жирные губы.

И тут же мама положила ей на тарелку бисквит с кремом и клубничным вареньем.

— Кушай, дорогая, ты ведь любишь такой бисквит. Я испекла его специально для тебя.

Вера съела большой кусок и отрезала второй, мама со счастливым видом наблюдала. Нет, ничего не изменилось в этом доме. Неужели все произошедшее только сон?

Сидя за столом у себя в комнате, Вера перебирала рисунки с изображением Старфайер. Неужели так ничего и не изменилось в ее жизни? Нет, кое-что все-таки произошло — Старфайер обрела лицо. Сейчас она стала точной копией Джо-Бет, и это казалось вполне естественным, как будто так и было задумано с самого начала.

«Конечно же, я знала Джо-Бет раньше, — подумала Вера. — Она и есть Старфайер».

Часть вторая

Глава 7

Сент лежал на кровати в номере мотеля. Яркие лучи восходящего солнца пробивались сквозь его сжатые веки. Скоро нужно будет встать, выпить кофе и опять в дорогу.

Он вез Джи Би в Сан-Франциско. Молодой человек продолжал называть ее Джи Би, и это ей, кажется, нравилось. Девушка хотела уехать именно в Сан-Франциско, хотя не имела ни малейшего представления, что будет там делать. «Я просто хочу уехать туда, где меня никто не знает». Можно подумать, что расстояние ее спасет.

— Когда ты хочешь туда уехать? — спросил ее как-то Сент. — Я могу отвезти тебя.

Взгляд Джо-Бет сразу же стал подозрительным. В отсутствие Веры их отношения резко изменились, она стала недоверчивой и раздражительной.

— Нет уж, спасибо, — последовал ответ.

— Но почему? Я ведь тоже могу поехать в Сан-Франциско.

— Не сомневаюсь. Но я в тебе не нуждаюсь, — ответила Джи Би и, спохватившись, быстро добавила: — Извини за грубость. Я действительно очень тебе благодарна, но сейчас постараюсь выкарабкаться сама.

— Не говори глупостей. Каким образом ты сумеешь это сделать? Если полетишь самолетом или поедешь на автобусе, тебя сразу схватят, люди запомнили твое лицо. А если поедешь со мной, то мы можем двигаться кружным путем, останавливаясь только на ночевку. Никто нас не найдет. И потом... — Сент решил действовать безжалостно. — Где ты возьмешь деньги?

Довод был убедительный. Джо-Бет посмотрела на свои руки и тяжело вздохнула.

— Хорошо, — согласилась она неохотно. — Пожалуй, ты прав. Но я тебе все верну, — добавила девушка сквозь стиснутые зубы, явно не желая от него зависеть. — Все до последнего цента. Клянусь.

— Тебе совсем не обязательно возвращать мне деньги.

— Нет, я верну.

— Ну хорошо, поговорим об этом позже. Так когда мы отправляемся?

Сент радостно думал о том, как хорошо будет ехать вместе с этой странной, независимой девушкой, которая попала в беду и в которую он влюбился сразу и на всю жизнь. Они получше узнают друг друга, пока доберутся до Сан-Франциско, и, конечно, Джо-Бет станет более доверчивой и тоже полюбит его.

С того самого момента, как Джи Би неохотно согласилась ехать вместе с ним, Сент направил всю свою энергию на сборы. Юноша чувствовал необычайный прилив сил, и что-то подсказывало ему, что нужно торопиться. И оказался прав. Перед самым отъездом, когда уже загружали машину, позвонил мистер Фридман. Сначала разговор шел об обыденных вещах и о том, когда состоится суд по делу Арни, на котором Сент должен присутствовать в качестве свидетеля. И только в конце адвокат сказал:

— Кстати о девушке... Тебе лучше сесть, Слоун.

«Я так и знал, — подумал Сент. — Знал, что что-то непременно произойдет». В окно он видел, как Джи Би и тетя Глория привязывают палатку к багажнику «форда».

— Я позвонил местному шерифу, — продолжал тем временем Фридман, — в полицейское управление и окружному прокурору. Сейчас ты упадешь! Все меняется.

Сент наблюдал, как Джи Би с деловым видом натягивала веревку и завязывала ее узлом. Новость оказалась настолько неожиданной, что он невольно воскликнул:

— Этого не может быть!

— Почему же? — удивился Фридман. — Тебе лучше сразу рассказать ей об этом.

— Естественно, — неохотно согласился Сент.

Но ничего не сказал Джи Би, просто не смог. «Скажу позже, но только не сейчас, — решил он. — Пусть пройдет хотя бы несколько дней, вот доберемся до Огайо, тогда и скажу». Но в Огайо произошло то же самое, что и в Пенсильвании. С каждым днем сказать становилось все труднее. Сент не знал, что и делать, и пришел к выводу, что лучше вообще не говорить. Хоть бы они тогда уехали на полчаса раньше!

Сент перевернулся на бок и посмотрел на соседнюю кровать, где спала Джо-Бет, закутавшись в желтое одеяло. Он любил ее сегодня сильнее, чем вчера, а вечером будет любить еще больше, чем в это утро.

Если бы она ему доверяла! Сначала Сент пытался разговорить ее и заставить рассказать о себе. Ему хотелось знать о ее жизни все, но девушка упорно отмалчивалась, не рассказывая ничего, кроме того, что ему уже и так было известно.

— Я жила с матерью и сестрой в небольшом городке близ Амарилло, штат Техас.

Она наотрез отказывалась говорить о Флойде.

— Что случилось с твоим родным отцом?

— Он нас бросил, когда мне было пять лет. Мы никогда больше не встречались.

Ему очень хотелось знать, как Джо-Бет прожила последние полгода в Нью-Йорке, хотелось расспросить ее, но в то же время он боялся услышать ответ.

— Джи Би, неужели ты действительно была... Конечно, если тебе неприятно говорить на эту тему, можешь не рассказывать...

К счастью, она отказывалась говорить и на эту тему тоже.

— Это осталось в прошлом и ничего общего с моей жизнью не имеет.

Ее ответы и разочаровывали, и в то же время служили утешением, так как ему хотелось верить, что ее жизнь началась только с того вечера у Арни, когда они встретились.

И все же в глубине души Сент не верил, что Джи Би проститутка. Этого просто не могло быть.

Она раздевалась в ванной, заперев за собой дверь, ночью спала, не снимая белья. Она ненавидела, когда к ней прикасались. Вчера он видел, как девушка борется со сном; ее голова опустилась на грудь, качалась из стороны в сторону, пока жара и духота не доконали ее. Плотно сжатые в кулаки руки разжались, тело обмякло, стриженая головка склонилась на его плечо, и она уснула. Сент, грезя наяву, тихонько обнял ее и погладил голое плечо. Джо-Бет тут же проснулась.

— Не смей! — закричала она и, отодвинувшись подальше, стала смотреть в окно на бесконечные поля сахарной свеклы, мелькавшие в наступающих сумерках.

Девушка быстрее его могла сменить лопнувшую шину. Когда однажды они прокололи колесо, она быстро взяла домкрат и подняла машину прежде, чем Сент сообразил, что случилось, и проделала это с таким мастерством, что молодой человек очень удивился. Такая сноровка шлюхе ни к чему.

— Где ты этому научилась? — требовательно спросил он.

— Когда живешь в таком городке, как Корсика, многому можно научиться, — последовал лаконичный ответ.

И наконец, стала бы девица легкого поведения, у которой меркантильность на первом плане, вести строгий подсчет истраченных денег и без конца твердить, что она их непременно вернет?

— Тебе не обязательно это делать, — не переставал повторять Сент. — Для меня это не имеет никакого значения.

— Зато для меня имеет.

И Сент знал, что девушка непременно выплатит ему каждый цент.

Он решил, что больше не будет расспрашивать ее о прошлом, не будет дотрагиваться до нее, а когда они приедут в Сан-Франциско, все изменится к лучшему.

Но при мысли о том, что рано или поздно придется рассказать все, что он узнал от Фридмана, у Сента начинало болеть сердце. По приезде в Сан-Франциско он все ей наконец расскажет.

И что тогда?

Джи Би тихо лежала под одеялом, стараясь подавить охватившую ее панику.

«Где я?»

Пробуждение еще в одном незнакомом мотеле, в чужой постели, когда после целого дня тряски по проселочным дорогам смотришь на покрытый желтым пластиком потолок.

«Кто я такая?» Какое-то время девушка чувствовала полную неуверенность в себе. Она просто тело, занимающее пространство, она не узнает себя даже в зеркале, хоть тысячу раз повтори себе, что ты Джо-Бет Финей, — что от этого изменится? Официально нельзя заявить об этом, не хватает смелости. Поэтому она никто, у нее нет удостоверения личности, нет водительской лицензии, нет денег, нет личных вещей, нет одежды, хотя тетя Глория настояла, чтобы девушка взяла несколько юбок, брюк и кофт из ее гардероба, но все это было в моде в 1963 году, а тетя Глория с тех пор ничего себе не покупала, повторяя, что у нее полно одежды.

Теперь Джо-Бет понимала, как чувствовала себя Алиса в Стране чудес, даже имя свое она потеряла. При рождении ее назвали Джозефина-Элизабет, потом сократили до Джо-Бет, теперь она Джи Би, а что дальше? «Я потеряла свое прошлое, — думала девушка с горечью, — и у меня нет будущего».

Она наконец открыла глаза и увидела незнакомца на соседней кровати. «Кто это?»

Медленно, мучительно она вспомнила: это Слоун Сент-Джон Тредвелл-младший, для друзей просто Сент. Она едет с ним в Калифорнию, он помогает ей скрываться от полиции.

Сначала Джо-Бет не чувствовала ничего, кроме благодарности, благодарности к нему и Вере, но Вера сейчас далеко, а без нее их отношения стали натянутыми, и она чувствовала себя неуютно.

«Что он хочет получить взамен?» — думала Джи Би, которую жизнь научила, что ничего не делается просто так, что все люди преследуют определенные цели.

— Бесплатный сыр бывает только в мышеловке, — говаривал Анжело и был прав.

Пока Сент не тронул ее и пальцем, но Джи Би знала, что скоро это произойдет. Как часто ей хотелось закричать: «Не гляди на меня так! Я ненавижу, когда ты смотришь на меня голодными глазами!»

Но придется мириться с его присутствием, пока они не доберутся до Сан-Франциско, потому что выбора нет.

— Привет, Джи Би, — раздался голос с соседней кровати. — Ты уже проснулась?

Девушка едва слышно ответила ему.

— Тогда я первым пойду умываться. Не возражаешь?

Джо-Бет слышала, как скрипнула кровать и голые ступни зашлепали по полу. Дверь ванной открылась и закрылась. Она слышала шум воды в душе, отрывки какой-то песни, затем все стихло. Значит, Сент одевался, так как она не выносила, чтобы он делал это при ней. Девушка должна была признать, что Сент добр, внимателен и даже более того.

Они выехали из мотеля еще до семи часов утра и остановились только заправиться, а заодно и позавтракать в кафе, расположенном рядом с заправочной станцией, которое своими разноцветными пластиковыми стульями и занавесками на окнах напомнило ей кафе Фила в Корсике.

Официантка, которая легко могла сойти за сестру Чарлины, подошла к столику.

— Привет, молодые люди. Что будете заказывать? Кофе? Мы только что получили свежие булочки, с пылу с жару.

Даже посетители походили на тех, что в Корсике: продавец, проверяющий счет с калькулятором в руках; двое водителей грузовиков, жадно уплетавших завтрак, сервированный на одной большой тарелке; круглолицая девочка-подросток, тянувшая через соломинку охлажденную «коку» и просматривавшая какую-то бульварную газетенку, а рядом с ней ее дородная мамаша, жадно поглощавшая жареные пирожки. Джо-Бет посмотрела на струйку кофе, льющегося в ее чашку, и внезапно почувствовала острую тоску по дому.

— Я хочу позвонить домой, — резко произнесла она.

— Общественный телефон в комнате отдыха, крошка, — подсказала официантка.

Сент поднял голову от тарелки.

— Нет, — сказал он. — Нельзя.

— Ну хорошо, я позвоню Чарлине. Послушай, Сент, мама совершенно одна, я соскучилась по ней. Мне просто надо знать, что у нее все в порядке.

— Лучше немного подождать, — холодно сказал Сент.

Его твердость напугала Джи Би. Возможно, он что-то проведал, а ей не говорит.

— Послушай, если что-нибудь узнаешь обо мне, ты ведь мне скажешь, не так ли?

Молодой человек внимательно посмотрел на нее.

— Конечно, обязательно скажу.

Но в его глазах было что-то, заставившее ее разволноваться. Девушка хотела выяснить, что же он скрывает, но вовремя заметила, как пухленькая девочка переводит взгляд с газеты на Сента и снова на ее первую страницу.

— О Господи! — Джо-Бет дотронулась до его руки. — Посмотри туда.

Газетный заголовок гласил: «Спринг выгоняет своего сына из дома после его участия в вечеринке с наркотиками и убийством».

Внизу помещалась фотография Спринг, которая, кипя от возмущения, смотрела на Сента, грязного и небритого, с трудом вылезающего из «ягуара».

— Откуда у них такая фотография? — шепотом спросила Джи Би. — Ведь ее там не было.

— Они сфабриковали. — Молодой человек приложил палец к губам. — Тише.

Но девочка уже заметила их интерес к ее газете и то, что они о чем-то переговариваются.

Она локтем подтолкнула мать и громко зашептала:

— Ма, этот мальчик очень похож на того, что на фотографии.

Мать и дочь уставились на Сента с Джо-Бет.

— Это он, — уверенно сказала дочь. — Как ты считаешь?

Джи Би, почувствовав тошноту, опустила глаза.

— Ты так считаешь? — спросил Сент у девочки. — Ну-ка дай мне. — Он потянулся за газетой, внимательно посмотрел на фотографию и усмехнулся: — Ничего общего.

Девочка захихикала:

— Конечно же, это ты, у тебя здесь такая же щетина.

Все, включая официантку, водителей грузовиков и продавца, повернулись в их сторону.

Джи Би мысленно обругала Сента за то, что тот не нашел времени побриться.

Девушка слышала, как он весело хмыкнул:

— Ну конечно!

Сент повернул голову к окну, за которым стоял пыльный «форд».

— Ну, конечно же, это я, а за окном стоит моя роскошная спортивная машина. — Сент со злостью швырнул девочке газету. — Эти сынки разъезжают на фантастических лимузинах, не то что моя колымага.

— Что верно, то верно, — вздохнув, согласилась мать девочки. — Ох уж эти мне сынки, чем их только не пичкают.

Однако продолжала с недоверием разглядывать Сента, а заодно и Джи Би в ее легком костюме из пестрой шерстяной ткани от Паулины Тригер, который, как опасалась Джи Би, хоть и был двадцатипятилетней давности, но мог снова войти в моду, ведь мода, как известно, дама капризная.

Девушка резко поднялась.

— Я подожду тебя на улице, — бросила она Сенту.

Когда они выезжали со стоянки, Джи Би знала, что все следят за ними через грязное запотевшее стекло.

— Я больше не хочу останавливаться в таких местах, — сказала она.

— Хорошо, не будем, — ответил Сент.

Равнина осталась позади, и весь день молодые люди осторожно продвигались вверх по петляющей на поворотах дороге, направляясь к национальному лесу Озарк, где, как решил Сент, можно бесследно исчезнуть на пару дней, чтобы дать нервам Джи Би немного успокоиться. Путешественники проезжали по скрипучим мостам, висевшим над стремительными горными речками, продирались сквозь березовые рощи и сосновые заросли и, наконец, к вечеру, когда небо стало темным от надвигающейся грозы, нашли стоянку.

Они поставили палатку как можно дальше от других отдыхающих, за тенистыми кустами, на берегу маленькой бурной речушки.

Усевшись бок о бок на камне и болтая ногами в воде, каждый думал о своем.

— Правда хорошо? — спросил Сент.

— Действительно хорошо, — кивнула Джи Би.

Прогремел гром, долгий и раскатистый, листья берез над их головами затрепетали, стволы, словно привидения в белых одеждах, засветились в сгущающихся сумерках.

Стало душно и влажно, Джи Би надела шорты и розовую безрукавку, которую Сент купил ей по дороге. Девушка наотрез отказалась идти вместе с ним в магазин и ждала молодого человека на стоянке, прикрыв лицо вчерашней газетой, которую перечитывала снова и снова. Безрукавка, купленная Сентом, оказалась велика, ее проймы обвисли, и сквозь них он мог легко разглядеть нежные и упругие груди, к которым его так и тянуло прикоснуться. Желание было таким сильным, что еще немного, и он не выдержит и умрет. С каждым днем Сент желал ее все сильнее и сильнее, но боялся даже дотронуться, уповая только на то, что девушка сама когда-нибудь потянется к нему, а в том, что это рано или поздно произойдет, он не сомневался. Всему свое время, решил Сент и терпеливо ждал.

Он сидел согнувшись, локти на коленях, кисти опущены вниз, ладони касались паха, прикрывая восставшую плоть. Юноша не осмеливался не только встать, но даже пошевельнуться, опасаясь, что Джо-Бет заметит его состояние. Он попытался расслабиться, но тело напряглось еще больше, заныла каждая косточка, по спине заструился пот. Сент украдкой посмотрел на Джи Би, но та сидела неподвижно, задумчиво глядя на воду, и, кажется, ничего не замечала.

Первая капля дождя упала на прелую листву, за ней последовала другая, и вскоре вся долина наполнилась шумом дождя.

— Бежим! — закричал Сент, схватив Джи Би за руку. — Скорее в палатку. — Он старался развернуться к ней так, чтобы девушка не заметила бугор, распирающий джинсы.

Они лежали лицами вниз и соприкасались боками, глядя сквозь дверцу палатки на струйки дождя. От теплой земли поднимался пар. Тело Сента ныло, наполненное сладкой болью. Он закрыл руками разгоряченное лицо и стал медленно двигаться взад-вперед, стремясь освободить восставшую плоть. Сент ненавидел себя за это и каждую секунду ожидал, что Джи Би заметит его движения и ее стошнит от отвращения. Молодой человек закрыл глаза и вцепился зубами в руку.

Джи Би дотронулась до его плеча.

— Не надо этого делать, — сказала она охрипшим голосом. — Если хочешь, я все сделаю сама.

Джи Би считала, что секс — это самое худшее, что может случиться с женщиной. Взять хотя бы маму или Мелоди Рос. Они были полностью подчинены мужчинам, секс превратил их в рабынь. Джи Би дала себе клятву, что с ней такого никогда не произойдет.

Если бы Сент попытался изнасиловать ее, если бы дотронулся до нее хоть пальцем, она бы выцарапала ему глаза и, ни минуты не колеблясь, убежала без оглядки, но юноша ни разу не посягнул на ее честь.

Сейчас же девушка видела, как тщетно он борется со своей страстью. Неужели он так сильно желает ее?

Скорее всего да. Это было выше ее понимания, она не могла постичь, почему люди, думая о сексе, доводят себя до сумасшествия, почему платят за него огромные деньги. Джо-Бет вспомнила бедного, жалкого Коуча, Арни Блейза, готового заплатить за секс тысячу долларов, и ведь он вовсе не жалкий, а, наоборот, молодой и весьма привлекательный.

«Вот черт, — подумала девушка, — какое мне дело до их проблем?» Но тут же ей стало нестерпимо жалко молодого человека. «Поразмысли о том, сколько он сделал для тебя, — приказала она себе. — Ты ему многим обязана, и в конце концов, что у меня общего с мамой или Мелоди? Я — это я, и никогда не повторю их ошибок, никогда не стану рабыней мужчины и секса».

Джо-Бет легла на бок и посмотрела на Сента. Его лицо побелело, рот плотно сжался, глаза лихорадочно блестели.

— Ты серьезно? — прошептал он. — Ты действительно это сделаешь?

— Я же сказала.

Джи Би расстегнула ремень, поддерживавший его джинсы, и неловко потянула «молнию».

Затем она запустила внутрь руку, и ее пальцы почувствовали налитую, горячую, с пульсирующей жилкой плоть. Она дотронулась до чего-то нежного и шелковистого на ощупь, и по телу юноши пробежала судорога.

— Нет, Джи Би, подожди.

Дрожащими руками Сент стянул с себя джинсы и привлек девушку к груди.

— Ты уверена? — прошептал он. — Ты действительно уверена?

Она кивнула:

— Только, пожалуйста, без разговоров.

Сент запустил руки ей под безрукавку и осторожно коснулся груди.

— Господи, Джи Би, как я люблю тебя!

«Началось, — подумала та, — все они поют одну и ту же песню. Не сомневаюсь, Анжело говорил то же самое Мелоди, а Флойд маме, и они, дуры, верили, но я никогда не поверю».

Джи Би оставалась неподвижной и старалась не обращать внимания на то, что чьи-то руки шарят по ее телу. Никто никогда не трогал ее грудей, хотя, если быть честной, это сделал Флойд. Вспомнив отчима, Джо-Бет содрогнулась от отвращения; ей захотелось закричать, вырваться и убежать, но усилием воли она сдержалась и замерла. Это не Флойд, а Сент, уговаривала себя девушка, он ей нравится, она ему благодарна и должна позволить ласкать себя. Джо-Бет ему обещала и не нарушит данного слова.

Девушка почувствовала, как его пальцы сжали ее соски, сначала осторожно и с нежностью, затем все сильнее и больнее. Его губы коснулись ее губ.

— Как мне хотелось поцеловать тебя все эти дни, — прошептал Сент. — Ты даже представить себе не можешь...

— Я просила тебя не разговаривать.

Он стянул с нее шорты и положил руку ей между ног. Джо-Бет напряглась, ожидая его реакции, которая незамедлительно последовала.

— Господи, Джи Би! — воскликнул Сент с неподдельным удивлением. — Я ничего не понимаю...

— Чего же тут понимать? — вызывающе сказала девушка. — Я все еще девственница. Что в этом странного?

— Ничего не понимаю, — снова повторил он.

— Поговорим об этом в другой раз.

Она лежала на спине, а Сент склонился над ней, его плечи упирались в крышу палатки; было темно, словно гроза накрыла их своим крылом; дождь барабанил по упругой материи, рядом шумела река, неся через камни свои стремительные воды. Прижавшись друг к другу и отгородившись от всего света мокрыми стенками палатки, они жили в своем маленьком, тесном мирке.

Было больно, ужасно больно, именно так, как она себе и представляла. Джи Би закрыла глаза и ждала, пока Сент сумеет войти в нее, она слышала шепот: «Прости меня...»

Внезапно боль исчезла, и девушка почувствовала его в своем теле, движения юноши стали размеренными, в такт дыханию.

Затем быстрые толчки усилились, а потом закончились мощным взрывом, сопровождающимся протяжным стоном, вырвавшимся из его груди. Прислонившись к ее щеке, он затих и некоторое время лежал неподвижно. Постепенно силы стали возвращаться к нему, Сент поцеловал ей сначала брови, затем глаза и виски.

— Спасибо, Джи Би, — услышала девушка нежный шепот. — Я люблю тебя.

Неделю спустя Джо-Бет сидела на песчаном пляже бухты Сэнд-Харбор, штат Невада. Позади, за выжженной солнцем равниной, возвышались острые зубцы отвесных скал, испещренные рубцами выветрившейся породы, с редкими кривыми сосенками, растущими на склонах. Прямо перед ней сверкала, отливая сапфиром, блестящая поверхность озера Тахо, на южном дальнем берегу которого, словно мираж, дымились заснеженные вершины Скалистых гор.

Она наблюдала, как Сент большими прыжками носился по раскаленному берегу. Озеро здесь было мелким и отливало зеленью, сквозь которую просвечивал золотистый песок, покрывавший дно. Вода казалась теплой и манящей, но на самом деле дышала холодом и обжигала. Джи Би видела, как Сент скачками пробежал отмель, нырнул, а затем, загребая руками, поплыл к центру, за пробковые поплавки, туда, где озеро было глубоким и синим, с белыми гребешками волн, вздымаемыми ветром.

Как она завидовала ему!

— Я едва умею плавать, — сказала девушка. — Там, где я выросла, воды не было.

— Ты должна плавать, я сам научу тебя.

Сент обещал также показать ей, как ходить под парусом, кататься на водных лыжах. Он обещал многому научить ее, когда они доберутся до Сан-Франциско.

Джи Би чувствовала себя на Западе в безопасности. После того как молодые люди проехали перевал через Скалистые горы, зубчатые вершины которых постепенно таяли в голубой дали, нервы ее успокоились, и она почувствовала себя намного увереннее. Кому придет в голову искать жалкую беглянку за этой громадой гор?

Путешественники провели одну ночь в Лас-Вегасе, остановившись в шикарном отеле. Сент сдал в стирку их белье, и они впервые за многие дни хорошо поели, проглотив за обедом по огромному стейку.

Именно в этом городе Джо-Бет почувствовала свою незначительность. Никому не было дела до них, да и вообще до всего окружающего мира. Здесь царили карты, игра в кости, рулетка и блеск монет. Джи Би чувствовала себя здесь невидимкой.

Ожидая лифта, она посмотрела по сторонам и увидела ряд телефонных будок, и снова тоска по дому захлестнула ее. Чего проще снять трубку и позвонить маме. Никто не обратит на нее никакого внимания.

— Здесь очень шумно, — ответил Сент на ее просьбу. — Лучше позвонить наверху, в комнате.

Но как только они поднялись в номер, Сент раздел Джи Би и уложил в постель, где и занимался с ней любовью почти до самого утра, а утром надо было снова трогаться в путь.

Джи Би только вздыхала и думала: «Напрасно я отдалась ему, ведь знала, что теперь его не унять. Не следовало этого делать». И была права, потому что Сент все больше и больше входил во вкус. Он занимался с ней любовью каждое утро, перед отправлением в дорогу и по нескольку раз за ночь. Юноша не сводил с нее глаз, ему доставляло удовольствие дотрагиваться до нее. Сент не знал, как еще угодить любимой. Он обожал ее, во всяком случае, так говорил.

Молодой человек пытался довести ее до того же состояния, в каком находился сам, пытался разжечь в ней страсть, хотел, чтобы она испытала к нему что-то похожее. Он все спрашивал ее:

— Ты готова, Джи Би? — Затем раздавался вопль отчаяния: — Прости, не сдержался! Вот, черт, прости.

А она старалась изо всех сил, понимая, что оргазм — великая вещь, но у нее ничего не получалось, ведь Джо-Бет никогда не испытывала таких ощущений.

Она не раз задавалась вопросами: «Что же это все-таки такое? Что при этом чувствует женщина?» Но на вопросы у нее не было ответов, и девушка пришла к выводу: в этом нет ничего возбуждающего, что занятие любовью — просто слияние тел, и женщины, говоря о блаженстве, скорее всего лгут.

Сент глубоко разочаровался, когда понял, что все его старания не увенчались успехом, и Джо-Бет, почувствовав себя виноватой, стала притворяться, изображая страсть, стеная и крича в нужный момент. Должно быть, она действовала достаточно убедительно, потому что Сент сразу обрадовался и возгордился, что привело ее в бешенство.

«Что я делаю? — думала девушка. — Я все больше и больше подчиняюсь ему».

Однако ей нравилось просыпаться по утрам в объятиях мужчины с крепким, сильным телом, где она чувствовала себя в полной безопасности.

Честно сказать — это было совсем неплохо.

Из Лас-Вегаса они поехали на север через Карсон-Сити в Рино, затем перевалили через горный хребет Сьерра-Невада.

Завтра путешественники пересекут границу между штатами и спустя четыре часа прибудут в Сан-Франциско, где их путешествие закончится.

Внезапно Джи Би осознала, что не хочет завершать это путешествие. И вовсе не потому, что боится того, что ждет ее впереди, а совсем по другой причине. «Счастлива ли я? — спрашивала она себя. — И что такое счастье?»

Не зная, как ответить на этот вопрос, она решила, что ее теперешнее состояние и есть счастье.

На закате следующего дня путешественники пересекли мост, соединяющий Окленд с Сан-Франциско. Над заливом висела густая белая пелена, и конструкции моста сверкали в тумане, как заснеженные вершины гор.

Картина была великолепной, ничего подобного Джи Би в своей жизни еще не видела. Она смотрела на очертания Сан-Франциско и думала: «Вот теперь мы далеко на западе, сказка кончилась».

Но оказалось, что сказка продолжается. Они попали в заботливые руки друзей Сента.

Джейк Планк, его бывший товарищ по комнате в колледже, был приятным малым, немного циничным, но с большим чувством юмора. Его отец служил в корпорации адвокатов, а мать слыла неутомимой общественной деятельницей. Они жили в высоком, красного кирпича особняке, заполненном антиквариатом и картинами старых мастеров.

— Они ужасно богаты, правда? — спросила девушка шепотом у Сента.

Она никогда не посещала домов, подобных тому, если не считать Блейнз-Лендинг, но ведь Арни — кинозвезда, а кинозвезды, по ее понятиям, купаются в роскоши. А Планки — простые смертные и должны жить, как обыкновенные люди. Испытывая благоговейный трепет перед ними, Джо-Бет почти не разговаривала, а молча слушала и наблюдала, застенчиво улыбаясь, когда к ней обращались. Мистер и миссис Планк находили ее милой девочкой. Большую часть времени она проводила в ванной для гостей, сидя в теплой воде, сдобренной пенистым шампунем и ароматизированными маслами, и наслаждалась видом самой ванны из желтовато-зеленого фарфора с золотой арматурой и джакузи. Ничего подобного ей раньше не приходилось видеть, ну разве что на картинках в журналах.

Джи Би часто повторяла себе, что должна поскорее покончить с этой сказкой и вернуться к реальной жизни, должна сказать Сенту: «Благодарю тебя за все, но мне пора начинать жить самостоятельно».

Но сделать это было не так-то просто. Семья Планков оказалась очень гостеприимной, и никто даже слышать не хотел о том, что она покинет их дом. Вместе с другими гостями, которых ожидали со дня на день, им предложили в безраздельное пользование плавучий гостевой дом, которым на самом деле оказалась роскошная яхта, пришвартованная в Саусалито недалеко от моста «Золотые ворота».

Обычно мистер Планк после переговоров устраивал для своих почетных гостей небольшой круиз, завершавшийся коктейлем в яхт-клубе, но последнее время он стал предпочитать твердую землю, и все мероприятия заканчивались игрой в гольф в клубе «Олимпик».

— Меня бесит, что яхта пустует, — говорил мистер Планк. — Вы, ребята, сделаете мне одолжение, если поселитесь на ней. Живите, наслаждайтесь, сколько душе угодно, но сначала составьте перечень всего, что вам может понадобиться.

Когда Джи Би увидела яхту, у нее перехватило дыхание, настолько та была прекрасна: самый настоящий плавучий дворец, построенный пятьдесят лет назад, весь сверкающий белизной корпуса, медью арматуры и лакированным тиковым деревом.

«Еще пару дней, — решила она, — и я наконец уеду. Неужели же я не заслужила этих двух лишних дней?»

Она просыпалась задолго до рассвета под звуки рыбачьих моторок, выходящих в открытое море, варила себе кофе и шла с ним на палубу. Было прохладно, сыро и очень тихо. Девушка наблюдала, как из-за холмов в восточной части залива всходило солнце и моментально, словно охваченные пожаром, вспыхивали окна небоскребов Сан-Франциско. Завороженная, она смотрела, как солнце поднимается все выше и высотные здания начинают отбрасывать голубые тени.

Живя на яхте, Джо-Бет начала думать, что умерла и попала в рай.

А теперь у нее появилась еще и другая радость — машина.

Арендованный «форд» давно исчез, его заменил доставленный из Нью-Йорка «ягуар», и, кроме того, Сент взял напрокат «датсун». Джи Би боялась пользоваться водительской лицензией, но не могла отказаться от удовольствия ездить на этой машине.

Она приходила от нее в восторг.

— Если машина тебе так нравится, — сказал Сент, — то считай, что она твоя.

И, как выяснилось, он вовсе не брал машину напрокат, а купил ее, купил специально для нее.

— Зачем ты это сделал? — возмутилась Джи Би.

— Просто купил, и все.

— Ты же знаешь, что я не могу ездить на ней легально.

— Она зарегистрирована на мое имя. Послушай, — весело добавил Сент, пожалуй, даже слишком весело и беззаботно, — тебе не надо беспокоиться. Все будет хорошо, я чувствую.

Последние три недели в Сан-Франциско, перед тем как Сент отправился в Нью-Йорк, чтобы давать свидетельские показания в суде по делу Арни, превратились для Джи Би в сплошной праздник. Они устраивали пикники на яхте, на пляжах или у подножия гор Саусалито, откуда открывалась величественная панорама многочисленных озер, маленьких бухточек, песчаных пляжей и великолепных садов. Они пили пиво и ели дары моря в маленьких прибрежных ресторанчиках, наблюдая, как заходит солнце и сгущаются сумерки. По приглашению Джейка, столь же неукротимого общественного деятеля, как и его мать, они ходили на вечеринки, устраиваемые в таких же больших и роскошных особняках, как и у семьи Планков, где молодые люди в вечерних нарядах пили шампанское и всю ночь танцевали под звуки модных джаз-оркестров.

Накануне отъезда Сента в Нью-Йорк родители Джейка устроили официальный прием с обязательными черными галстуками в честь своего сына, поступившего на первый курс Колумбийского университета и готовившегося к отъезду в Лос-Анджелес.

Джи Би смотрела сквозь высокие зеркальные окна на панораму залива Сан-Франциско. Солнце садилось, и весь мир окрашивался в оранжевый цвет с вкраплениями голубого и пурпурного. Окна были такими высокими и широкими, что девушке стало казаться, будто она парит в воздухе.

Сейчас у нее появился целый гардероб: недорогие спортивные вещи, несколько эксклюзивных платьев и шесть шикарных вечерних туалетов от лучших модельеров.

Сегодня она надела шелковое платье цвета слоновой кости, о котором раньше и мечтать не могла. Все остальные платья куплены на распродаже, но это — уникальное. Оно стоило девятьсот пятьдесят долларов.

— Надо быть сумасшедшим, чтобы купить такое платье, — сказала Джо-Бет Сенту, потрясенная до глубины души. — Истратить целое состояние на платье!

— Ну и что такого? — отмахнулся тот. — Это даже дешево по сравнению с тем, сколько тратит на тряпки моя мать.

«Он купил тебе машину, теперь покупает одежду, — думала Джи Би. — Ну ладно платья, но Сент выбирает тебе и белье, что еще более неприлично. Чем все кончится? Когда же ты прекратишь это?»

Но отказаться от такого платья оказалось выше ее сил. Оно было облегающим, приятно ласкающим тело, каким-то невинным и в то же время очень сексуальным. Люди, невзирая на стрижку и непривычный цвет волос, обращали на девушку внимание, чем Сент очень гордился.

— Не глупи, — сказала она молодому человеку. — Они смотрят на платье, а не на меня.

— Нет, на тебя, — настаивал Сент. — И потом, какое это имеет значение? Главное, что ты со мной.

Он купил ей букетик гардений, чтобы приколоть на корсаж, и с каждым часом в течение ночи их запах становился все сильнее. Для Джо-Бет этот запах всегда будет ассоциироваться с той ночью, и долгое время она не сможет выносить его. Девушка танцевала, пила шампанское, а лепестки гардений постепенно опадали, источая терпкий аромат. Танцуя, Джи Би не чувствовала пола под ногами, она стала легкой и воздушной, и только крепкая рука Сента удерживала ее, не давая оторваться от земли и улететь. Он прижался к ней щекой, нежно сжимал руку, оркестр играл старые забытые мелодии, свечи догорали, а над заливом поднималась круглая золотистая луна.

Ей не хотелось, чтобы завтра он уезжал от нее.

Позже, когда они лежали, обнявшись, в теплой постели на яхте, Джо-Бет впервые почувствовала желание, пока еще смутное и не совсем ясное, но девушка впервые поняла, что хочет его. Все пришло само собой.

В полумраке каюты, освещаемой только луной, такой далекой, белой и холодной, Джи Би смотрела на отражение их тел в высоком зеркале, висевшем на противоположной стене: она на коленях, опирается на руки, голова Сента склонилась к ее плечу, его руки переплелись с ее руками, изогнутая спина и плечи белеют, отражая холодный лунный свет. «Возможно, секс не такая уж плохая вещь, — подумала она. — Я начинаю сдаваться, кажется, я полюбила его. Пожалуй, что да».

Сейчас эти мысли уже не пугали ее.

Дни без Сента проходили с ужасающей медлительностью, и Джи Би начала скучать. Миссис Планк пригласила ее вернуться в дом.

— Мне не нравится, что ты там совсем одна, дорогая.

Но Джи Би хотелось побыть одной, ей было о чем подумать.

Она много гуляла, каталась на машине, долгими часами бродила по пляжу, забиралась в горы, чтобы полюбоваться цветущими лугами и дубовыми рощами.

Сент каждый вечер звонил ей на яхту.

Все шло просто прекрасно.

Путем различных юридических ухищрений адвокату Арни удалось доказать, что убийство явилось результатом несчастного случая из-за неосторожного обращения с оружием в публичном месте. Арни оправдали при условии, что он проведет два года в реабилитационной клинике.

Тетя Глория посылает ей привет.

Спринг, которая поначалу злилась на Сента, потому что тот ославил ее на весь мир, сменила гнев на милость: как-никак, но взгляд общественности снова прикован к ней, что немало способствует ее популярности.

Только вот жаль, что Веру уволили. У тети Глории Сента ждало письмо от нее, которое та прислала из Англии.

— Я очень расстроен, — говорил Сент, — потому что чувствую себя виноватым. Она попала матери под горячую руку.

Джи Би моментально вспомнила, как трио Старфайер, поклявшись в вечной дружбе, разбило об пол бокалы, вспомнила пустую бутылку из-под шампанского — наверняка мать Сента решила, что там была оргия, — и, главное, рисунки Веры. Ох уж эти рисунки! Джи Би не могла удержаться от смеха. Бедная Вера!

— Я замолвлю за нее словечко, — сказал Сент, — как только приеду домой.

Домой. Он едет домой.

— Когда? — спросила Джи Би.

— Завтра.

И Джи Би сразу забыла о Вере. Он возвращается домой, и ей надо подготовиться к его приезду.

Остаток вечера девушка провела, прибирая яхту, застилая постель чистым бельем.

Уставшая, она сидела на палубе в сгущающихся сумерках, чувствуя себя невероятно одинокой. Ей вдруг ужасно захотелось поговорить с матерью, сказать ей: «Мама, теперь я понимаю тебя, Мелоди и всех женщин на свете. Раньше я не верила вам, я думала, что все мужчины похожи на Флойда и Анжело. Что они обманывают нас, клянясь в вечной любви, но я ошибалась. Во всяком случае, есть мужчины, которые не похожи на них. Мама, мне кажется, что я влюбилась».

«Поговорю всего минутку, — думала Джи Би. — Если телефон прослушивается, они не успеют засечь номер за такое короткое время. Да и о чем беспокоиться? Сейчас середина сентября. Прошло целых семь месяцев...»

Дрожащими пальцами Джо-Бет набирала номер, зная, что Сент не одобрит ее поступка, что он очень боится за нее, но если случится самое худшее и ее засекут и арестуют, то тогда она целиком и полностью отдаст себя в руки Сента, мистера Фридмана и адвоката Арни. Они спасут ее, не допустят, чтобы ее посадили в тюрьму.

Джи Би слушала, как за тысячи миль от нее, в далекой Корсике звонит телефон, и молила Бога, чтобы мама оказалась дома.

Наконец телефонную трубку сняли.

— Да, — услышала она мужской голос.

Джи Би хотела закричать, но у нее перехватило дыхание. Было такое ощущение, будто сильно ударили в живот. Она не могла вымолвить ни слова.

— Слушаю! — раздраженно закричал мужчина. — Какого черта вы молчите! Вот скотина!

И телефон отключился.

Это был Флойд Финей.

Но как же так? Ведь Флойд мертв. Лицо Джи Би покрылось испариной. Лишь с третьего раза ей удалось положить трубку на рычаг.

Флойд должен быть мертв уже целых семь месяцев. Неужели нет?

Джи Би опустилась в кресло и попыталась рассуждать логически.

Она не верила в призраки. Раз Флойд говорил по телефону, значит, жив. Она избила его, но не убила. А если не убила, следовательно, она не убийца и никогда ею не была.

Тогда совсем ничего не понятно. Она подозревается в убийстве, ее фотографии с надписью «разыскивается» расклеены во всех почтовых отделениях и разосланы во все полицейские участки. Так говорил ей Анжело и...

«Значит, он врал, — мрачно подумала Джи Би. — Прекрасно знал, что я не убивала Флойда, и врал, чтобы удержать возле себя... А я поверила. Господи, ведь я же верила ему».

Каков ублюдок!

Интересно, знала ли обо всем Мелоди?

Мысль о том, что сестра тоже могла знать, была для Джи Би невыносима. Ей хотелось думать, что Мел ни о чем не догадывалась, ведь Анжело мог соврать и ей, а та верила каждому его слову.

Внезапно растерянность и злость сменились огромным облегчением и счастьем.

«Я снова стала сама собой, — думала Джи Би, — я в полной безопасности, теперь я свободна».

Джи Би настолько разволновалась, что почти не спала ночь.

На следующее утро она поехала в один из самых дорогих косметических салонов Сан-Франциско, чтобы вернуть своим волосам естественный цвет. Наконец Сент сможет увидеть ее такой, какой создала природа.

Делая маникюр, девушка со счастливой улыбкой смотрела в зеркало на свое такое знакомое и родное лицо, когда в голову ей пришла одна мысль, от которой все внутри похолодело.

«Если Анжело знал, что я не убивала Флойда, — думала она, — тогда и другие об этом тоже знали. Мог знать и Сент».

Джи Би вспомнила, как настойчиво он отговаривал ее от звонков домой, как боялся, что ее выследят.

Но Сент все-таки выдал себя, когда разговор зашел о водительской лицензии. «Все обойдется, я это чувствую», — сказал он тогда.

Еще бы ему не чувствовать, думала Джи Би с болью в сердце, если паршивец прекрасно знал, что она не убийца.

Мистер Фридман был в суде. Джо-Бет удалось связаться с ним за два часа до посадки самолета, на котором летел Сент.

По голосу чувствовалось, что мистер Фридман очень занят и торопится, но адвокат разговаривал с ней достаточно дружелюбно.

— Я не понимаю, зачем вам снова понадобилась эта информация, но если надо, так надо...

Джи Би представила, как он роется в бумагах на своем столе.

— Вот... Читаю: «Единственным за последнее время было убийство двадцатидвухлетнего мексиканского рабочего на одной из ферм, который скончался от многочисленных ножевых ран».

— А Флойд?

— «Белый мужчина, Флойд Финей, пятидесяти двух лет, доставлен в местную больницу с многочисленными ранами на голове, которые получил, упав в состоянии сильного алкогольного опьянения. Он быстро пришел в сознание и на следующий же день выписался из больницы». Разве Сент не рассказал тебе об этом, Джи Би?

Она ехала обратно в Саусалито по мосту «Золотые ворота». Шоссе шло через туннель, вход в который выкрасили в радужные цвета. Джи Би смотрела на эти краски, на ярко светившее солнце, на голубое небо, но блеск дня померк для нее.

Целых шесть недель Сент врал ей, заставляя мучиться мыслью о том, что она убийца, что ее засадят в тюрьму. Сент знал, какой страх она испытывает, и ничего не сказал...

Джо-Бет хотела покориться, сказать: «Да, Сент, я тоже тебя люблю. Я мечтаю всегда быть рядом с тобой...» Она готовилась уподобиться другим женщинам, растерять себя... и все впустую.. Ее душа, жаждавшая любви, теперь, когда ее предали, превратилась в камень.

Сейчас девушка ненавидела Сента, и ей не хотелось его больше видеть.

Она постарается не встречаться с ним. Тредвелл-младший слишком хитер, умеет втираться в доверие и слишком притягателен. Стоит ему дотронуться до нее, и она сломается. У нее не хватит сил отказать ему.

Джи Би плотно сжала рот, в уголках его залегли горестные складки.

Поднявшись на яхту, девушка быстро собрала вещи, которые считала своими, взяла также немного денег, которые Сент ей оставил, она вернет их при первой же возможности.

Теперь Джо-Бет свободна, сможет найти работу, будет зарабатывать деньги. Здесь ее ничто не держит. Она имеет полное право уйти.

Глава 8

Вера упорно прибавляла в весе, ей ничего не оставалось делать, как есть.

Ее все больше и больше тянуло к еде, единственному удовольствию в теперешней жизни, а мама только радовалась, готовя все новые и новые вкусные блюда.

Шли недели, но Сент так и не ответил на ее письмо. На всякий случай Вера сообщила в нем номер своего телефона, но он не позвонил. Теперь девушка точно знала, что никогда больше не увидит его и даже не услышит звука голоса. Он ее окончательно забыл, увез Джи Би в Коннектикут и спит с ней. Как может Сент помнить такое толстое, скучное существо, если рядом такая красавица, как Джи Би? Вере казалось, что она умрет от ревности.

Все планы и надежды рухнули, девушка не могла больше рисовать, особенно сейчас, когда лицом Старфайер стало лицо Джи Би.

Но однажды утром, спустя девять месяцев, когда Вера уже потеряла всякую надежду, произошло нечто неожиданное.

— Тебе пришло какое-то письмо, — сказала мама, с подозрением глядя на нее. — Авиапочтой из Америки.

Сердце Веры радостно забилось: значит, он все-таки не забыл ее.

Почерк незнакомый, и на конверте наклеена калифорнийская почтовая марка, но письмо могло быть только от Сента.

Она засунула его в карман, чтобы прочитать, когда останется одна. Мама начала было возражать по поводу такой таинственности, но Вера твердо стояла на своем.

После завтрака девушка сразу бросилась наверх и заперлась на ключ.

Дорогая Вера!

С запозданием благодарю за твое письмо. Прости, что ответил не сразу, а только через полгода, но на то были свои причины. В моей жизни произошли большие изменения.

Как ты поживаешь? Я чувствую себя виноватым за то, что моя мать так поступила с тобой. Зная ее, я догадываюсь, что она вычла из твоей зарплаты деньги за разбитые стаканы и бутылку шампанского. Если это так, напиши мне, и я постараюсь вернуть деньги, так как не в моих силах помочь тебе с работой, по крайней мере сейчас, хотя я не могу себе представить, что у меня когда-либо появится возможность нанимать кого-нибудь.

Как ты увидишь из моего адреса, я живу сейчас в Калифорнии. Мы с Джи Би разбежались в разные стороны. Она захотела начать новую жизнь и очень преуспела в этом. Сейчас работает моделью и имеет грандиозный успех. Мы больше не встречаемся, и я вижу ее только на фотографиях в газетах или журналах. Со всеми ее проблемами покончено, как оказалось, она не убивала своего отчима, а только сильно ударила, от чего тот потерял сознание, так что все ее волнения оказались напрасными. Ирония судьбы, не так ли?

В настоящее время я пишу роман, в основу которого легло наше путешествие, хотя бы чисто географически. Это будет рассказ о двух людях, путешествующих по стране объездными дорогами, и все у них идет плохо, они никак не могут выбраться на простор. В конце концов герои умирают в результате несчастного случая и попадают в ад. Роман будет называться «Отсюда выхода нет».

Проблема состоит в том, что я хочу сделать их злыми людьми, которые заслуживают только ада, но все-таки вызывающими симпатию, чтобы читатель им сострадал. Это очень трудно. Ты натура творческая и должна меня понять.

Я снимаю квартиру в доме, расположенном на холме, откуда открывается фантастический вид, и пишу вечерами и по выходным.

Я решил стать пай-мальчиком и поступил в колледж, как того хотел мой отец. Я подумал: а почему бы нет? Может, все не так уж и плохо, может, это наконец сделает его счастливым и он станет ко мне лучше относиться? И ты знаешь, это действительно неплохо. Я изучаю киноискусство и очень в этом преуспел. Возможно, из меня когда-нибудь получится хороший кинодраматург или директор студии.

Арни находится на излечении в реабилитационном центре, расположенном в районе Раунд-Маунтинз. Он идет на поправку, но пока к нему никого не пускают.

Если у тебя появится возможность, прилетай в Сан-Франциско. Было бы чудесно повидаться с тобой и вспомнить былые времена.

Помнишь трио Старфайер?»

«Мы с ней больше не встречаемся...»

Что бы это значило? Ведь он так влюбился в Джи Би. А может, нет?

Что произошло между ними, что заставило его сесть за работу над романом о дороге в ад? Почему он с ней больше не встречается?

Но как чудесно, что Джи Би не убивала своего отчима и может чувствовать себя совершенно свободной. Как приятно знать, что у нее все хорошо.

Вера снова и снова перечитывала лаконичное письмо Сента, но так и не поняла, что же случилось с ним за прошедшие полгода, хотя было ясно, что он намекает на что-то большее.

И эта фраза: «Если у тебя появится возможность, прилетай в Сан-Франциско. Было бы чудесно повидаться с тобой...»

Лицо Веры вспыхнуло от радостного возбуждения. Неужели он действительно этого хочет, или заговорило чувство вины, или просто дань вежливости? Как Сент поведет себя, если она вдруг прилетит?

Как бы она хотела вернуться туда! А что, если взять и написать: «Да, Сент, я планирую побывать в Америке, хочу попытаться продать рисунки о Старфайер какому-нибудь издательству. Мне думается, Сан-Франциско подойдет, и, уж конечно, я с удовольствием повидаюсь с тобой».

Она представила, как Сент встречает ее в аэропорту и его лицо сияет.

— Вера! — кричит он. — Как я рад тебя видеть! Ты потрясающе выглядишь!

И сразу мечты испарились, а настроение испортилось. Ничего потрясающего в ней нет, наоборот, она выглядит просто ужасно, разъелась до восемнадцатого размера — настоящая свинья.

Вера проверила, хорошо ли заперта дверь, и разделась. Она посмотрела на себя в зеркало и пришла в ужас. Стоит Сенту взглянуть на нее, и он содрогнется от отвращения или, того хуже, рассмеется ей в лицо. Какой смысл предаваться несбыточным мечтам? Теперь уже ничего не исправишь.

— Дерьмо собачье, — грубо выругался доктор Уилер. Вера с удивлением посмотрела на него. Девушка никогда раньше не слышала, чтобы доктор так ругался, но сейчас ей это даже понравилось: она сразу почувствовала себя взрослой и равной ему.

— Ты можешь полететь туда, если захочешь, — продолжал он, — особенно сейчас, когда у тебя есть предлог. Я разработаю специальную диету и комплекс физических упражнений. Но первое, что нужно сделать, придя домой, выбросить все конфеты, которые ты прячешь в ящиках своего комода.

Глаза Веры расширились от удивления.

— Откуда вы знаете?

— Я знаю все твои секреты, от меня ничего не утаишь.

В этом он был совершенно прав, доктор знал ее слишком хорошо и слишком долго.

Вернувшись домой, Вера прошла в комнату, разделась и снова посмотрела на себя в зеркало, на этот раз глазами Сента. И тут же перед ее мысленным взором проплыла картина: Сент везет Джи Би в Коннектикут; они путешествуют по всей стране. Сент и Джи Би — высокая, красивая, с рыжими волосами и грацией львицы — теперь больше не видятся. Но ведь ему ничего не стоит захотеть, и они снова будут встречаться. Вера зажмурилась от пронзившей ее боли.

Девушка чувствовала себя одинокой и несчастной. Если бы только доктор Уилер знал, как она страдает и что для нее единственным утешением служит еда. Он даже не догадывается, что Вера испытывает постоянное чувство голода. Она выдвинула ящик комода и под стопкой нижнего белья нащупала плитку шоколада. Съев ее, девушка почувствует себя гораздо лучше.

Вера сорвала фольгу и откусила большой кусок. С набитым ртом снова взглянула на себя в зеркало: щеки раздулись, рот измазан.

«Что это ты так волнуешься? — мысленно спросила она себя. — Кому ты нужна? Какая разница, как ты выглядишь? Сент никогда тебя не полюбит. Но если он перестал встречаться с Джи Би, то, может, у меня все же есть шанс ему понравиться? А если еще и похудеть...»

Доев шоколад, Вера снова открыла ящик стола и вытащила из него все свои запасы: три плитки хрустящего шоколада, коробку засахаренных фруктов, шесть батончиков «Марс» и большую плитку «Кэдбери» с орехами и фруктами. Она сложила все это в бумажную сумку и спустилась вниз.

— Мам, я пройдусь немного! — прокричала она.

— Только не опаздывай к чаю. Я испекла пирог с патокой.

Вера вздохнула: ей очень нравился этот пирог.

Она медленно шла по улице, высматривая кого-нибудь из детей. Первыми ей встретились мальчики лет десяти, судя по цвету кожи — индусы или пакистанцы. Школьные фуражки аккуратно сидели на их черноволосых головках.

— Ребята, хотите сладостей? — спросила Вера.

Они посмотрели на нее огромными темными глазами испуганных оленей и бросились бежать.

«Это знамение свыше, — подумала Вера. — Значит, ты должна съесть все это сама».

Затем ей в голову пришла более разумная мысль: «Наверняка их тысячи раз предупреждали не брать ничего у незнакомых людей. Ты должна найти кого-нибудь, кто тебя хорошо знает».

И тут же ей попался навстречу Лоуренс Рид, живущий по соседству. Лоуренс в свои двенадцать лет уже имел собственный компьютер, учился играть на пианино, громко ревел при малейших царапинах или ушибах и носил очки с толстыми, как донышко бутылки, стеклами. Никто в квартале не любил Лоуренса. Вера тоже, но была не прочь сбагрить ему свои лакомства.

— В них что-то плохое? — спросил мальчишка с подозрением.

— Ничего плохого, — ответила Вера.

— Тогда зачем же ты мне их отдаешь?

— Они мне больше не нужны. Я собираюсь сесть на диету.

Лоуренс с головы до ног осмотрел Веру.

— И правильно делаешь. Ты слишком толста. Мама говорит, что избыточный вес служит причиной повышенного давления.

— Спасибо, Лоуренс, за совет.

Вера посмотрела ему вслед. Он чинно шел по улице, держа в одной руке нотную папку, в другой — ее сумку со сладостями.

— Хоть бы ты ими подавился, маленький хам, — прошептала она.

Вера всерьез взялась за себя.

Прошло несколько ужасных месяцев, наполненных бесконечными ссорами с матерью, которая чувствовала себя обиженной и оскорбленной. Вес уменьшался удивительно медленно, унция за унцией. Вера старалась думать о Сенте. «Я это делаю ради него, — уговаривала она себя. — Господи, пожалуйста, помоги мне».

Первые три месяца были наихудшими. Мама с папой печально наблюдали, как она по утрам, надев на себя шорты и спортивные тапочки, отправляется бегать, и вздыхали так тяжело, словно во всем этом мероприятии было что-то неприличное и даже опасное. Она возвращалась с пробежки в ужасном состоянии и без сил падала в кресло. Мама обмахивала ее лицо мокрым полотенцем и тут же предлагала чего-нибудь вкусненького: кусочек пирожка, пирожное или стакан крепкого сладкого чая.

— Нет, — решительно отказывалась Вера. — Оставь меня в покое. Мам, пожалуйста, не приставай ко мне.

— Найди себе работу, — снова предложил доктор Уилер. — Ты должна реже бывать дома.

— Какую же работу я могу найти?

— Любую. Ты хоть чуть-чуть разбираешься в искусстве?

— Я немного рисую.

— Вот и займись чем-нибудь, связанным с рисованием.

Вера удивилась, что ей самой не пришла такая мысль. Она нашла работу продавщицы и приемщицы в местной картинной галерее, специализировавшейся на покупке и продаже скромных акварелей с видами сельских домиков, увитых шток-розами, с котятами, играющими клубками пряжи, или Иисусом Христом, бредущим среди пасущихся овечек. Во время частых отъездов хозяина галереи, пожилого человека по имени Кристофер, у которого, по его словам, была слабая грудь, Вере удавалось иногда продавать картины.

Вера все время бегала. Бегала на работу, бегала в перерыве на ленч и домой тоже возвращалась бегом. Она регулярно принимала витамины и, к ужасу мамы, ела только фрукты, овощи и обезжиренное мясо.

Спустя полгода девушка окрепла и уже без труда пробегала целую милю. Скоро Вера заметила, что у нее появилась талия.

Когда ее размер уменьшился до двенадцатого, доктор Уилер дал ей синий резиновый корсет с белыми полосками по бокам. В нем она сразу почувствовала себя стройной и изящной.

Прошло девять месяцев.

— Тебя не узнать, — говорила мама. — Ты так изменилась, Вера. Я перестала понимать тебя. Зачем тебе надо худеть? — Она всхлипнула. — Бегаешь, бегаешь... У меня такое впечатление, что ты собираешься убежать от нас. Я права? Ты больше не хочешь жить с папой и со мной. Конечно, мы постарели, и тебе стало скучно.

Однако Вера больше не испытывала чувства вины.

— Ма, я люблю тебя и папу, но мне пора начинать самостоятельную жизнь.

К весне 1982 года Вера значительно похудела и держалась в этом весе уже полгода. Она выбросила большую часть своей старой одежды и перешила ту, которую можно было переделать, однако основную часть гардероба пришлось обновить.

Сент время от времени писал ей. Работа над книгой успешно продвигалась, учеба доставляла ему удовольствие, Арни поправлялся, и Сент наконец смог его навестить. Джи Би много работала.

Вера с гордостью смотрела на свое отражение в зеркале. Она выглядела совсем неплохо.

Откровенно говоря, она стала выглядеть настолько хорошо, что перестала чувствовать себя ущербной по сравнению с Джи Би. Веру больше не волновало, что у Старфайер лицо Джи Би.

Теперь она с легким сердцем снова могла начать рисовать.

После нескольких месяцев напряженной работы девушка отобрала шесть самых лучших рисунков, сняла с них ксерокопию и авиапочтой направила Сенту.

«... Мне кажется, что тебе будет интересно узнать о дальнейших приключениях Старфайер. Если ты по-прежнему хочешь оказать мне услугу и если, конечно, у тебя есть время, предложи их в одну из газет Сан-Франциско».

Конечно, все это пустое. Ничего путного не выйдет. Кто их возьмет?

— Но человек должен мечтать, — говорил доктор Уилер. — Если хочешь поехать в Калифорнию, чтобы стать профессиональным карикатуристом, и готова все для этого сделать, то твоя мечта осуществится.

И вдруг произошло нечто из ряда вон выходящее: он взял ее двумя пальцами за подбородок и заглянул в глаза.

— По крайней мере та привлекательная девушка, которая сидела в тебе, наконец освободилась, не так ли?

Доктор наклонился и поцеловал Веру в лоб.

Раньше он этого никогда не делал. Вера не знала, как расценить этот поступок, не знала, понравился ей его поцелуй или нет. Она просто была не готова к этому. Не считай она доктора старым, могла бы подумать, что тот с ней флиртует. Возможно, это и нельзя расценивать как флирт, судя по серьезному выражению лица доктора и по тому любопытству, с которым он смотрит на нее, но более подходящего слова Вера в тот момент подобрать не смогла. Ей осталось только надеяться, что такое больше не повторится. Поцелуй смутил ее, и она чувствовала какую-то неловкость, как будто между ними произошло что-то неприятное, нарушилось какое-то равновесие, чего ей совсем не хотелось. Пусть все останется как прежде, чтобы доктор Уилер так и оставался прежним доктором Уилером.

Он заметил ее смущение и растерянность.

— Почему я сделал это? — спросил доктор, глядя на нее в раздумье, и, не дожидаясь ответа, сам же разъяснил: — Потому что я дурак. — Он непринужденно рассмеялся и, к ее большому облегчению, снова стал прежним.

Вера сознательно пошла на риск, перезаключив свой договор с Кристофером, и начала работать только за комиссионные от продажи картин. Кристофер был в восторге, его грудь по-прежнему болела, и врач рекомендовал ему пожить какое-то время в сухом климате.

Он улетел в длительное путешествие в Марокко, а Вера немедленно приступила к работе, переоборудовав витрину, освещение, вычистив все помещение внутри, и стала брать картины на комиссию, что было вовсе не обязательно, поскольку большинство из них имело простенький сюжет: закаты, домики, утопающие в зелени, играющие котята.

В первую неделю девушка почти ничего не продала — лишь несколько поздравительных открыток да рамок, зато на следующей ей удалось продать две акварели и небольшую, написанную маслом картину с видом плывущей шхуны.

Вскоре вернулся Кристофер. Его кашель почти прошел, но он подхватил какое-то кишечное заболевание, которое сам называл агадирским подарком. Вера снова оказалась предоставленной самой себе, и к концу третьей недели дела пошли еще лучше, а галерею стали посещать не только старые девы и приходские священники, но и другие клиенты.

Дело продвигалось очень медленно, зато верно, а вместе с тем улучшилось и настроение самой Веры. В мае она получила от Сента очередное письмо и была безумно счастлива.

«... Может, из этого еще ничего и не выйдет, так что подожди радоваться, но у одного из моих преподавателей есть друг, знакомый с редактором «Экспресс фичерз». Это синдикат, принадлежащий «Сан-Франциско

135

экспресс». Я послал ему твои рисунки Старфайер, которые произвели на него хорошее впечатление. Он позвонил мне и попросил прислать им все, что у тебя имеется. В будние дни они будут печатать их как комиксы в обычном черно-белом варианте, а по воскресным дням — в цвете. Редактор сказал, что нужно представить их в нормальном размере. Думаю, ты лучше меня знаешь, что требуется. Отправь их прямо ему на Маркет-стрит, его зовут Фил Солвей.

В ближайшее время я уезжаю на озеро Тахо. Арни разрешили покинуть реабилитационный центр при условии, что он каждую неделю станет сдавать анализы крови и те будут нормальными. Его отец арендовал на озере небольшой домик, и Арни хочет, чтобы я поселился вместе с ним. Поеду туда по окончании семестра. Мне кажется, что там будет хорошо работаться.

P.S. Ты отдаешь себе отчет, что Старфайер вылитая Джи Би? Или ты нарисовала ее такой преднамеренно? Я послал Джи Би копии твоих рисунков. Надеюсь, не возражаешь?»

Поначалу Вера почувствовала недовольство, но, немного поразмыслив, решила, что возражать бессмысленно. В конце концов Джи Би входит в трио Старфайер и, пожалуй, самая главная из них. Конечно же, она должна увидеть ее творение.

А тем временем Старфайер с каждым днем становилась все более реальной и уверенной.

— Все это, конечно, хорошо, — сказал Кристофер, с сомнением глядя на Старфайер, — и рисунки и все такое прочее, но не кажется ли тебе, что она какая-то распутная?

— Распутная?

— Видишь ли... как бы тебе сказать... уж слишком много голого тела... И потом эти ремни, пряжки... Все это наводит на мысль... Я хочу сказать, что люди предпочитают собачек, кошек, детишек...

— Возможно, — согласилась Вера, — но ничего не могу с собой поделать. Она такая, какая есть.

Вера писала Сенту в город Тахо:

«При первой же возможности я направлю всю подборку своих рисунков мистеру Солвею. Может, что и получится. — Ей казалось, что она выбрала правильный, небрежный, тон письма. — Сама я смогу приехать в Сан-Франциско не раньше августа. Забавно будет снова повидаться».

А про себя тем временем думала:

«Господи, неужели это случится? Но, кажется, все к тому идет».

И все было бы хорошо, если бы однажды майским вечером не случилось нечто непредвиденное, когда все планы на поездку в Калифорнию рухнули.

Отец Веры поскользнулся в ванной на кусочке мыла, упал и сломал себе шею. Он умер мгновенно, судьба сыграла с ним злую шутку. Всю жизнь отец заботился о здоровье, притворяясь при этом тяжело больным и надеясь прожить до глубокой старости.

— Ты не можешь сейчас уехать, — рыдая, заклинала мама. — Ты не имеешь права оставлять меня одну. Ты все, что у меня осталось.

И мама была права. Вера решила никуда не уезжать. Когда девушка узнала о смерти отца, то немедленно решила, что во всем виновата только она одна: уж слишком гладко все у нее складывалось.

— Не то чтобы я совсем его не любила, — жаловалась девушка доктору Уилеру, — но просто не могла себе представить, что он когда-нибудь умрет. Мне казалось, что отец будет жить вечно со своими пузырьками, лекарствами и пилюлями.

— Не смей винить себя и не пытайся наказывать себя, отказавшись от поездки.

— Но я действительно не могу сейчас оставить маму одну. Это было бы несправедливо.

Вера написала Сенту:

«Может, когда-нибудь я и приеду, но только не сейчас. Не могу оставить маму одну. Не представляю, как она будет жить».

— Думаю, что прекрасно, — со вздохом заметил доктор Уилер и, подумав, спросил: — Нет ли у нее каких-нибудь родственников? Возможно, она поживет у них?

Родственники у мамы были. Ее сестра Синтия, которая была замужем за фабрикантом, производителем сельскохозяйственных машин, приехала на похороны из Йоркшира. Она оказалась высокой, веселой, никогда не унывающей и не могла понять, как это люди могут постоянно болеть. Синтия не одобряла поведения Вериного отца и всегда открыто говорила об этом. По этой причине сестры не встречались годами, лишь обмениваясь поздравительными открытками на Рождество и дни рождения.

— Конечно, мы возьмем Луизу к себе, если она захочет поехать. Одна она просто пропадет. Как ты знаешь, твой отец не оставил ей ни пенни.

Луиза. От удивления Вера широко раскрыла глаза: она совсем забыла, как зовут ее мать. И вдруг, ко всеобщему удивлению, оказалось, что у той денег гораздо больше, нежели пресловутый пенни.

Когда-то в шестидесятых годах отец за наличные купил маленький домик, цена которого с тех пор значительно возросла. Его расходы за прошедшие годы были весьма незначительными: национальная система здравоохранения взяла на себя оплату его лечения, поэтому, не тратя ничего, он приумножал свое состояние.

Узнав об этом, Синтия еще решительнее стала уговаривать сестру:

— Переезжай к нам, Лу. У нас в доме достаточно места.

Та упрямилась, надувала губы, как обиженный ребенок.

— Нет, Синтия, даже не уговаривай. Я просто не могу к вам переехать. Что станет с Верой? Ей нужен дом, девочка нуждается во мне. Как она будет жить без своей мамочки?

А доктор Уилер поучал Веру:

— Не позволяй ей делать этого, не разрешай командовать собой. Если позволишь матери сесть себе на шею, то так и будет длиться вечно.

— Но она уже старенькая. Я ей действительно нужна. Но доктор Уилер оставался непреклонным.

— Никакая она не старенькая, всего сорок восемь лет. Она еще отлично может начать все сначала, а ты только будешь ей мешать.

— Вы действительно так считаете? — заколебалась Вера.

— Да, действительно.

— Вера уже взрослая женщина, — тем временем уговаривала маму Синтия. — Ей пора начать новую жизнь, найти себе хорошую работу и научиться самой о себе заботиться.

— Как ты можешь быть такой бесчувственной?

— Вере хочется поехать в Америку, не держи ее, — настаивала Синтия.

— Ох уж эта мне Америка, — с горечью заметила мама.

Глава 9

Сент наблюдал, как вздымаются волны на темной поверхности озера. Он подставил парус ветру и обратился к единственному члену своей команды:

— Ты готов управлять им, Арн?

— Готов, капитан.

Сент учил Арни ходить под парусом, учил играть в теннис и кататься на водных лыжах, чувствуя себя при этом заправским тренером.

Арни боялся покидать центр в Раунд-Маунтинз и отказывался ехать на озеро, ставя условием, чтобы рядом с ним обязательно был Сент, который поможет ему на первых порах привыкнуть к трудностям вольной жизни.

— Если ты проведешь с ним лето, Слоун, — сказал отец Арни, — мы твои должники по гроб жизни. Знаешь ведь, как он тебя любит и уважает, словно старшего брата.

Местечко оказалось тихим и уединенным, дорога к дому на озере пролегала через густой лес. Родители Арни приезжали только на выходные, все остальное время молодые люди были предоставлены сами себе, их обслуживали Ева и Вернон, пожилая супружеская пара. Вернон, мастер на все руки, заботился о машинах и катерах; Ева была потрясающей поварихой.

Здесь имелось все для прекрасного летнего отдыха, кроме того, чего Сент желал всей душой. Но Джи Би была потеряна для него навсегда, и в этом юноша винил только себя. Он все еще просыпался, обливаясь потом от ночного кошмара, в котором видел ее в маленьком ресторанчике на Саттер-стрит.

В тот вечер, когда он нашел ее, на ней были черные брючки, белая блузка и маленький черный галстук-бабочка. Выглядела девушка потрясающе, но смотрела очень сердито.

— Я не хочу разговаривать с тобой, уходи.

— Джи Би, пожалуйста, выслушай меня. Я тебя люблю, я ничего не рассказывал, потому что боялся, что ты меня бросишь. От одной мысли, что тебя не будет рядом, мне становилось страшно. Я...

— Не желаю слушать, я должна обслуживать другие столики.

— ...думал, пройдет еще несколько недель, и ты тоже меня полюбишь, и тогда мое молчание уже не будет иметь никакого значения, надеялся, что ты останешься со мной навсегда, — говорил Сент, чувствуя себя отвратительно. Он посмотрел в чашку с кофе-эспрессо, от вида которого его мутило. — Прости меня. Я допустил ошибку.

Джи Би оставила на яхте все купленные ей вещи, включая и белое шелковое платье.

— Возьми хотя бы одежду, — упрашивал Сент. — Что прикажешь мне делать с этим платьем?

Она пожала плечами.

— Это твои проблемы, — ответила девушка и неожиданно сорвалась на крик: — Целых шесть недель ты заставлял меня думать, что я убила Флойда. Ты сделал из меня убийцу, я стала бояться собственной тени. Тебе никогда не понять, что это такое...

— Это все потому, что я люблю тебя.

— Нет, ты меня не любишь, а просто хочешь обладать мной. Ты такой же, как Анжело, даже еще хуже. Тот по крайней мере был со мной до конца откровенным. Ему нужны были деньги, и он не морочил мне голову, рассказывая о любви. Допивай свой кофе и выметайся. И чтобы я тебя здесь больше не видела. Никогда не смей приходить сюда. Никогда.

Сент не придал значения ее словам. Джо-Бет одна в чужом городе и без гроша в кармане, он был уверен, что девушка нуждается в нем, но ошибся.

Джи Би не боялась тяжелой работы, и теперь, когда обвинение в убийстве перестало висеть над ней как дамоклов меч, ничто не могло вернуть ее обратно.

Сент старался не выпускать девушку из виду.

Джо-Бет приняли в дом моделей, причем лучший в городе.

Сент легко себе представлял, как она движется по подиуму грациозной походкой львицы, глядя на всех светлыми равнодушными глазами, и весь ее независимый вид говорит: «Вам лучше взять меня на работу, иначе найдутся другие, а вы потом горько пожалеете». И уж конечно, ей никто не мог отказать.

Она ушла из кафе и стала работать моделью, а вскоре переехала из общежития Христианского союза женской молодежи в небольшую квартирку на Телеграф-Хилл.

Сент пытался снова поговорить с ней.

Только бы она дала ему один шанс, позволила все ей объяснить.

Он часами ждал у агентства в надежде, что девушка согласится выслушать его, но все было напрасно. Однажды к нему подошел какой-то мужчина.

— Джи Би не желает вас больше видеть и просит ее не беспокоить, — сказал он. — Если вы будете по-прежнему торчать здесь, нам придется вызвать полицию.

Однажды Сент все-таки выследил ее и догнал уже около дома.

— Позволь мне просто поговорить с тобой, — сказал он.

— Оставь меня в покое. Больше нам говорить не о чем, все давно кончено.

Но вскоре, когда Сент уже окончательно решил выбросить Джи Би из головы, Вера прислала свои рисунки Старфайер.

Он испытал настоящее потрясение, ибо Старфайер была не кто иная, как Джи Би.

Сент напечатал на машинке ее адрес, чтобы она не узнала его почерк и не разорвала письмо, и послал копии рисунков. Он вложил в конверт записку: «Думаю, тебе следует посмотреть на них. Вера хочет знать твое мнение».

Так хитростью он вовлек в это дело Веру.

И, как ни странно, его трюк удался. Джи Би сразу же позвонила.

— Они тебе понравились? — спросил Сент дрогнувшим голосом, опасаясь, что его хитрость раскроется.

Поначалу Джи Би разговаривала настороженно, но вскоре растаяла:

— Как такое может не нравиться? Вера очень талантлива, как ты думаешь? Во всем этом есть что-то сверхъестественное. Откуда она могла знать, что я блондинка?..

Девушка попросила у него адрес Веры и телефон. Так благодаря Старфайер дверца в сердце Джи Би слегка приоткрылась, и, несмотря на то что та по-прежнему отказывалась его видеть, в их отношениях наметилось какое-то изменение.

Сент с головой окунулся в работу, а лето, проведенное в горах, пошло ему на пользу.

Книга была закончена. Он отправил ее агенту в Нью-Йорк и, пока тот ее пристраивал, решил написать сценарий. В старинном доме хорошо работалось.

У Сента выработалась привычка рано вставать, не позже шести часов, совершать пробежку до ворот и обратно, чтобы размять затекшее за время сна тело, затем уходить к себе в комнату с большой кружкой кофе и работать часа три или четыре, пока не встанет Арни.

За время заточения в реабилитационном центре у того развилась привычка во всем полагаться на своего консультанта, который, как и все служащие, когда-то сам был наркоманом.

— Они все о тебе знают, — с полной серьезностью заявил он Сенту. — Они сами прошли через все это.

И Арни начинал рассказывать о частых беседах, которые, по мнению врачей, давали лучший результат, чем любое лекарство.

— Это удивительный человек. Он заглядывает прямо в душу, срывает все покровы, не оставляя ничего, а затем начинает лепить тебя по-новому. Он умеет заставить посмотреть на себя со стороны и при этом совершенно не щадит. Представляешь?

Арни очень верил в такую терапию, когда выворачивают всю душу наизнанку, а Сент слушал его очень скептически и даже с некоторой долей отвращения.

— Значит, изо дня в день тебе внушают, какое ты дерьмо, что они ненавидят тебя за то, что ты богат, известен и хорошо зарабатываешь, а ты сидишь и слушаешь? Я бы послал их всех подальше и не стал молчать и так носиться со всяким бредом.

— Нет, Сент, ты просто ничего не понимаешь. Они это делают из любви, под конец я даже плакал, — заключил Арни, и на глазах у него заблестели слезы. — Слезы очищают. Это все равно что религиозный экстаз. Я больше никогда не буду прежним.

После отъезда из центра Арни обязали навещать инспектора полиции и сдавать анализы крови.

— Если результаты окажутся плохими, меня снова отправят туда, — говорил он с надеждой в голосе первые несколько недель.

Его желание вернуться в центр постепенно ослабело, и, даже несмотря на полную зависимость от Сента, он явно шел на поправку.

Арни никогда не отличался атлетическим сложением. Для этого он был слишком толстым, слишком занятым и слишком больным. За время пребывания в центре, где все построено на самообслуживании и физическом труде, он окреп и нарастил мускулы. Войдя благодаря Сенту в новый ритм жизни с ежедневным теннисом по утрам, морскими прогулками под парусом или водными лыжами Арни стал крепким, здоровым и загорелым.

Родители его были в восторге от успехов сына; радовался им и агент, специально прилетевший недавно из Лос-Анджелеса, чтобы навестить их и поговорить с Арни о работе. Он привез с собой массу предложений, контрактов и новых проектов.

— Ты выглядишь потрясающе, парень. Намного лучше, чем раньше, и кто знает, может, то, что ты выпал из жизни на целых два года, обернется для тебя большой удачей, может, это будет своеобразный переход к взрослым ролям.

Резкий поворот и свист ветра в ушах. Маленькая яхта летела по воде, вздымая волны и сверкающие на солнце брызги. «Господи! — взмолился про себя Сент. — Если бы вместо Арни сейчас со мной была Джи Би...»

— Сент! Ты занят? Постучим немного?

Сент поднял голову от пишущей машинки. Перед ним стоял Арни — ходячая реклама спортивной одежды: белая майка в рубчик с мысообразным вырезом, ослепительно белые шорты с заутюженными складками и теннисная ракетка в руках, которой он небрежно похлопывал себя по ноге.

— Есть тут желающие поиграть в теннис? — Затем более робко: — Прости, Сент. Я думал, что ты уже освободился. Сейчас начало двенадцатого...

— Я скоро освобожусь, Арн.

— Минут через пятнадцать? Двадцать?

— Что-то около того, не позднее.

— Хорошо, подожду тебя, а пока посмотрю телевизор.

Арни вышел из комнаты и осторожно закрыл за собой дверь.

Сент посмотрел ему вслед и вздохнул: нет смысла продолжать работу. И хотя он знал, что Арни не побеспокоит его вторично, мысль о том, что друг ходит там на цыпочках и смотрит телевизор с приглушенным звуком, была невыносимой.

Сент постарался настроиться на Джо и Анжелу, своих главных героев, которые в это время подъезжали к границе между штатами, и провести с ними еще хотя бы пять минут, но дверь снова отворилась, и на пороге возник Арни с ярким голубым конвертом в руке.

— Принесли почту. Судя по адресу, письмо от Веры Браун.

Джи Би вошла в кафе «Триест» ровно в час дня, как и было запланировано.

Она надела линялые джинсы и просторный спортивный свитер, светлые волосы, уже отросшие к этому времени, зачесала назад и перехватила пластмассовым обручем.

Сент сидел за столиком у окна. Пересекая улицу, Джи Би видела, как он наблюдает за ней.

Девушка заказала себе капуччино и подсела к нему, улыбнувшись робкой, натянутой улыбкой. Сент сдержанно улыбнулся в ответ. Его лицо, покрытое темным загаром, стало тоньше, он выглядел старше, более уверенным и бесконечно желанным. Джо-Бет стало до боли жалко и его, и себя, но она решительно подавила в себе эту жалость.

Сент протянул через стол руку, слегка дотронулся до ее запястья и тут же отпустил.

— Я рад тебя видеть, — проговорил он.

Джи Би убрала руку со стола и положила на колени.

— Значит, Вера будет здесь через три часа, — сказала она, чувствуя себя неловко.

Джи Би достала рисунки Веры и осторожно положила на стол.

Сент посмотрел на Старфайер, затем на Джи Би — они были удивительно похожи.

— Заказать тебе что-нибудь? — спросил он. — Суп или бутерброд?

Джи Би покачала головой:

— Только кофе. Я сегодня поздно завтракала.

Наступила напряженная тишина. Сент не собирался поддерживать разговор, поэтому Джи Би не выдержала и спросила:

— Как себя чувствует Арни?

— Достаточно хорошо, осенью снова начнет работать. Ему предложили интересную роль.

— Я рада за него.

Джи Би заметила, что вертит в пальцах кофейную ложечку. Девушка положила ее на блюдце и постаралась успокоиться.

— А как ты?

Сент неопределенно пожал плечами:

— Я закончил книгу, сейчас пишу сценарий. Вроде неплохо получается.

— Чудесно, я рада за тебя.

Джи Би старалась не смотреть на Сента. Новая встреча с ним была ее ошибкой. Только сейчас девушка поняла, как сильно по нему соскучилась. А как тосковала раньше! После того как она оставила его, бывали периоды горького одиночества, когда Джо-Бет каждую ночь плакала. В тот раз, выгнав его из ресторана, она рыдала так, что чуть не выплакала себе глаза, вся кухня утешала ее. Луиджи, специалист по салатам, размахивая кухонным ножом и вращая глазами, грозил: «Каждый раз, когда этот парень заявляется сюда, он заставляет тебя страдать. В следующий раз я сам с ним поговорю».

Ей даже приходила в голову мысль вернуться домой. Нет, она не собиралась жить в Корсике, а где-нибудь поблизости, например, в Амарилло. Живя там, Джо-Бет могла бы время от времени навещать мать.

Но ее мечты оказались напрасными, потому что мама даже не захотела с ней разговаривать.

— Ты грязная тварь! — выпалила она по телефону. — Не вздумай снова звонить. Мне все известно. Я знаю, что ты пыталась сделать с Флойдом, об этом все знают.

И бросила трубку. Джи Би не могла поверить, она так ничего и не поняла. Что мать хотела этим сказать? Что такого она сделала?

Девушка снова попыталась дозвониться до дома, но там все время было занято. Тогда она позвонила Чарлине. Поначалу голос подруги был холодным как лед, но постепенно та оттаяла:

— Послушай, дорогая, я понимаю, что все это ложь.

— Что ложь?

— Все, что они говорят. — В голосе Чарлины чувствовалось смущение. — Ну, что ты приставала к Флойду... и отчим выгнал тебя из дома...

— Легко можно догадаться, что у тебя все хорошо, — прервал ее мысли Сент.

Джи Би кивнула:

— Да, мне повезло получить такую работу. Вчера меня показывали в коммерческой рекламе по национальному каналу. Я рекламировала безалкогольный напиток «Бриз».

— Поздравляю.

— Меня приглашают на пробы в Лос-Анджелес, правда, съемки будут в Сан-Франциско. Так, ничего особенного. — Джи Би как бы со стороны слушала свое бессвязное бормотание. — Я все время собираюсь поехать в Лос-Анджелес. По правде говоря, осенью хочу перебраться жить туда...

— ...а твоя мать, дорогая, ты ведь знаешь ее отношение к мужчинам. Она готова верить любому их вранью.

— Мама не могла в такое поверить, это же глупо.

— Твоя мать совсем плоха, дорогая. Она слышит голоса и разговаривает с ними. Уверяет, что это люди с тарелок.

— Откуда?

— С летающих тарелок, откуда-то с Марса или другой планеты. Она говорит, что они скоро прилетят на Землю и переправят всех к Господу...

— Зачем тебе ехать в Лос-Анджелес, если здесь полно работы? — услышала девушка голос Сента.

— Там ее будет не меньше.

— Никогда не подозревал, что у тебя такие амбиции.

Сент явно недооценивал Джи Би. Она давно решила для себя, что должна много работать, чтобы стать полностью независимой, купить для мамы хороший дом, в котором та поправится и снова начнет улыбаться и где ее никогда не найдет Флойд.

— Да, — согласилась она с Сентом.

Они помолчали.

— Спасибо за то, что ты согласилась приютить у себя Веру.

Слава Богу, что Сент сменил тему разговора.

— Мы с ней общались по телефону, и я предложила ей остаться в квартире после моего отъезда.

— Уверен, она обрадовалась твоему предложению.

— Да.

Джи Би принялась рассматривать рисунки Старфайер. Девушка пролистала их один за другим, и, как всегда, ее охватило странное чувство. Она похожа на Старфайер не только физически, но и духовно. Вера, казалось, подметила мельчайшие тонкости, сумела отразить на бумаге все ее чувства, пользуясь простыми линиями, но, подумала Джи Би, может, благодаря этим самым простым линиям и удалось добиться такого сходства.

Несколькими часами позже в аэропорту Джи Би, облокотившись о перила, наблюдала за толпой, выходящей из зоны таможенного досмотра. Вера не появлялась.

Она вся напряглась от ожидания, возбуждение возрастало с каждой минутой.

— Эй! — закричал вдруг Сент. — Вот она! Точно, это Вера, — добавил он, глядя на изящную шатенку, толкавшую перед собой тележку с багажом и державшую в руке папку, какие обычно носят художники.

Джи Би поискала глазами толстую девочку-подростка, но не нашла.

— Где она?

Но Сент, расталкивая толпу, уже устремился Вере навстречу.

— Вера! Я здесь!

Девушка повернулась на его голос, и лицо ее просияло. «Неужели это Вера? Та самая толстая Вера? — думала Джи Би. — Этого не может быть! Да она просто очаровательна».

— Привет! — сказал Вере Сент. — Добро пожаловать в Калифорнию. Рад тебя видеть. Господи, ты совсем не изменилась.

Лицо Веры моментально омрачилось, взгляд потускнел.

— Ты что, идиот?! — прошипела Джи Би Сенту на ухо. — Неужели ты не видишь, как она похорошела? Она сбросила почти пятьдесят фунтов. — Джо-Бет обняла Веру. — Ты выглядишь просто потрясающе. Сногсшибательно! Правда она великолепна, Сент?

Сент быстро катил тележку к месту парковки машины и небрежно бросил через плечо:

— Действительно великолепна.

— Обрати внимание, как она похудела.

— И правда похудела, — с запозданием согласился Сент. — Тебе идет.

Джи Би даже расстроилась. «Она скорее всего сделала это ради тебя, — подумала девушка. — Ты просто дурак, Слоун Сент-Джон Тредвелл-младший. Неужели ты не понимаешь, что Вера любит тебя?»

Квартирка Джи Би размещалась на втором этаже дома, расположенного в узком шумном переулке, где находились картинная галерея, индийский ресторан, бар с проигрывателем-автоматом и танцевальной площадкой, часто посещаемой байкерами, разного типа биржевыми маклерами и прочими типами неопределенной наружности. Однако спальня помещалась в глубине квартиры и выходила окнами на замусоренный дворик, где цвели настурции и дикий виноград увивал завалившийся забор и заржавевший остов железной кровати.

Сент молча стоял посреди спальни, жадно пожирая глазами убранство этой маленькой опрятной комнаты: сосновое бюро, на котором аккуратно разместились щетки для волос, расчески, разнообразная косметика; узкую белую кровать, покрытую недорогим цветастым покрывалом; софу с разноцветными подушками на ней, которая будет служить постелью для Веры. Он был ошеломлен, увидев, где живет Джи Би. Его тоскующая душа искала в этой комнате что-нибудь личное, что помогло бы ему лучше понять хозяйку, ну хотя бы какую-нибудь фотографию, семейную или личную, но, увы, ничего похожего не было.

«А на что ты рассчитывал? — могла бы спросить его Джи Би. — Я уже три раза хотела сбежать отсюда. Зачем мне обзаводиться вещами?»

За прошедшие два года девушка могла бы накопить много личных вещей, но потеряла к ним вкус. Она покупала только самое необходимое, а все деньги переводила на свой счет в сберегательном банке.

Джи Би чувствовала себя неловко, видя, как Сент с нескрываемым интересом рассматривает ее комнату, и при первой же возможности постаралась выпроводить его оттуда.

— Вере нужно распаковать вещи, принять душ и отдохнуть, — сказала она.

Они пошли обедать в итальянский ресторан, расположенный на той же улице. Джи Би выбрала его специально, но не из-за еды, оказавшейся великолепной, и не из-за цен, вполне приемлемых, а из-за того, что там всегда было многолюдно, шумно и безалаберно. Официанты в грязных, мятых фартуках небрежно швыряли на длинные, стоявшие на козлах столы большие плоские тарелки с дымящейся едой, бутылки темно-красного вина без этикеток; сквозь табачный дым проглядывали свисающие с потолка длинные батоны салями и оплетенные бутылки кьянти вперемежку с косичками чеснока и лука; громко звучали арии из опер Пуччини и Верди, и к тому же все кричали, не жалея голосовых связок.

Такое место не располагало к интимной беседе, на что и рассчитывала Джи Би. Девушка надеялась, что они быстро пообедают и она отведет гостью домой спать.

Вера была бледной, уставшей и даже испуганной, когда, подняв бокал, провозгласила тост:

— Выпьем! Давайте выпьем за встречу трио Старфайер!

Они подняли бокалы и чокнулись. Джи Би надеялась, что Вера не заметила, как она и Сент чокнулись только с ней, но не между собой.

Вера старалась казаться веселой, но было заметно, что действительность не оправдала ее ожиданий, что девушка разочарована и этот ресторан оказался последней каплей в постигшей ее в первый же день неудаче. Она нервничала, и от этого у нее снова разыгрался аппетит, и, кроме того, незаметно для себя Вера выпила красного вина больше, чем предполагала. Джи Би все

151

это видела и понимала, чего не скажешь о Сенте, который совсем не замечал того, что творится с Верой.

«Пожалуйста, Сент, — мысленно молила его Джи Би, — пожалуйста, посмотри на нее и перестань разглядывать меня».

— Ты должна приехать на озеро Тахо, Вера, — сказал Сент. — Джи Би может привезти тебя туда. Правда, Джи Би? — Он посмотрел на нее умоляющим взглядом. — Ведь ты привезешь ее?

— Я буду очень занята, — ответила Джи Би, слегка улыбнувшись. — Но Вера может приехать туда и без меня. В те места часто ходит автобус.

Глаза Сента умоляли ее, но Джи Би не вняла этой просьбе. «На что ты надеешься? — хотелось закричать ей. — Несмотря на Старфайер и на то, что мы все трое снова встретились, ничего не изменилось между нами».

Вера растерянно переводила взгляд с одного на другого. Она начала что-то говорить, но ее слова заглушил взрыв аплодисментов и криков, так как в это время из дверей кухни появилась тройка официантов, несущих большой именинный торт с воткнутой в него свечой. «Счастливого вам дня рождения!» — запели они опереточными голосами, и публика подхватила песню.

Джи Би вздохнула. «Черт возьми, — подумала она, — почему люди не могут любить тех, кто любит их?» Эту фразу девушка где-то слышала раньше, в какой-то пьесе, хотя сейчас не могла вспомнить, в какой именно. Родство двух любящих сердец. Любовь, ниспосланная свыше. Так, кажется, это называется?

Вера любит Сента. Сент любит Джи Би. А она? Кого любит она?

«Я люблю маму, — сказала Джо-Бет себе твердо, — и, наверное, все еще люблю Мелоди Рос, и не имеет значения, как они обошлись со мной. Они мои единственные родственники, и я обязана заботиться о них».

И еще Джи Би подумала, что это единственная любовь, которой стоит дорожить.

Глава 10

Стояла изнуряющая послеполуденная жара, и вода в заливе Сан-Франциско была необычайно спокойной. По зеркальной глади скользили яхты со спущенными парусами, в направлении Окленда двигалось грузовое судно, разрезавшее носом воду, словно ножницы шелковую ленту.

Вера, скрестив ноги, сидела на траве рядом с причалом и наблюдала за съемками коммерческого клипа с участием Джи Би. Предметом для рекламы служил газированный безалкогольный напиток «Бриз», предназначавшийся для веселых, задорных и спортивных молодых людей. Джи Би с партнером создавали этот имидж.

Место съемки окружили заградительными знаками. Внутри размещалось кафе под открытым небом, сооруженное накануне утром, но на вид как настоящее и давно обжитое, с маленькими белыми столиками и стульями, уютно расставленными под полосатыми пляжными зонтиками, горшками с цветущей геранью и торговым автоматом с эмблемой кока-колы.

Джи Би — загорелая и красивая, в короткой теннисной юбке и бело-розовым топике, сидела за одним из столиков рядом с симпатичным молодым человеком. Задумавшись, она машинально подбрасывала ракетку носками безупречно белых теннисных туфель. Молодой человек, развалясь на стуле, крепко спал. «Вот так они отдыхают между дублями, — подумала Вера. — Как это все утомительно и скучно и как хорошо, что я взяла с собой альбом. Можно хотя бы поработать».

Она нарисовала кинооператора со всеми его вытатуированными на загорелых плечах бабочками, полицейского, привалившегося к капоту патрульной машины и сонно наблюдавшего за тем, чтобы не снесли ограждения; молодую женщину, тщетно пытавшуюся распутать поводки трех собачонок, вертевшихся вокруг ее ног, и

Джи Би за столиком, опирающуюся подбородком на скрещенные руки и задумчиво глядящую в никуда.

О чем она сейчас думает? Вера жила с Джи Би бок о бок почти две недели и очень привязалась к ней. Джи Би оказалась доброй и отзывчивой, но очень замкнутой, когда дело касалось ее личных проблем. Вера отдала бы все на свете, чтобы узнать, о чем Джо-Бет думает, и особенно что она думает о Сенте.

Сегодня утром он снова позвонил:

— Так что вы решили, Вера? Когда вы с Джи Би приедете сюда? Осталось так мало времени, лето почти на исходе.

— Попытаюсь поговорить с ней еще раз.

— Постарайся уговорить ее приехать на этой неделе.

— Сделаю все от меня зависящее.

Джи Би вздрогнула и подняла голову, когда к ним подошел директор и потребовал внимания. В руках он держал старомодный мегафон, в который раздавал команды:

— Внимание! Всем приготовиться! Занять свои места! Это касается и тебя, Рой. Проснись! Вы с Джи Би сидите слишком далеко друг от друга. Поставьте стулья поближе. Всем внимание. Где хлопушка? Приготовиться...

Мальчик поднес к камере хлопушку в черно-белую полоску.

— ...Начали!

Рой и Джи Би встали со своих мест и направились к автомату, затем обменялись подчеркнуто разочарованными взглядами.

— Стоп! Великолепно!

Опять наступило долгое ожидание. Вера наблюдала, как увозили автомат с эмблемой кока-колы, а на его место, поближе к операторской тележке, устанавливали новый с бросающейся в глаза яркой торговой маркой «Бриз». Девушка в джинсах обрызгала его со всех сторон из пульверизатора какой-то маслянистой жидкостью и отполировала до блеска. Началась всеобщая суета вокруг осветительных приборов: один даже поставили на рельсы и двигали взад-вперед, как маленький трамвай.

Вера вздохнула и легла на траву. Она чувствовала себя усталой и безразличной ко всему. Девушка пыталась объяснить свою вялость разницей временных поясов, но знала, что это не так, что проблема совсем в другом: она глубоко переживала крах своих надежд.

Как Вера мечтала о своем приезде в Сан-Франциско и первом вечере, проведенном с Сентом!

Но в мечтах она была с ним одна в тихом, романтичном местечке, а не за длинным столом вместе с Джи Би и кучей горластых итальянцев. У нее до сих пор стояли в ушах их крики. «Счастливого дня рождения! — орали все. — Счастливого дня рождения, — пели официанты. — Счастливого дня рождения, дорогой Джулио...» И все смеялись, истошно кричали и аплодировали беззубому сморщенному гному, которому на вид было не меньше девяноста лет, пока он старательно задувал единственную свечу на своем именинном торте.

Вера тоже заставила себя кричать, смеяться и аплодировать вместе со всеми и попыталась произнести тост за воссоединение трио Старфайер, но он вышел ужасно плоским. Девушка, измотанная долгим перелетом, чувствовала, что ее нервы на пределе. Считалось, что Сент и Джи Би разбежались и их больше ничего не связывает, однако на деле все обстояло иначе. Может, Джи Би и оставила Сента, но что касалось его самого, то здесь ничего не изменилось. Он по-прежнему без памяти любил ее.

В ту ночь Вера почти не спала. Перед глазами мелькали лица, предметы, и все это сопровождалось нескончаемой песней о счастливом дне рождения Джулио, такой нелепой и до смешного бесстыдной, если вспомнить самого именинника.

На следующее утро Сент, как и обещал, приехал, чтобы показать Вере город, но было ясно, что он очень надеялся на участие Джи Би в этом мероприятии и не скрывал своего разочарования, когда обнаружил, что та уже ушла. Однако, надо отдать ему должное, он сделал все возможное, чтобы прогулка прошла приятно.

И все бы прошло гладко, если бы Вера не была влюблена в него и не ждала большего, чем дружеское участие. Поездка превратилась для нее в один нескончаемый ряд крутых холмов, высоких гор, яхт, мостов и закончилась ленчем в Саусалито, чтобы она могла полюбоваться городом с высоты птичьего полета.

— Все было просто великолепно, — выдавила из себя Вера дежурную фразу.

Обед оказался изысканным: мясо, запеченное в тесте, подали на большом овальном блюде, с выложенным по краям гарниром. Вера почувствовала внезапный голод, ей захотелось запихнуть в себя все до последней крошки, но усилием воли девушка сдержалась и съела только мясо и несколько кружочков помидоров.

Разговор за ленчем шел о Старфайер.

Накануне Сент снова звонил мистеру Солвею. Тому не терпелось поскорее встретиться с Верой.

— Все складывается удачно, — заметил Сент. — Он, кажется, искренне заинтересован.

— Это же просто замечательно, — ответила Вера, а про себя подумала: «Будь я Старфайер, то весь день сложился бы совсем по-другому. Окажись я притягательной, неотразимой — и все бы шло так, как я мечтала. Старфайер могла бы силой своей воли повернуть ход событий в нужном направлении. Ведь смогла же я выдержать собеседование и получить работу в доме Спринг Кентфилд».

Она также выдержала натиск родителей и вопреки их желанию улетела в Нью-Йорк. Но в данный момент у нее словно язык присох к горлу, сидевшая в ней Старфайер потеряла свою силу.

— Ты очень добр ко мне, — промямлила Вера. — Большое тебе спасибо.

— Послушай, из-за меня ты была уволена и депортирована, — с усмешкой проговорил Сент. — Вот это я тебе действительно устроил.

По дороге домой он напомнил:

— Не забудь про Тахо, Вера. Скоро конец лета. Арни приступит к работе, а я должен вернуться в Нью-Йорк.

У Веры кровь застыла в жилах.

— В Нью-Йорк? Ты... ты будешь там жить?

— Нет. Я еду по делу.

Вера почувствовала некоторое облегчение. Какая ирония судьбы: проделать такой длинный путь, чтобы встретить Сента и сразу же с ним расстаться.

— Это как-то связано с твоей книгой? Ты что-то узнал?

— Ничего. Нет, это семейные дела. Скоро мой день рождения, мне исполнится двадцать один год.

— Как чудесно. Ты устроишь прием?

— Нет, но... — Голос Сента оживился. — Я обедаю с отцом. Только он и я. Отец хочет поговорить со мной, он сам позвонил. Впервые за все время. Обычно мне звонит тетя Глория или эта ведьма мисс Геррити.

— Это же чудесно, я так рада за тебя.

— Впервые в жизни мы будем обедать вместе. Думаю, его отношение ко мне изменилось после того, как я поступил в колледж. Если бы только я мог сказать ему, что права на издание моей книги купили, вот это было бы дело.

— Пока еще есть время, — заметила Вера.

Когда они вернулись домой, Джи Би еще не пришла. Сент, стараясь казаться равнодушным, пожал плечами.

— Увидимся, — сказал он, целуя Веру в щеку. — Все-таки хорошо, что ты приехала.

— Спасибо за ленч. Я чудесно провела время.

— Я тоже. Да, Вера... пожалуйста, не забудь поговорить с Джи Би о поездке в Тахо.

Джи Би терпеливо ждала, пока девушка в рабочем комбинезоне закончит гримировать ее лицо. Мысли унеслись далеко, на сердце лежал тяжелый камень. Все утро она пыталась подсчитать, сколько заплатят за эту рекламу, — получилась неплохая сумма. Господи, как ей сейчас нужны деньги!

Из последнего разговора с Чарлиной девушка узнала новые подробности из жизни матери, которые ее очень расстроили. Флойд бросил ее мать.

— Он связался с другой женщиной, — разъяснила Чарлина. — Послушай, дорогая, сейчас я тебе все расскажу. Она далеко не красавица, ей под пятьдесят, и она толстая, но твой отчим просто сходит по ней с ума — даже бросил пить.

«Тем лучше, — была первая мысль Джи Би. — Наконец-то он оставил нас в покое. Можно считать, что нам повезло».

— Как мама пережила это? — спросила она Чарлину.

— Очень плохо, дорогая. Она, оказывается, все еще любит его. Флойд всем рассказывает, что дошел до предела от ее бредней о летающих тарелках.

— О Господи! Бедная мама.

— Между нами, дорогая, сдается мне, что она сидит совсем без денег.

Джи Би сразу же послала почтовый перевод на две тысячи долларов. Извещение вернулось обратно, рукой матери там было написано: «Не посылай мне больше ничего, я молюсь за тебя». Однако деньги не вернулись, вероятно, почтальон принес ей наличные.

Вскоре после этого из Нью-Йорка позвонила Мелоди Рос, что никак нельзя было принять за простое совпадение.

— Как поживаешь, зайчонок?

Джи Би уже давно не имела от сестры никаких известий и очень обижалась. Она пришла к выводу, что Мел все знала о Флойде.

— Спасибо, хорошо, — холодно ответила Джи Би.

— Я так и думала. Тебя все время показывают по телевидению. Похоже, дела идут хорошо. — Тяжелый вздох. — Чего нельзя сказать обо мне.

— Мне очень жаль, Мел. Разве Анжело не заботится о тебе?

— Нашла кого вспомнить. Все это уже в прошлом.

— Странно.

Последовало молчание, затем судорожный всхлип.

— Этот сукин сын бросил меня, Джо-Бет. Теперь я работаю в клубе, довольно скверном, недалеко от Таймс-сквер.

Джи Би легко вообразила себе, что это за клуб.

— Что мне делать? Он отобрал все, даже одежду. У меня сейчас нет ни одного приличного платья. Я на мели. Зайчонок, я так соскучилась по тебе, мне действительно плохо без тебя. — Дальше пошли причитания. — В конце концов ты моя сестра, когда ты нуждалась во мне, я тебе помогла. Приютила и все для тебя делала. Джо-Бет, тебе сейчас везет, а у меня все плохо. Мне нужны деньги, и ты должна мне их прислать. На первых порах мне хватит десять «кусков»... тут один парень... он кое-что одолжил мне... но сейчас на меня давит, и я просто не знаю, что делать, Джо-Бет.

Джи Би вздохнула. Ей хотелось сказать Мелоди Рос: «Вряд ли ты получишь от меня хоть что-нибудь, даже не заикайся о деньгах». Но, к сожалению, у нее не хватило духу. Как-никак Мел ее единственная сестра, другой у нее нет и не будет. Она так же несчастна, как и мама. Обе жертвы развратных мужчин.

— Хорошо, Мел, — ответила она миролюбиво. — Я подумаю, что смогу для тебя сделать.

— Пожалуйста, Джо-Бет, подумай. Мне очень нужны деньги.

«Да, — размышляла Джи Би, — пора начинать зарабатывать хорошие деньги».

— Ты просто ненормальная, если отказываешься от работы в Нью-Йорке или Лос-Анджелесе, — говорил ее агент.

Нью-Йорк? Нет, туда она никогда больше не вернется. А вот в Лос-Анджелес она летает по крайней мере раз в неделю. Если жить там, то можно сэкономить на билетах. Да, пожалуй, она переберется в Лос-Анджелес и очень скоро.

Директор замахал руками и закричал:

— Всем приготовиться!

Вспыхнул свет прожекторов. Заработали камеры.

— Начали!

Волшебный аромат, сверкая на солнце, начал спускаться прямо с неба. «Бриз» — мечта всех жаждущих.

Джи Би и Рой, изобразив на лицах восторг, кинулись к автомату. Рой нажал на рычаг, но тот не сработал.

— Черт! — выругался Рой. — Эта проклятая машина не работает.

— Стоп! — последовала команда.

Как только выключили все камеры, из автомата посыпался на землю каскад сверкающих на солнце банок с маркой «Бриз».

— Ну вот, — пробурчал директор. — А ты говоришь, не работает.

После съемок Джо-Бет и Вера сидели на траве, пили «Бриз» и наблюдали, как разбирают «кафе» и складывают в грузовик.

Вера взмахнула банкой с остатками «Бриза».

— Неужели тебе нравится эта дрянь? — спросила она. — На мой вкус нет ничего отвратительнее.

Джи Би пожала плечами:

— Я просто способствую ее продаже. Мне вовсе не обязательно это пить. Тебе не было скучно? Съемки тебе понравились?

— Пожалуй.

Джи Би рассмеялась:

— Я видела, как ты рисовала.

Вера протянула ей альбом. Джи Би полистала его и пришла в восторг:

— Боже, какая ты талантливая! Когда ты встречаешься с нужными людьми?

— В четверг на следующей неделе.

— Уже нервничаешь?

— Немного.

— Чего они хотят от тебя? Что ты будешь им говорить? Они уже видели рисунки?

— Буду рассказывать им разные истории. Они хотят убедиться, что их хватит хотя бы на полгода.

— А ты сможешь?

— Пока да. Когда кончатся мои истории, я буду действовать так, как того захочет Старфайер.

Джи Би с удивлением посмотрела на Веру:

— Как так?

Вера принялась терпеливо объяснять:

— Если наши мнения будут расходиться, то мне придется подчиниться ее воле.

— Но, Вера... — Джи Би нахмурилась. — Ведь Старфайер просто персонаж и не существует в реальной жизни. Ведь так?

— Она достаточно реальна.

Глаза Джи Би загорелись от любопытства.

— Тогда расскажи мне о ней.

— Старфайер красива и обладает особой энергией, — медленно начала Вера.

Джи Би нетерпеливо кивнула. Это она уже знала.

— Но она какая-то... — Вера замолчала, подыскивая нужное слово, — я бы сказала — неуверенная. Старфайер еще не привыкла к своему телу, у нее его никогда не было. В своем мире она была сгустком энергии и света, летала по Вселенной и делала что хотела. Сейчас Старфайер чувствует себя, как в ловушке.

— Разве ей не хочется быть человеком?

— Иногда. Лучше сказать, довольно часто.

— А люди догадываются, что Старфайер инопланетянка?

— Нет, пока она сама этого не захочет. Они находят ее очаровательной, хотя временами чувствуют, что в ней есть нечто странное, что-то, чего они не могут понять.

— Старфайер может влюбиться? — полюбопытствовала Джи Би.

— В землянина? Пока не знаю. Любые эмоции приводят ее в замешательство, она еще не научилась ими управлять. Старфайер не понимает, что люди чувствуют и думают. Да и как ей понять? Она выглядит как человек, но на самом деле им не является.

— Да, да, — понимающе подтвердила Джи Би.

— Ну и конечно, Старфайер очень одинока. Ее дом далеко, за несколько световых лет от Земли, и она не может вернуться туда, пока не выполнит свою миссию здесь.

— А что случится, если ее постигнет неудача?

— Этого не может быть. Если такое случится, все погибнет.

Джи Би вдруг обнаружила, что слушает Веру затаив дыхание. Она напомнила себе, что Старфайер — всего лишь вымышленный персонаж.

— Как я ее понимаю, бедняжку, — неожиданно для себя выпалила Джи Би. — Мне ее очень жаль.

— Она не любит, чтобы ее жалели, — резко ответила Вера.

— Похоже, вы хорошо знакомы.

— Я обязана ее знать. По крайней мере... — В голосе Веры чувствовалась неуверенность. — Мне кажется, что я ее знаю.

Вера вылила остатки «Бриза» на землю. Девушки наблюдали, как коричневая жидкость, пузырясь, исчезает в траве.

— Хорошо, что покупатели не видят, как ты поступаешь с этим напитком, — заметила Джи Би.

Приятельницы помолчали.

— Да, — вспомнила Вера, — сегодня утром опять звонил Сент. Хочет, чтобы мы приехали к нему.

Джи Би молча смотрела на землю, туда, куда Вера вылила «Бриз».

— И что ты ответила? — спросила она.

— Сказала, что спрошу тебя.

— Я не изменила своего решения, — ответила Джи Би, тяжело вздохнув. — Я никуда не поеду, но это не

162

причина, чтобы не поехать тебе. Думаю, тебе там понравится. Поезжай, я говорю вполне серьезно.

— Не вижу смысла ехать одной, — ответила Вера. — Он хочет видеть тебя, не меня.

Медленно и с какой-то жестокостью Джи Би смяла пустую банку.

— Лучше ему этого не хотеть, — прошептала девушка. — Ты не представляешь, как мне было больно, когда я узнала, что Сент скрыл от меня правду. Я думала, он отличается от других парней, но оказалось, что Слоун такой же, как и все. Все они одинаковы. Им непременно хочется завладеть тобой, залезть в душу. А когда они получают свое, ты им больше не нужна.

— Сент не такой.

— Чем же он отличается от других? Он ведь мужчина, не так ли?

Как обычно, в одиннадцать Арни постучался к приятелю, но увидев, что тот занят, тихо прошептал:

— Есть тут желающие поиграть в теннис?

И, помахав ручкой, вышел.

Сент поработал еще с полчаса, затем, вздохнув, надел теннисные туфли, взял ракетку и пошел в гимнастический зал искать Арни.

Его там не было. Вернон и телемастер склонились над телевизором, по экрану которого пробегали горизонтальные полосы.

— Сломался, — сказал Вернон, увидев Сента. — Арни сказал, что пойдет погуляет, пока вы не освободитесь.

— Прекрасно.

Сент направился к выходу, довольный, что Арни наконец-то один ушел на прогулку и еще тем, что телевизор сломался. Оставалось только надеяться, что его не сумеют починить.

Арни каждый вечер пялился на экран, где то и дело мелькало лицо Джи Би. То она рекламировала молоко для крепкого здоровья, то лосьон для нежной детской кожи, то какое-то потрясающее шведское средство для сухих и ломких волос.

Она так и не захотела приехать в Тахо. «Мне очень жаль, Сент, — сказала ему Вера по телефону. — Я пыталась, но все бесполезно».

Сент вышел из дома и остановился, чтобы полюбоваться озером, зеркальная поверхность которого, отливающая синевой, виднелась между деревьями. Начали желтеть листья осин, воздух был прозрачным и бодрящим. Стояла тишина. Мир был прекрасен.

«Неужели Джи Би так и не простила меня? — подумал Сент. — И простит ли когда-нибудь?»

Он крепко зажмурился и силой воображения вызвал образ Джи Би, такой явственный, что Сент почувствовал — стоит ему сейчас открыть глаза, и он наяву увидит ее, идущую ему навстречу. Сент так сильно желал этого, что у него закружилась голова.

Преисполненный ожидания, он открыл глаза...

Тропа была пуста.

Расстроенный, Сент что есть силы ударил себя ракеткой по бедру и приказал не валять дурака.

Расправив плечи, он решительной походкой направился к корту играть с Арни в теннис.

С корта слышались удары ракетки по мячу, удары были сильными. Кто-то играл как дьявол. Сент прислушался: играли двое.

Подойдя ближе, он увидел их — Арни и девушку.

«Господи, это же Джи Би», — мелькнуло у него в голове.

Сердце Сента забилось так сильно, что он едва не потерял сознание. Неужели сработало? Неужели же страстное желание сбылось?

В это время девушка повернулась, и сердце его оборвалось, так как это была вовсе не Джи Би, а такая же высокая девушка, с такими же светлыми волосами.

Девушка улыбнулась Сенту, помахала ракеткой и вернулась к игре.

Была подача Арни. Девушка отбила мяч, и тот пролетел над сеткой. Арни отбил его, но слишком высоко. Партнерша нанесла удар с лета и перекинула мяч Арни, тот подпрыгнул, пытаясь перехватить его, но промахнулся. Арни застыл на месте, тяжело дыша.

— Гейм! — Девушка громко рассмеялась, подошла к Сенту и протянула руку. — Привет. Я Флетчер Мак-Гроу.

Со спины она легко могла сойти за Джи Би — та же комплекция, тот же рост, волосы, легкая походка. Но при ближайшем рассмотрении — ничего общего. У девушки было хорошенькое капризное личико, круглые голубые глазки и выпяченная верхняя губа из-за неправильного прикуса.

Оценивающим взглядом девушка оглядела Сента с головы до ног. От нее не ускользнули ни его темные взлохмаченные волосы, ни розовая тенниска, ни дорогие спортивные туфли.

— Она наша соседка, — представил девушку Арни. — Ее отец арендует дом недалеко отсюда.

— Мы живем в долине, а там сейчас очень жарко, — сказала Флетчер. — Я услышала, что Арни играет сам с собой, и пришла посмотреть. Он любезно согласился поиграть со мной.

— Она меня загоняла, — пожаловался Арни. — Слишком сильный игрок для меня. Это партнер для тебя, Сент, поиграй с ней.

— Нет! — отрезал тот, но Флетчер уже вернулась на корт и заняла исходную позицию.

Сент вопреки логике чувствовал себя страшно обиженным, оттого что Флетчер оказалась вовсе не Джи Би, и всю свою злость он вложил в игру, яростно отбивая удар за ударом и совсем не думая о том, с кем играет.

К концу игры он сообразил, что все равно остался в дураках. Хоть и выиграл, но выглядел смешно, сражаясь, будто лев.

Сет закончился со счетом 6:4. Сент тяжело дышал и обливался потом, его тенниска насквозь промокла.

Флетчер вся горела от возбуждения, глаза сияли, губы изогнулись в счастливой улыбке. Сент обратил внимание, как затвердели соски ее грудей, распирая майку, и понял, что девушка не носит бюстгальтера. Он через сетку пожал ей руку — ее пальцы были горячими и очень сильными.

— Слава Богу, что она осталась жива, — сказал Арни. — Ты загонял ее почти до смерти.

— Флетчер сама за себя скажет, — ответил Сент, только сейчас сообразив, как отвратительно себя вел. Джентльменом его в данной ситуации не назовешь. Что он так на нее взъелся? Разве девушка виновата, что она не Джи Би? Сент смущенно улыбнулся.

Флетчер ответила ему улыбкой, но такой странной, словно они были заговорщиками.

— Я люблю такую игру, — сказала она. — Игру без пощады.

Они вернулись в дом, где Ева уже все приготовила им для пикника, и отправились на озеро кататься на водных лыжах.

— Может, ты хочешь, чтобы я остался? — спросил Сент у Арни.

Приятель посмотрел на него с нескрываемым удивлением:

— Почему?

— Она хорошенькая. Разве тебе не хочется остаться с ней наедине?

— Хорошенькая? По-моему, ты преувеличиваешь. К тому же она явно предпочитает тебя.

Они по очереди катались на водных лыжах — как Сент и предполагал, Флетчер каталась мастерски, — затем поплыли на лодке в Карнелиан-Бей.

— Здесь не так хорошо, как в бухте Сэнд-Харбор. Давайте поедем туда.

— Нет! — решительно отрезал Сент, и его взгляд стал таким жестким, что голубые глаза Флетчер широко распахнулись от удивления.

Арни с тревогой посмотрел на друга.

Сент мысленно обозвал себя идиотом и приказал успокоиться. Откуда ей знать, что с этим местом у него связаны самые дорогие воспоминания?

Сент решил больше не давить на Флетчер. Она хорошая девушка, мастерски играет в теннис и, уж конечно, совсем не похожа на Джи Би. Ее тело было более округлым и в то же время более мускулистым. Она переоделась в белый купальник, состоявший из крошечных треугольничков, связанных между собой тесемками. В нем девушка казалась почти голой. На левой груди, чуть повыше соска, Сент заметил у нее красно-коричневое пятнышко, нечто похожее на шрам или след от ожога.

Флетчер не была такой стыдливой, как Джи Би. Она свободно сидела в лодке, широко расставив ноги, и ела бутерброд. Сент прекрасно видел курчавые светлые волосы на ее лобке. Видел их и Арни; от природы застенчивый, он покраснел и отвел глаза.

Флетчер перехватила взгляд Сента, улыбнулась ему ленивой, раскованной улыбкой и задумчиво пожевала нижнюю губу.

Ночью Сент не мог заснуть.

Он лежал на спине в полумраке ночи, представляя, как полная луна отражается в гладкой поверхности озера. Молодой человек чувствовал и слышал биение своего сердца и пульсирующий бег крови по жилам, и все его мысли были о Джи Би.

Прошло столько времени, столько долгих дней, а он все еще жил, как монах. Его кровь бурлила, тело жаждало близости с Джи Би, но если ее нет рядом, то ему никто не нужен.

На смену томлению пришло ожесточение. Как она смеет заставлять его так мучиться?

Надо бы проучить ее. А что, если...

Образ Джи Би стал расплываться и исчезать, и на смену ему выплыл другой... образ Флетчер Мак-Гроу.

Одинокий, измученный бессонницей, Сент стал вспоминать ее во всех подробностях: рот, познавший поцелуи, маленькие белые зубки и розовый язычок, темные твердые соски, натягивающие тениску, завитки светлых волос между ногами и загадочный шрам, который сейчас в его воспаленном воображении представлялся ему знаком распутства и даже извращенности.

Он снова вспомнил плотоядную улыбку, когда девица перехватила его взгляд. Она специально дразнила, завлекая, и явно не возражала против более близкого знакомства.

Ну что же, он всего лишь человек со всеми присущими ему слабостями. Он отнюдь не святой, хотя многие его так называют.

— Это твоя вина, Джи Би, — произнес молодой человек. — Во всем вини только себя.

Глава 11

— Я развелся вскоре после твоего рождения, выждав приличное время, — рассказывал Сенту Слоун Тредвелл-старший.

Сент не знал, что сказать, если от него вообще ждали ответа. Он уткнулся в тарелку и начал считать куски дикой утки, разложенные, словно лепестки цветка, вокруг горки риса. Вышло семь кусков, разделенных между собой ломтиками апельсина, побегами аспарагуса и кресс-салатом. Отец заказал себе татарский бифштекс. На тарелке лежала темно-красная горка сырого мяса с круглым ярко-желтым сырым яичным желтком в центре. Сент содрогнулся: блюдо показалось ему отвратительной имитацией женской груди.

Он наблюдал, как отец погрузил вилку в желток и стал методично перемешивать его с мясом. Сент не выдержал и отвел взгляд, невольно поежившись под своим новым пиджаком от Версачи. Отрезав кусочек утки, он положил его в рот, мечтая, чтобы скорее наступил момент, когда можно будет под благовидным предлогом извиниться и уйти.

Получив от отца приглашение на обед по случаю своего совершеннолетия, Сент был польщен и тронут до глубины души. Этот обед представлялся ему чем-то торжественным и даже ритуальным, когда двое мужчин, отец и сын, вместе отмечают важное событие в жизни сына и отец воспринимает его если уж не как равного себе, то по крайней мере как взрослого разумного человека. Может быть, решил для себя Сент, теперь отец будет уделять ему больше времени, они лучше узнают друг друга, возможно, отец даже гордится тем, что сын никогда не пользовался его положением в обществе, а сейчас нашел свою дорогу в жизни и преуспел в деле, которое сам для себя выбрал, так как к этому времени Сент уже сумел продать свой роман. Его агент сообщил ему об этом накануне отъезда в Нью-Йорк:

— Поздравляю, Слоун. Роман взяли и на хороших условиях. Совсем неплохо для первой книги.

Арни пришел в восторг:

— Я покупаю права на постановку фильма. Мне хочется сыграть роль Джо.

Тетя Глория тоже была очень довольна:

— Я верила в тебя, Слоун.

Сент попросил ее ничего не рассказывать отцу, хотелось преподнести ему сюрприз за обедом.

Он забыл о своей обиде на Джи Би и позвонил. Ее, конечно, не было дома, но хотя бы Вера порадовалась за него:

— Это же здорóво, Сент! Ты, наверное, счастлив. И знаешь что, — смущенно добавила она, — у меня тоже хорошие новости относительно Старфайер.

— Как только я вернусь из Нью-Йорка, мы обязательно отпразднуем наши успехи, — пообещал Слоун. — Втроем. Ведь трио Старфайер живет и здравствует.

В первое же утро в Нью-Йорке Сент пошел познакомиться с редактором своей книги, которым оказалась модно одетая, энергичная блондинка лет сорока.

— Нам очень понравился ваш роман. Все уже устали от этих притонов, детей-психопатов и прочей дряни. В вашем романе реальная жизнь со всеми ее кошмарами. Ужас современной жизни — скоростная автострада. Мы пустим вашу книгу на рынок под рубрикой «Ужасы восьмидесятых». Прекрасный роман! А вы еще так молоды. Сколько вам лет?

— Почти двадцать один год.

— Я хорошо помню себя в эти годы.

Если бы только Джи Би была с ним, если бы он мог поделиться с ней своей радостью. Но все равно чертовски приятно, что тебя хвалят.

Через два дня Сенту исполнился двадцать один год, и, став совершеннолетним, он, согласно завещанию деда, мог самостоятельно распоряжаться пятью миллионами долларов, вложенными в трастовый фонд Тредвеллов. Торжественная церемония проходила в офисе мистера Фридмана. Сент поставил свою подпись под целой дюжиной документов. По окончании церемонии тетя Глория, сияющая и гордая, повела его на ленч в «Колони». Она надела поношенную соломенную шляпку, скрывавшую ее зачесанные наверх волосы, и розовый костюм от Шанель, которым гордилась вот уже двадцать пять лет. Сент заметил на рукаве свежее пятно грязи и сразу догадался, что перед отъездом тетя не удержалась и поработала в саду.

Отец отказался присоединиться к ним, сославшись на то, что они увидятся за обедом.

— Надень что-нибудь поприличнее, Слоун, — приказал он.

У Сента не было хорошего костюма и не хотелось покупать его, однако он постарался одеться со всей тщательностью: новый «с иголочки» пиджак — жемчужносерый в тонкую розовую полоску, темно-синюю рубашку от Ральфа Лорена и белые слаксы. Он даже подстригся ради такого случая. Однако его внешний вид произвел на отца совсем обратное впечатление.

— Ты похож на итальянского гангстера, Слоун, или на торговца наркотиками. А где твой галстук?

Обнаружив, что на сыне нет галстука и полностью отсутствует желание им обзаводиться, отец распорядился, чтобы мисс Геррити зарезервировала им столик в другом ресторане.

Поэтому вместо излюбленного ресторана отца с его удобными кожаными креслами, пышными стойками и отделанными дубовыми панелями кабинетами с сидящими в них средних лет мужчинами в добротных серых костюмах, таких же важных, как и отец, они сидели сейчас в новомодном маленьком ресторанчике со стеклянными перегородками, столиками, покрытыми розовыми льняными скатертями, с фантастически подобранной по цвету едой, подаваемой на огромных тарелках. Красноречивое молчание отца служило Сенту большим укором, чем любые гневные слова.

Сент смотрел на отца, солидного, седовласого и могущественного, такого неуместного здесь, как неуместен величественный монумент в оранжерее, заполненной тропическими цветами, но решив, что ни за что не позволит испортить себе настроение и праздник, он миролюбиво спросил:

— Если мать тебе совсем не нравилась, зачем же ты женился на ней?

— Она была беременна, — неохотно ответил отец.

Сент мысленно присвистнул. Такой чувствительности он не ожидал. Тредвелл-старший всегда умел хорошо владеть собой. Никаких эмоций, жалости или страха. Отец был корпоративной машиной, получающей все блага жизни, которые давало ему его положение в обществе. Но возможно, когда-то он тоже был молодым и беззаботным человеком, способным на романтическую любовь к женщине, красивой актрисе, пусть даже эта любовь длилась всего одну ночь.

Сент отложил вилку и посмотрел на отца с теплом и даже симпатией.

— Мной? — спросил он осторожно.

Отец кивнул.

— Тогда ты поступил правильно, женившись на ней.

— У меня не было выбора. — Отец разломил хлеб на две половинки и впился в одну из них крепкими белыми зубами. — Она отказалась делать аборт.

Сент открыл было рот, чтобы ответить, но вдруг понял, что у него нет слов. Он окунул веточку аспарагуса в голландский соус и молча вертел ее, полностью сосредоточившись на этом занятии.

Логически рассуждая, отца можно понять. Сент попытался поставить себя на его место. Это было в 1961 году, когда нравы были совсем другими. Отец, должно быть, по-настоящему испугался, когда узнал, что Спринг беременна. Конечно, ему хотелось, чтобы она избавилась от ребенка... Но если рассуждать с личных позиций, то: «Как он посмел? Ведь этим ребенком был я! Мой отец хотел, чтобы моя мать избавилась от меня». И тут сам собой возник роковой вопрос: «Зачем отец все это мне рассказывает? Неужели же не понимает, как жестоко говорить такие вещи? К чему он клонит? В чем дело? Слава Богу, что Спринг отказалась делать аборт. Спасибо тебе, мама. Возможно, ты не такая уж ведьма, какой стараешься казаться».

— Спринг отказалась от аборта, потому что это противоречило ее интересам. Ты был предметом нашей сделки.

— Ничего не понимаю.

— Пораскинь мозгами, Слоун. У нее на руках были все карты. Она дала мне ясно понять, что если я не женюсь на ней и не переведу на ее счет значительную сумму денег, то горько об этом пожалею.

— Что она намеревалась сделать?

— Трубить на всех углах, какой я мерзавец. Компания только вставала на ноги, и скандал был не в моих интересах, у меня уже тогда были враги.

«Не сомневаюсь», — подумал Сент.

— Я не мог позволить себе рисковать. Я женился на ней и перевел на ее счет требуемые деньги. Мы расстались сразу же после твоего рождения, а через полгода начался бракоразводный процесс, Спринг всегда была настоящей хищницей.

Сент выпил за обедом стакан вина и сейчас чувствовал себя осоловевшим.

— Зачем ты рассказываешь мне все это? — спросил он.

— Ты стал взрослым, и тебе пора знать правду. Ты уже должен понимать такие вещи.

— Спасибо, — ответил Сент. — Жаль, что я сразу не догадался. Теперь все понятно: я был предметом сделки, ты попал в ловушку, и потому ты никогда меня не любил.

Сент аккуратно сложил салфетку, положил ее рядом с тарелкой и встал из-за стола. Единственное, чего он сейчас хотел, так это поскорее уйти.

— Спасибо за обед, — вежливо поблагодарил он. — Думаю, мне лучше уйти.

— Нет, Слоун. Сядь на место. — Голос отца звучал так, словно тот разговаривал со своим нерадивым работником. — Я еще не все сказал.

— Есть что-то еще?

— Да, есть.

Сент неохотно опустился на стул.

Отец сцепил пальцы и положил на них подбородок. Впервые за время обеда он посмотрел Сенту прямо в глаза.

— Когда твоя мать преподнесла мне эту новость, я подсчитал, что она должна быть на втором месяце беременности.

Сент непонимающе посмотрел на него. Глаза отца, серые, как цинк, излучали холод.

— Ну и что?

— Спринг обманула меня. У нее уже было четыре месяца, а то и больше. Она была хорошо тренированной танцовщицей, с крепким и мускулистым телом. Беременность стала заметна только на шестом, а может, и на седьмом месяце. Только когда ты родился, по ее утверждению на два месяца раньше срока, хотя и был крупным, здоровым ребенком, весившим около девяти фунтов, я понял, на какую наживку клюнул. Прием старый как мир.

Сент закрыл глаза, наступило молчание.

— Ты хочешь сказать... — начал он.

— Она выдала чужого ребенка за моего, — закончил отец.

— Значит, ты... не мой отец?

— Мне кажется, что я все уже разжевал тебе, Слоун.

Известие оглушило Сента. Все посторонние звуки моментально исчезли. Он видел жующие рты, блеск столового серебра, официантов, несущих поднос с горами грязной посуды на них, но привычный шум ресторана растворился в тишине, и лишь легкий звон неприятно отдавался в голове.

— Почему же ты не отказался от меня? — наконец спросил он. — Почему ты все время делал вид, что я твой сын?

Губы отца растянулись в холодной, презрительной усмешке.

— В то время нельзя было допустить скандала, я не мог себе позволить стать посмешищем в глазах окружающих. Твоя мать поносила бы меня во всех бульварных газетах, пришлось принять неизбежное. Я сделал тебя своим наследником, дал свое имя, к которому ты, как я сильно подозреваю, всегда испытывал отвращение, но старался видеть тебя как можно реже. Скажу откровенно, это было выше моих сил. — Отец вздохнул и задумчиво посмотрел на Сента. — История не из приятных, но я чувствовал себя обязанным все рассказать тебе. Теперь ты понимаешь, почему все эти годы я уделял тебе так мало внимания.

К столику подошел официант:

— Что джентльмены закажут на десерт?

— Слоун, — обратился к нему отец, хотя какой он теперь ему отец? — Сдобная ватрушка смотрится совсем неплохо.

— Десерт? — Сент непонимающе посмотрел на него. — И после всего этого ты предлагаешь мне десерт?

— У нас есть прекрасный клубничный мусс, — вмешался официант. — А ореховый торт — просто чудо.

— Спасибо, нет, — ответил Сент, чувствуя, как к горлу подступает тошнота.

— Принесите мне кофе, — услышал он голос отца. Отца? — Без кофеина. Слоун?

Сент покачал головой. Официант поклонился и исчез.

— Тогда кто же он? — спросил Сент. — Кто мой отец?

Человек, сидевший напротив, пожал плечами. На его лице появилось выражение брезгливости.

— Не имею ни малейшего представления. Спроси об этом у своей матери, может, она сумеет вспомнить.

«Ну ты, старик, просто превзошел себя, — подумал Сент. — Тебе мало было воткнуть в меня нож, так ты еще и повернул его. Молодец, ничего не скажешь».

Он с сожалением посмотрел на него. Неужели можно быть таким расчетливо и мелочно жестоким? Это даже не жестокость, а подлость. «С этого момента, — подумал Сент с холодным презрением, — я тебе ничем не обязан. Я любил тебя, старался заслужить твое уважение. Но теперь хватит».

— Может, я поступил жестоко, Слоун, но, думаю, ты должен знать правду.

Сент скомкал розовую салфетку и аккуратно положил на тарелку для хлеба.

175

— Никакой жестокости, — спокойно ответил он. — Просто тебе нужно было насладиться местью.

— Местью? О чем ты говоришь? Не надо театральных жестов. Сейчас в тебе говорит твоя мать.

«Несчастный человек, достойный сожаления, — с горечью подумал Сент, затем медленно поднялся, ухватился за спинку стула, прижавшись к нему коленями, так как ноги его дрожали. — Для полноты картины не хватает только группы официантов с именинным тортом и песней о счастливом дне рождения».

— Почему ты не рассказал все это раньше? — спросил Сент. — Тогда не пришлось бы вводить меня в наследство. Не знаю, что тут скрывается, но определенно я не имею никакого права на эти деньги.

Сент вспомнил тот давний холодный, морозный день, когда он разорвал перед носом мисс Геррити тысячу долларов и бросил к ее ногам. Какое удовлетворение он тогда испытал. Вот бы разорвать сейчас пять миллионов долларов, удовлетворение было бы в тысячу раз больше.

— Ты как-никак мой законный наследник, Слоун. Эти деньги по праву твои.

— Я уже сам начал зарабатывать себе на жизнь и не нуждаюсь в этих деньгах.

— Не смеши меня. Аванс в десять тысяч долларов даже нельзя назвать деньгами.

— Это только начало.

Сент повернулся и направился к выходу.

— Слоун, немедленно вернись, не валяй дурака. — Впервые голос Тредвелла-старшего звучал не так уверенно, как раньше. В нем чувствовались некоторая растерянность и даже страх. — Слоун, не забывай, кто ты есть!

Сент бросил последний взгляд на человека, которого когда-то любил, чье уважение пытался заслужить все эти годы, и с грустью заметил:

— Если бы знал, то, может быть, и не забыл.

176

***

Сент быстрой походкой шел по улицам.

Злость душила его. В голове непроизвольно вырисовывался сценарий:

«Натура: улица, ночь. Воздух горячий и влажный. Толпы народа на улицах — влюбленные, люди, выгуливающие собак, зеваки, глазеющие на витрины магазинов. Молодой человек в модном итальянском спортивном пиджаке быстро шагает по улицам, кипя от злости.

Перед ним мелькают знакомые очертания домов, пока он резко не сворачивает в Центральный парк на Девятнадцатой улице. Молодой человек с востока на запад пересекает темный пустынный парк в полной уверенности, что аура гнева, окружающая его, служит ему превосходной защитой от подстерегающей опасности...»

Сент дошел до западной окраины города и на Амстердам-авеню резко развернулся и зашагал обратно в деловую часть города.

Он бродил по улицам до тех пор, пока совершенно не вымотал себя, и, только немного успокоившись, пошел на квартиру к матери. Было два часа ночи.

Пройдя в свою комнату, Сент хотел лечь спать, но скоро понял, что все равно не заснет: нервы слишком взвинчены. Решив не ждать до утра — да и матери к тому же не было дома, — он быстро сложил в сумку свои вещи, выскочил на улицу и, поймав такси, поехал в аэропорт Кеннеди. Купив билет, Сент первым же рейсом улетел в Сан-Франциско.

Приземлившись, он забрал свой «ягуар», припаркованный возле аэропорта, и помчался по прибрежному шоссе в сторону утопающего в туманной дымке города. Все его тело болело, ныла каждая косточка.

Как страшно узнать, что ты вовсе не Тредвелл, что твой отец никогда не был твоим отцом и что тетя Глория больше тебе не тетя, да и никогда ею не была. Как горько услышать все это, к тому же преподнесенное с

177

таким холодным торжеством, но еще горше внезапно осознать, что твоя любовь, которую ты питал к человеку всю жизнь, ему совершенно не нужна. Сейчас Сент чувствовал себя последним дураком.

Когда он добрался до города, все его эмоции сконцентрировались в одном неукротимом желании: поделиться с кем-нибудь своей болью.

Машина как бы сама свернула в сторону Телеграф-Хилл. Сент знал, что есть на свете единственная душа, которая поймет его.

Он припарковал машину и подошел к дому.

Нажав на кнопку звонка, Сент слушал, надеясь и страшась.

Джи Би открыла дверь.

Позже он будет спрашивать себя, что бы случилось, если бы дверь открыла Вера, которая почти всегда оставалась дома, но именно сегодня ушла в прачечную, и поэтому дверь открыла Джи Би да так резко, что Сент чуть не упал на нее.

— Что ты раззвонился, — начала она сварливо. — Я не глухая.

— Джи Би, мне надо срочно поговорить с тобой.

Пальцы Сента впились в ее голое плечо с такой силой, что девушка вскрикнула и отскочила.

— Прекрати немедленно! Какая муха тебя укусила?

Джи Би растирала плечо, на котором уже появились красные следы от его пальцев.

— Мне же больно, Сент.

— Ты мне очень нужна, Джи Би, — сказал он, не обращая внимания на ее замечание. — Можно я войду?

— Ты уже вошел.

Сент прошел в гостиную и чуть не споткнулся о раскрытый чемодан.

— Что это значит? — спросил он.

— Я собираю вещи.

— Собираешь вещи? Ты что, уезжаешь?

— Да, в Лос-Анджелес, в конце этой недели. Я переезжаю, я же тебе говорила, — добавила Джи Би, заметив его недоуменный взгляд.

Все полетело в тартарары, Сент даже растерялся. Неужели судьба уготовила новый удар?

— Ты не можешь уехать, я не хочу, чтобы ты уезжала.

Ему не стоило этого говорить. Он сразу все понял по вспыхнувшему в ее глазах гневу, но уже не мог остановиться.

— Я не хочу, чтобы ты уезжала.

— Я не твоя собственность! — завопила Джи Би. — Я вольна делать что хочу.

— Но ты мне сейчас нужна здесь, Джи Би, ты даже не представляешь, что со мной случилось... Господи, я же люблю тебя... ты мне так нужна...

И Сент схватил ее, крепко прижал к груди, чувствуя, как напряглось ее тело, как оно сопротивляется его объятиям и девушка вертит головой, стараясь уклониться от поцелуев. В своей горячности он даже не почувствовал боли, когда она схватила его за волосы и что есть силы потянула назад.

— Пожалуйста, Джи Би. Ради Бога, Джи Би. Ведь я знаю, что ты тоже любишь меня, ты хочешь меня так же сильно, как и я тебя. Я это чувствую. Ты должна ко мне вернуться. Ты должна...

Ей наконец удалось вырваться из его объятий. Лицо ее пылало от гнева.

— Я тебе ничего не должна, я даже не люблю тебя. Не смей ко мне прикасаться.

— Если ты уедешь в Лос-Анджелес, я последую за тобой. Я буду следовать за тобой повсюду.

— Нет, Сент. В последний раз говорю тебе: оставь меня в покое. Я не желаю тебя видеть, не хочу и никогда не хотела тебя.

— Нет, хотела. — Сент даже засмеялся. — Вспомни нашу последнюю ночь на яхте. Тогда ты впервые испытала желание. Я это говорю со всей определенностью. Попробуй сказать, что это не так.

Джи Би тоже засмеялась, но ее смех звучал безрадостно и холодно.

— Не обольщайся. Я и тогда притворялась, как притворялась все время, пока спала с тобой. Я просто использовала тебя, потому что тогда ты был мне нужен, но сейчас я больше не нуждаюсь в тебе. Прошу, ради всего святого, уходи и никогда не возвращайся снова. Оставь меня в покое. Я этого больше не вынесу.

Сент по изнуряющей жаре мчался в сторону Траки и озера Тахо, знойный ветер хлестал ему в лицо. Ревя мотором, он обгонял дисциплинированных водителей, грубо подсекая их на поворотах и не обращая ни малейшего внимания на сигналы, выжимал скорость семьдесят, восемьдесят, а зачастую и сто миль в час, ожидая, что вот-вот раздастся вой полицейской сирены, и в то же время твердо веря, что аура гнева защищает его сейчас в тысячу раз сильнее, чем прежде, потому что последнее потрясение не шло ни в какое сравнение с преследованием полиции и прочими мелочами жизни. Никакая сила не могла его сейчас остановить.

Не сбавляя скорости, Сент свернул на дорогу, ведущую к озеру Тахо, и поехал вдоль берега извилистой реки Траки, не замечая ни прохладной манящей тени прибрежных кустов, ни зеркальной, сверкающей глади воды.

Открыв большие ворота, он подъехал к дому Арни и только тут увидел блестевшее сквозь деревья озеро и ощутил острый запах сосен.

К счастью, здесь не было ни души.

Арни уехал в Лос-Анджелес.

У Евы и Вернона выходной.

Сент резко затормозил, подняв столб пыли. Кинув на крыльцо сумку, он бросился к озеру и, ломая кусты, выскочил к пустынному причалу.

Единственное, чего он сейчас хотел, — это плавать, плавать долго, до полного изнеможения, чтобы очистить себя от ненужных эмоций, забыть все, что накипело на душе.

Сент сорвал с себя всю одежду и голым бросился в холодную воду. Вода обожгла разгоряченное тело, и он вынырнул, чтобы перевести дыхание. Размашистыми гребками Сент доплыл до середины озера, не щадя себя и не замечая холода, сковывавшего тело. Он плавал до тех пор, пока не заболели руки, затем перевернулся на спину и долго лежал, глядя в безоблачное голубое небо. Вода в озере оставалась неподвижной, в тишине можно было расслышать движение воздуха.

Прошло пять минут, и он стал замерзать. Кожа на руках и ногах посинела, как у мертвеца.

Сент быстро поплыл к причалу, с силой разгребая воду.

Дрожащими от напряжения руками он ухватился за доски причала, подтянулся и вылез. Сент стоял, подставив лицо солнцу, вода капала с его тела и...

— А ты прекрасно плаваешь, — произнесла Флетчер Мак-Гроу.

Сент сжал ноги и согнулся. Отбросив с лица мокрые волосы, он оглянулся и увидел ее, сидевшую со скрещенными ногами на пляжной полосатой подстилке и с улыбкой смотревшую на него сквозь зеркальные солнцезащитные очки.

— Какого черта ты здесь делаешь? — со злобой спросил Сент.

— Я слышала, как ты приехал, и мне захотелось поболтать. Здесь ужасно скучно.

— Оставь меня одного, Флетчер, — сказал он, опускаясь на одно колено. — Сегодня я неподходящий человек для компании.

— Я все это время ужасно скучала, и к тому же отец сегодня уехал по делам в Сакраменто. — Девушка посмотрела на него бесстыдными голубыми глазами, протя-

181

нула руку и дотронулась до плеча. — Как ты мог купаться в такой холодной воде?

— Послушай, Флетчер...

— Ты отличный пловец. — Она внимательно разглядывала его голую грудь, все еще вздымавшуюся после быстрого плавания, на его соски, затвердевшие от холода, затем на плоский живот и скрещенные мускулистые ноги. — Сдается мне, что ты все делаешь мастерски, — многозначительно добавила Флетчер.

— Иди домой, — попросил Сент.

— Почему?

Кончиком розового языка она провела по губам и едва заметным движением спустила с плеча бретельку, так что ее грудь обнажилась до самого соска.

— Потому что сегодня я не в настроении. — Сент посмотрел на нее. — Я говорю серьезно, уходи отсюда.

Флетчер снова облизала губы, на сей раз полностью обнажив грудь — круглую, крепкую и белую с бледно-коричневым соском.

— А ты, пожалуй, действительно злишься. Что случилось, Сент?

Она зажала сосок между пальцами, затем нежно потерла его ладонью.

— Не дразни меня, Флетчер. Мне сейчас не до этого.

— Ты очень похож на дикого зверя, показавшего клыки...

— Господи, да успокойся, ты меня нисколько не волнуешь.

— Продолжай в том же духе, Сент. Мне это даже нравится.

Она расстегнула верхнюю часть бикини и выставила грудь вперед.

Сент окинул взглядом грудь, затем посмотрел Флетчер в лицо. Та уставилась на него, улыбаясь странной загадочной улыбкой.

Сент подошел очень медленно и повалил ее на рассохшиеся щелястые доски причала. Опершись на ладони, он навис над ней, затем сорвал с нее дорогие темные очки и бросил их в воду. Голубые глаза Флетчер смотрели на него с выражением, которого Сент раньше ни у кого не видел, а потому не мог понять его; и опять розовый язычок пробежал по губам.

— Твоя злость возбуждает меня, — сказала она.

Сент полностью утратил возможность соображать. Все в нем кипело от злости, и только где-то далеко, глубоко в сознании билась мысль: остановись, остановись, пока не поздно.

— Ты же хочешь меня, хотел с первого дня знакомства. Помнишь, тогда на лодке? Не притворяйся, что я не возбуждаю тебя. Кому, как не мне, знать... Я же вижу.

Почти слово в слово то же самое, что он говорил Джи Би.

Это было последней каплей. Сент со всей силой прижал ее к жестким доскам причала. Сейчас это была уже не Флетчер, это была Джи Би, и ему хотелось причинить ей боль. Сент хотел отомстить за все страдания, которые она ему причинила.

Флетчер изворачивалась под ним, дралась, кричала, била его кулаками по спине, царапала лицо.

— Ты, чертов мерзавец!

Чтобы заставить ее замолчать, Сент впился ей в губы, кусая их до крови, после чего крики стали глуше, и так длилось до тех пор, пока он не кончил. Было ужасно, но Сент получил ни с чем не сравнимое удовольствие.

Он почти без сознания рухнул на ее тело. Из-под полуоткрытых век Сент видел, как окружающая его природа теряет свои красные яркие краски и постепенно приобретает спокойные тона.

— О Господи, — прошептал он распухшими губами.

Флетчер тихо лежала под ним. Все тело ее было в красных кровоподтеках, которые назавтра превратятся в синяки.

— О Господи, — снова повторил Сент. — Флетч, прости меня.

Он скатился к краю причала, и его стошнило. Сент ничего не ел со вчерашнего дня, и во рту появился противный кислый вкус.

— О Господи, — повторял он снова и снова. — Что я наделал? Почему не сдержался?

Флетчер лежала на боку и смотрела на него. Она выглядела спокойной и умиротворенной и улыбалась ему. Сент не поверил своим глазам, но она действительно улыбалась.

— Все прекрасно, — услышал он. — Это было просто потрясающе. Я еще никогда не испытывала такого блаженства.

Сент уткнулся лицом в ее мягкий живот и горько заплакал. Ему показалось, что Флетчер гладит его по голове.

Глава 12

Позавтракав на скорую руку чашкой черного кофе и кусочком мускатной дыни, Вера убежала на работу.

Теперь она в основном работала.

Ее скудные сбережения быстро таяли. Джи Би предложила ей и дальше оплачивать квартиру, несмотря на то что сама она теперь будет жить в Лос-Анджелесе.

— Мне приятно знать, что у меня здесь квартира и я могу в любое время вернуться, — говорила она Вере, — и кроме того, так мне кажется, что я участвую в проекте Старфайер.

Предложение было заманчивым, и все же Вера отказалась: Старфайер с каждым днем все меньше принадлежала ей. К тому же не хотелось быть кому-либо обязанной. В конце концов они решили вносить арендную плату пополам.

Старфайер ожидал большой успех.

— Мы возлагаем большие надежды на Старфайер, — сказал ей при встрече Фил Солвей, — впрочем, как и на вас.

Но надеждами не оплатишь квартиру. Девушка не получит ни цента, пока проект Старфайер не запустят в производство и она не появится во всех газетах, а на это уйдут долгие месяцы.

Пока Вера не имела ни малейшего представления, когда она начнет получать деньги за свой труд.

Представитель «Экспресс фичерз» планировал ознакомить с проектом владельцев газет, принадлежавших синдикату, только в начале следующего года, а это означало, что если тот их заинтересует, то публикация начнется не раньше марта.

А пока Вера была вынуждена искать работу и желательно в вечернюю смену, чтобы иметь возможность рисовать днем. Но и тут возникала масса проблем: у нее не было разрешения на работу в стране, а значит, надо искать такое место, куда бы ее взяли без лишних вопросов и платили наличными. Именно это послужило одной из причин, почему Джи Би предложила ей полностью взять на себя арендную плату; уж кто-кто, а она-то прекрасно знала, что значит найти работу, не имея документов.

К счастью, в это время в Америку вернулся доктор Уилер, который помог ей получить ссуду в Калифорнийском банке. Сначала Вера отказывалась от его помощи, но он был так настойчив, что девушка согласилась.

— Очень мило с его стороны, — заметила Джи Би подозрительно. — Чего ради он так старался?

— Просто доктор — хороший человек.

— Сдается мне, что здесь он преследует свои цели, иначе никогда бы этого не сделал.

Именно этого Вера и боялась, но старалась гнать от себя такие мысли.

— Я выплачу ему все до последнего цента, — сказала она резко.

— Тогда не о чем беспокоиться, — ответила Джи Би и как бы между прочим спросила: — Тебе что-нибудь известно о Сенте?

— Нет. А почему он тебя вдруг заинтересовал?

Джи Би открыла рот, чтобы ответить, но в последний момент передумала и, так ничего и не сказав, ушла в парикмахерскую.

Вера вздохнула, заставила себя не думать ни о Сенте, ни о денежных затруднениях и, решительно отодвинув чашку с недопитым кофе, приступила к следующей серии рисунков о Старфайер.

Она нарисовала ее с распущенными, покрытыми инеем волосами, с возмущением разглядывающую маслянистое нефтяное пятно, разлившееся вокруг затертой льдами скалы, усыпанной трупами птиц, тюленей, котиков, а также на плавающую вверх брюхом рыбу.

— Кто посмел это сделать? — гневно спрашивала Старфайер. — Они за все поплатятся!

Эти гневные слова Вера поместила вокруг головы Старфайер и разукрасила этот круг сосульками, чтобы показать арктический холод, который самой Старфайер был нипочем, и она могла ходить по морозу легко одетая.

С улицы донесся громкий рев мощного мотора, но Вера, привыкшая к постоянному фырчанию мотоциклов на их улице, не обратила на него никакого внимания и продолжала увлеченно работать.

Воображение рисовало ей удивительные картины: высокие горы, уходящие снежными вершинами в холодное серое небо, сталкивающиеся между собой льдины и окрашенный в черный цвет танкер, плывущий навстречу Старфайер, стоящей на плавучей льдине.

Ближний план.

Президент «Калко». Приятной наружности и обходительный, лет пятидесяти; во рту большая сигара, лицо лоснящееся. Обращается к группе исполнительных директоров:

— Если мы правильно рассчитаем курс, то сумеем проплыть мимо, источая запах розы. Пусть вся ответственность возлагается на правительство.

Крупный план.

Старфайер командует танкеру:

— Не приближайтесь, а то вам придется горько пожалеть.

Рев мотора затих. Вера не выдержала и подошла к окну. Внизу стояла спортивная машина, капот покрывала дорожная пыль. Машина заехала на тротуар, где парковаться было запрещено. За рулем сидел Сент и через темные очки смотрел на их окна. Что-то странное виделось в повороте его головы, в опущенных плечах, горьких складках у рта, но Вера так обрадовалась, что решила не вдаваться в подробности и отложить все выяснения до более удобного случая. Достаточно того, что он приехал, хотя, как она прекрасно знала, Сент приехал не к ней, а к Джи Би.

Сент наконец выключил мотор и взял с заднего сиденья нечто похожее на бутылку, завернутую в коричневую бумагу.

— Привет, Вера, — сказал он, когда девушка открыла ему дверь, не подавая виду, что наблюдала за ним из окна. — Проезжал мимо и решил зайти. Джи Би дома?

Вера сразу же почувствовала разочарование, но приказала себе не глупить.

— К сожалению, нет.

— Хорошо, — сказал Сент, закрывая за собой дверь. — Я приехал повидаться с тобой.

Сердце Веры подпрыгнуло от радости.

— Нам с тобой есть что отпраздновать, — продолжал Сент. — Не забыла? Права на мою книгу и твои рисунки Старфайер купили в одно и то же время. Счастливое стечение обстоятельств. — Сент снял темные очки, и Вера увидела белые круги вокруг глаз, образовавшиеся на фоне его покрытого пылью лица. — Она скоро вернется?

Сердце Веры снова упало.

— Нет, — ответила она. — Сегодня съемки, и Джи Би вернется поздно.

— Чудесно, — с явным облегчением сказал Сент.

Он выглядел очень усталым. Неверной походкой Сент прошел в гостиную, и у Веры даже мелькнула мысль, что он пьян, но, присмотревшись, девушка поняла, что это действительно сильная усталость. Да к тому же было всего одиннадцать часов утра.

— Поздравляю, — сказал Сент. — Счастливого дня рождения.

— У меня не было никакого дня рождения, — ответила Вера.

— Я знаю, зато у меня был. Совсем недавно.

Сент достал из сумки бутылку дорогого шампанского, встряхнул и стал открывать. Теплое и хорошо взболтанное шампанское рвануло из бутылки, выстрелив пробкой в потолок. Сент молча наблюдал, как пена стекает по его пальцам, а Вера бросилась за бокалами.

— Мне уже двадцать один год, — напомнил ей Сент. — Представляешь — двадцать один год. Я могу ходить в бары и заказывать выпивку, а они обязаны меня обслуживать. И я сам могу платить за себя, теперь у меня куча денег.

— Это же чудесно, — сказала Вера и спросила: — Как прошел обед с твоим отцом?

Сент вскинул голову и внимательно посмотрел на нее. Взгляд его ничего не выражал.

— Я ел утку, — ответил он после некоторого замешательства. — Дикую утку. Целых семь кусков. А мой... — Сент запнулся и нахмурился. — А он... он ел женскую грудь.

Вере стало неприятно. Девушка решила, что ослышалась или Сент не расслышал ее вопроса и, задумавшись, сказал что-то невпопад. Однако она почувствовала, что ему почему-то неприятно говорить об обеде, и поспешила сменить тему разговора.

— Расскажи мне о своей книге, — попросила Вера.

Сент облегченно вздохнул. Рассказывая о книге, он стал более сосредоточенным и серьезным, ходил по комнате, пил шампанское и с увлечением рассказывал: ему нравится его редактор, он полностью ей доверяет, у нее полно идей, она просит кое-что изменить, но совсем немного, и он совершенно с ней согласен — эти изменения пойдут на пользу.

— Они поставили ее в план на осень следующего года, — закончил Сент свой рассказ.

— Октябрь — самый подходящий месяц, — согласилась Вера, удивляясь тому, как медленно здесь все двигается. — Что ты собираешься предпринять дальше? — спросила она.

Сент с шумом поставил бокал на стол.

— Сейчас я пишу сценарий, уже написал половину и считаю, что получилось совсем неплохо. Сценарий писать интереснее, особенно когда ты все себе живо представляешь. — Сент улыбнулся, глаза его заблестели, и молодой человек стал почти прежним. У Веры отлегло от сердца. — Теперь твоя очередь, — сказал он.

Вера просияла и принялась рассказывать о своих переговорах в «Экспресс фичерз».

— Все хорошо, только мне надо следить за языком, — заметила она.

— Естественно. Ты ведь будешь писать для детей, их пап и мам и для тетушки Эдны. Никакое сквернословие здесь недопустимо.

Вера искренне рассмеялась:

— Нет, Сент, ты меня неправильно понял. Для них Старфайер уж очень смахивает на англичанку. Я никак не могу усвоить американский сленг.

— Это твой контракт? — спросил Сент и, не ожидая разрешения Веры, стал его читать: «...договор между автором произведения и «Экспресс паблишинг компани».

— Ты его читала, Вера?

— Конечно.

— Ты должна прочитать его очень внимательно. Сейчас я просмотрю его.

«...настоящим «Экспресс фичерз» обязуется выплатить автору пятьдесят процентов (50%) от прибыли... полученной «Экспресс фичерз» от продажи всех публикаций за вычетом расходов, связанных с затратами на публикацию».

Сент нахмурился:

— Они забирают себе половину. Ты хоть понимаешь это?

Вера кивнула:

— Они говорят, что это нормально, потому что дело связано с большим риском. Разве это не так?

— Возможно. Но все равно мне кажется, что они берут себе слишком много. Сколько денег ты будешь зарабатывать?

— Немного. Несколько сотен долларов в месяц, после того как им удастся пристроить мои рисунки хотя бы в пятьдесят газет. Они говорят, что реальные деньги появятся, когда начнут производить игрушки, майки и выпускать книги.

— Это только в том случае, если Старфайер будет пользоваться успехом.

Сент внимательно дочитал контракт и бросил его на стол.

— Все это чудесно и на законном основании, если ты, конечно, подпишешь его.

— Обязательно подпишу.

— Гм...

Сент начал просматривать новые рисунки о Старфайер, концентрацией воли та заставляла танкер покинуть арктические воды. Он просматривал их снова и снова, и его лицо мрачнело.

Вера допила шампанское. Оно было теплым и не таким приятным, как охлажденное. Возможно, ей стоит приготовить кофе, оно взбодрит Сента после долгой дороги, особенно если он все-таки немного выпил. Девушка встала. Выглянув в окно, Вера увидела, что около машины Сента стоит полицейский и что-то пишет.

— Сент, скорей сюда. Тебя штрафуют.

Сент даже не повернул головы. Он внимательно изучал лицо Старфайер, грозно смотревшей на останки покрытых нефтью мертвых животных.

— Лишь бы они не отбуксировали мою машину, — рассеянно заметил он.

— Но...

— Пусть себе... Послушай, Вера...

— Но ты должен...

— Это не имеет значения. Иди сюда.

Вера повиновалась и, подойдя к Сенту, заглянула ему через плечо. Он водил пальцем по лицу Старфайер.

— Буквально несколькими штрихами тебе удается точно передать выражение лица. Я знаю, что она думает, что чувствует. Именно это я пытаюсь выразить словами в своей книге.

Вера была польщена.

— Спасибо, — покраснев, поблагодарила она.

— А ее глаза... ее взгляд... он такой выразительный. Но я совершенно согласен с издателями относительно текста. Он должен быть таким же хорошим, как и рисунки. Однако ты не можешь делать и то и другое, тебе нужен писатель.

— Да, — согласилась Вера, — но у меня нет возможности платить ему.

— Тебе и не надо этого делать.

— Но тогда как же...

— Я сам буду писать текст.

— Ты? — Лицо Веры расцвело в улыбке. — Ты серьезно? Это было бы просто замечательно.

— Но при одном условии.

— Конечно.

— Тогда договорились. Ты позвонишь в «Экспресс фичерз» и вежливо откажешься. Скажешь, что тебе сделали лучшее предложение.

— Лучшее? — Вера в недоумении посмотрела на Сента. — Что за предложение? Ничего не понимаю.

— Старфайер слишком хороша для бульварных газет. Нечего ее продавать каким-то синдикатам. Она должна быть свободной. Я предлагаю тебе организовать собственное дело. Это будет наш бизнес — твой и мой. Мы создадим издательство, выпускающее комиксы. Мы с тобой издадим такую книгу, что все лопнут от зависти. Это будут комиксы восьмидесятых годов с их реальной жизнью, а не с ходульными героями, которые сейчас заполонили все газеты. Мы сделаем наших героев красивыми, серьезными, подмечающими все недостатки современной жизни. Мы будем рассказывать о проблемах нашего века. Ты правильно начала с Арктики. Потом мы можем перенести действие в тропики, в места захоронения радиоактивных отходов. Старфайер или спасет планету, или погибнет вместе с ней. Мы сделаем ее известной. Она станет героиней нашего поколения, войдет в классику. — Сент улыбнулся, но его улыбка была усталой, сардонической и неприятно холодной. — У меня сейчас куча денег, Вера. Целых пять миллионов долларов. Я ума не приложу, что с ними делать.

Сент взял со стола контракт и разорвал его пополам. Разорванные страницы упали на пол.

— Когда-то я разорвал тысячу баксов, а теперь контракт.

Вера абсолютно ничего не понимала. Девушка смущенно посмотрела на Сента. Определенно он пьян, хотя рассуждает разумно. Пьян или не пьян, но она ему всецело доверяет.

— У меня есть новый тост, — сказал Сент. — За наше партнерство.

Партнерство. Вера размечталась: «Теперь мы партнеры. Я буду видеться с ним каждый день. Мы будем работать бок о бок». Она напомнила себе, что на этот раз Сент пришел ради нее. Ему совсем не хотелось встречаться с Джи Би. Как все чудесно обернулось. Девушка старалась заглушить в себе внутренний голос, который нашептывал ей, что здесь что-то не так, что все плохо, плохо, плохо...

Сент снова наполнил бокалы.

— За партнерство! — провозгласил он, чокаясь с Верой. — Какой чудесный день — счастливый день рождения, успех, партнерство и еще кое-что... Подумать только, я чуть не забыл об этом. — Его лицо посуровело, в уголках рта залегли горькие складки. — Поздравь меня, Вера. Я женюсь.

Девушка, потрясенная, опустилась на стул, тупо уставившись на закрывшуюся за Сентом дверь, и тут же услышала, как взревел мотор. Машина рванула с места, и все затихло. Женится.

Затем, действуя инстинктивно, она слепо побрела к холодильнику, как к давно забытому, но все еще горячо любимому другу, который приходит на выручку в минуты тяжелых потрясений. Однако она забыла, что живет вместе с Джи Би. В холодильнике не было ничего, кроме газированной воды и йогурта.

Ближе к вечеру вернулась Джи Би с пустыми упаковочными коробками в руках.

— Догадайся, что случилось, — сказала ей Вера. — Сент женится.

Джи Би отреагировала не сразу. Она достала с верхней полки шкафа несколько шиньонов и бросила их на кровать.

— Я тебе не верю, — ответила она наконец каким-то странным голосом.

— Но это правда.

Джи Би молча смотрела на Веру, ожидая, по всей вероятности, уверений, что это шутка, но та, сложив на груди руки, с интересом смотрела на нее.

— Ты не разыгрываешь меня? — спросила Джи Би. — Это действительно правда?

Вера молчала, и Джи Би засыпала ее вопросами:

— Как ты узнала? Кто тебе сказал об этом?

— Он сам сказал. Ее зовут Флетчер Мак-Гроу.

— Но кто она такая? Я никогда не слышала этого имени.

— Они встретились на озере Тахо. Арни говорит, что ее отец арендовал дом неподалеку. Он разводит скаковых лошадей. Она блондинка и очень сомнительной репутации.

— Сомнительной репутации, — как эхо повторила Джи Би.

— Ты хоть понимаешь, о чем я говорю? — удивилась Вера. — Ты как будто и не удивлена совсем. Может, ты уже что-то знала?

Джи Би покачала головой:

— Откуда?

— Арни очень обеспокоен. Он считает, что Сенту не следует жениться на ней.

Арни сказал буквально следующее: «В ней есть что-то странное, Вера. Она симпатичная и сперва производит хорошее впечатление, но под ее внешностью скрывается что-то фатальное».

— Похоже, Сент поспешил, — заметила Джи Би. — Слишком поспешил.

— Арни говорит, что они встречались всего пару раз и что Сент ее совсем не знает.

Джи Би подошла к окну, теребя руками пшеничного цвета шиньон, который напоминал собой конский хвост. Вера украдкой наблюдала за ней. Ей все время казалось, что Джи Би что-то утаивает от нее. Должно быть, что-то произошло между ней и Сентом, чего Вера не знала.

— Может, она беременна? — вымолвила наконец Джи Би.

— Нет, не беременна.

— Откуда ты знаешь?

— Она не может быть беременна. Арни говорит, что если и беременна, то пока не может об этом знать. Я даже не уверена, что они вообще... — Вера запнулась и покраснела. — Ну это... Были вместе.

Вера с подозрением посмотрела на Джи Би. «Что произошло между вами и когда?» — захотелось крикнуть ей, но она хорошо знала, что Джи Би ни за что не ответит на вопрос, так как не любит говорить на личные темы.

Новость о том, что Сент женится, была ошеломляющей, однако дни шли, и Вера постепенно успокаивалась. Свадьба произойдет не раньше будущего года, а это срок немалый.

— В конце весны, — сообщил Сент при следующем визите. — Раньше дизайнер не справится.

— Дизайнер? — удивилась Вера, которой всегда казалось, что для свадьбы нужны только жених и невеста, ну и, конечно, мировой судья. — Зачем он нужен?

— Чтобы все выглядело красиво, — разъяснил Сент. — Обстановка, наряды и все прочее.

— Совсем как в кино.

— Вот именно. Она хочет, чтобы свадьба состоялась на Юге, как в романе «Унесенные ветром». Кринолины, галантные южные джентльмены, барбекю, азалии и прочая дребедень. Это должен быть май или начало июня, когда появятся жеребята, чтобы придать всему большее оживление. Ну до этого еще далеко, — добавил Сент нетерпеливо. — Давай не будем сейчас об этом. У нас полно работы, Вера.

Страшное слово «свадьба» отодвинулось на задний план, и Вера постаралась убедить себя, что этого никогда не произойдет, и ей даже удалось забыть о ней.

Шли недели, и Флетчер с головой ушла в подготовку к свадьбе, ведя переговоры с фотографами, рассылая публикации в газеты и журналы, подбирая подарки, составляя списки приглашенных, а Сент, совершенно безучастный к своей собственной свадьбе, все свободное время посвятил Старфайер.

Они виделись с Флетчер только в выходные.

Он даже не хотел говорить о ней, что Веру вполне устраивало.

Целыми неделями Сент принадлежал ей, потому что Джи Би тоже уехала.

С каждым днем Вера чувствовала себя все счастливее и счастливее. Сент, казалось, тоже был счастлив. Ему нравилось ее общество и, уж конечно, нравилось быть издателем.

Он создал компанию «Старфайер инкорпорейтед», вложил в нее три миллиона долларов и назначил Вере зарплату в сумме четырех тысяч долларов в месяц, несмотря на ее протесты: «Я не могу получать так много... это твои деньги». В конце концов девушка согласилась, поняв, что таким образом сможет расплатиться с Дональдом Уилером, и вняв доводам Сента: «Как ты не понимаешь, Вера! Талант должен хорошо оплачиваться. Он стоит очень дорого, во всяком случае, должен стоить».

— Но нельзя же столько платить за то, что мне нравится делать и что я буду продолжать делать, несмотря ни на что.

— Твое дело не спорить, а рисовать, — последовал ответ.

Он нашел компанию, занимающуюся графикой, которая выразила не только горячее желание работать с ними, но и имела свою превосходную офсетную печать. Вера приспособила рисунки под формат листа книги комиксов, а Сент, уже имея на руках готовую продукцию, часами висел на телефоне, обсуждая качество бумаги, шрифт и сроки поставки. Он встречался с дистрибьюторами и полным ходом запустил рекламную кампанию. «Так многому надо научиться и так быстро», — говорил он с удовлетворением, наслаждаясь каждой минутой рабочего времени.

Много внимания Сент уделял и самому тексту. Он купил компьютер с программой цветного графического изображения, от которого Вера пришла в ужас.

— Мне никогда не научиться на нем работать. И зачем еще эта «мышка»?

— Научишься. Это очень легко.

Для Сента, может быть, и легко. Увлеченный, он впитывал в себя информацию быстрее, чем сам компьютер. Сент часами мог смотреть на экран, обдумывая текст, накладывая одно изображение на другое, стирая их и снова оживляя, выкрикивая при этом:

— Поймал! Просто великолепно!

Или:

— Нет, не то. Попробую еще... Вера, посмотри. Может, вот так: Старфайер и сенатор, как бы в ретроспективе, выдержанные в темных тонах. Затем Старфайер остается наедине с мертвыми животными, вымазанными мазутом. Она говорит: «Кто-то должен ответить за это... Подобные люди не имеют права на существование...» Все как в кино, все равно что писать сценарий.

Дни летели с ужасающей быстротой. Вера и Сент вместе работали и учились, спорили и понимали друг друга с полуслова. Рисунки Веры становились все совершеннее, а текст Сента лаконичным и четким.

Незаметно подошло Рождество, и Сент уехал, чтобы провести рождественские каникулы вместе с семейством Мак-Гроу. Это неприятно задело Веру, хотя она знала, что когда-нибудь так и должно было случиться. Однако она старалась не думать о Флетчер и ее отце как о будущих невесте и тесте, а думала о них просто как о семье, куда Сент уехал погостить.

Чем быстрее приближалась дата отъезда, тем мрачнее становился сам Сент. Вера чувствовала, что ему не хочется туда ехать, и не могла не радоваться. Как-то раз, воодушевив себя несколькими порциями джина с тоником, она спросила:

— Зачем ты женишься на ней, Сент? Ведь ты ее совсем не любишь.

— Она мне нравится.

— Этого недостаточно.

— Ну хорошо, я ей обязан.

— Это тоже не основание, чтобы жениться. И что значит обязан? Что она такого сделала?

— Однажды, когда я был... очень расстроен и сделал нечто ужасное, она отнеслась ко мне по-человечески, а могла бы отнестись совершенно по-другому.

— А что ты сделал?

Лицо Сента стало суровым.

— Прости, Вера, но это мое личное дело.

— Но, Сент...

— Я же тебе сказал, что это чисто личное, и давай больше не будем говорить на эту тему.

Однако по мере приближения Рождества Сент начал волноваться за Веру, что ее очень трогало, ей нравилась его забота.

— Мне не хочется оставлять тебя одну, — говорил он, — но и взять тебя с собой я тоже не могу. Даже если бы ты согласилась поехать.

— Ты прекрасно знаешь, что я не соглашусь, но спасибо за заботу.

— Но что ты здесь будешь делать совсем одна? Все свое время ты проводила со мной и не успела обзавестись друзьями.

Вера думала было поехать на Рождество в Англию, но эта идея сразу же отпала. Она боялась покидать страну, так как виза ее заканчивалась, а без нее ей вряд ли разрешат вернуться обратно. Она попыталась объяснить это маме.

Та решительно ее не понимала. Она писала длинные слезливые письма, обвиняя Веру во всех своих несчастьях: «У меня такое чувство, будто меня выбросили как старую, никому не нужную собаку. Какой смысл иметь детей, если они оставляют тебя одну именно тогда, когда ты особенно в них нуждаешься? Конечно, я понимаю, что ты меня никогда по-настоящему не любила, но...»

Вера послала маме на Рождество большую посылку с дорогими рождественскими подарками.

«Спасибо, конечно, — писала мама в ответ, — но это не то, что мне нужно. Я хочу, чтобы моя девочка вернулась ко мне».

Вера представляла, как одиноко ей будет на Рождество, но случилось непредвиденное: в Америку приехал на каникулы Дональд Уилер и пригласил ее погостить в его семье.

— Похоже, что доктор твой хороший друг, — заметил Сент.

— О да. Он заботился обо мне всю мою сознательную жизнь, — поспешила объяснить Вера. — Он чудесный человек, помог мне похудеть, одолжил денег...

— Значит, он твой бойфренд?

— Нет, конечно.

— Но хочет им быть?

— Господи, Сент, что за мысли. Он же старый, ему уже под сорок.

Однако, к своему удивлению, Вера охотно приняла предложение Дональда Уилера и была рада погостить на ранчо его матери в долине Напа всю рождественскую неделю.

Мать Дональда Анна Барделучи Уилер была родом из знаменитой семьи виноделов. Она повстречалась и вышла замуж за отца Дональда, английского доктора, когда тот восстанавливал здоровье в одном из санаториев Калифорнии после длительного пребывания в лагере для военнопленных на Филиппинах во время второй мировой войны. Дональд родился в Лондоне, куда его отец вернулся, чтобы снова начать свою прерванную практику врача, хотя его жена так и не смогла адаптироваться к местному климату, пище и людям. Когда муж Анны, всегда отличавшийся слабым здоровьем, умер от пневмонии, полученной им от напряженной работы во время долгой холодной зимы, она немедленно уехала вместе с сыном обратно в Калифорнию, где возглавила семейный бизнес. Сейчас эта моложавая женщина шестидесяти пяти лет, с редкой сединой в рыжих волосах, проводила все свое время, объезжая семейные владения на стареньком, заляпанном грязью джипе.

Вера немного побаивалась ее, но как только Анна узнала, что ее гостья ничего не смыслит в выращивании винограда, то, несмотря на законы гостеприимства, потеряла к ней всякий интерес и почти не замечала ее. Дональд находил ситуацию комичной.

— Не обращай на нее внимания, — говорил он Вере. — В своем деле она просто фанатик. На меня мама давно махнула рукой.

Вера так обрадовалась встрече с доктором Уилером, что даже стала называть его просто Дональдом. Теперь ей было с кем поболтать, и она выложила ему все: рассказала о компании, созданной Сентом, об успехах Джи Би в Лос-Анджелесе и об Арни, который к этому времени полностью вылечился и сейчас снимал фильм в Солнечной долине, штат Айдахо. Дональд восхищался успехами Веры и расточал ей комплименты как по поводу Старфайер, так и по поводу ее стройной фигуры.

Однако в канун Нового года доктор чуть было не испортил Вере отдых своим невинным замечанием:

— Итак, ты все еще любишь Сента?

Вера покраснела и тем самым выдала себя.

— Сент единственный человек, о котором ты ничего не рассказываешь, — мягко заметил Дональд.

— Он собирается жениться.

— Значит, кому-то удалось подцепить его на крючок.

В полночь доктор поцеловал ее под веткой омелы на виду у всех собравшихся гостей. Поцелуй был со значением, и Вера испугалась.

— Пожалуйста, Дональд, никогда больше этого не делай.

— Ты же знаешь, как я отношусь к тебе, Вера. И всегда так относился. — И, рассмеявшись, добавил: —

Что тебе не нравится во мне? Ты принимаешь меня за извращенца или любителя маленьких девочек?

Вера покраснела и потупила взгляд. Он всегда ей очень нравился, но с тех пор многое изменилось, и девушке не хотелось, чтобы он питал какие-нибудь надежды.

— Мне бы не хотелось, чтобы вы... — начала она запинаясь. — Вы же знаете, что я не могу...

— Ну хорошо. Я не собираюсь давить на тебя. Пока. Но, пожалуйста, имей меня в виду. Я скоро снова приеду домой, у меня дела с Национальной системой здравоохранения.

На следующий день он улетел в Англию, а Вера вернулась в Сан-Франциско.

Вскоре приехал Сент.

Вера, довольная и счастливая, опять вместе с ним с головой ушла в работу, придумывая все новые приключения своей Старфайер, и дни текли спокойно и безмятежно, пока в начале мая она не получила по почте богато украшенный конверт с вложенным в него листком старинной пергаментной бумаги цвета слоновой кости, текст которой гласил: «Вы приглашаетесь отпраздновать бракосочетание Флетчер Роско Мак-Гроу и Слоуна Сент-Джона Тредвелла-младшего...»

Это было как гром среди ясного неба.

— Нет, — сказала себе Вера, — нет. Я туда ни за что не поеду.

До этого момента Флетчер была для нее чем-то нереальным, какой-то призрачной блондинкой, владеющей большим состоянием.

— Что ты так разволновалась? — удивился Сент. — Для нас с тобой ничего не изменится. Какая разница?

— Большая. Теперь все будет по-другому.

Итак, всему конец. Сент, конечно же, не сможет проводить с ней много времени, как это было раньше. Вера пришла в отчаяние.

Только одно средство могло ее успокоить. Как только Сент в очередной раз уехал к Флетчер, Вера в самом мрачном настроении бросилась в кондитерскую, расположенную за углом, и накупила там разнообразных пирожных с жирным кремом.

Немного полегчало, но не надолго.

Она пошла на местный базар и накупила там всякой всячины: пончиков, мороженого, конфет, шоколадный торт, засахаренных фруктов, хотя отлично понимала, что все это бесполезно — даже все сладости мира не смогут заполнить пустоту, образовавшуюся внутри нее.

Проснувшись утром в день свадьбы, Сент наконец осознал, что его жизнью отныне станут Флетчер Мак-Гроу, ее отец и его сомнительное положение принца-консорта в самой могущественной в долине семье.

Только теперь до него дошло, что причина, заставившая его жениться на Флетчер Мак-Гроу, не является веским основанием для брака, что своим поступком он ранит многих людей, но отступать было поздно.

Как Сент и предсказывал Вере, свадьба была хорошо поставленным спектаклем с огромным количеством действующих лиц. Организаторы проявили большое искусство и изобретательность, и сейчас, когда свадебную машину запустили полным ходом, сама мысль, чтобы остановить ее, сказать себе «беги, пока не поздно», что это все не более чем фарс, что этого не должно случиться, была настолько нереальной, что Сента прошиб холодный пот.

Казалось, полстраны собралось посмотреть на то, как он женится на Флетчер Мак-Гроу. Зону парковки забили дорогие машины, суммарная стоимость которых равнялась стоимости валового продукта какой-нибудь небольшой страны, а на взлетно-посадочной полосе аэродрома семьи Мак-Гроу стояли разные самолеты — среди них четырехмоторный «Цессна», на котором прилетела мать невесты из Скотсдейла, штат Аризона.

Усадьбу Мак-Гроу со старинным особняком с колоннами, действительно очень похожую на поместье Тара из «Унесенных ветром», окружали зеленые пастбища, на которых паслись кобылы с резвыми жеребятами.

В такой живописной местности, как эта, знаменитому свадебному декоратору из Беверли-Хиллз было где развернуться.

Слегка наклонную лужайку перед домом преобразовали в романтичный сад с бельведерами, шпалерами, увитыми розами, с огромными корзинами цветов; повсюду стояли столы, украшенные гирляндами из белой и темно-голубой лаванды — скаковые цвета Мак-Гроу. Ожидалось, что, когда Харлан Мак-Гроу произнесет тост за счастье молодых, в небо взлетят тысячи бабочек, но церемония затянулась, солнце стало клониться к закату, и сонные бабочки отказались покидать контейнеры. Они обошлись хозяину в десять тысяч долларов, но желаемого эффекта не получилось, правда, гости об этом мгновенно забыли за обильной едой, дорогой выпивкой и шумными разговорами.

Тетя Глория, одетая в дорогой, но давно вышедший из моды бежевый полотняный костюм, который она специально берегла для таких торжественных случаев, ошеломленно смотрела по сторонам и, поздравляя Сента, тихо спросила:

— Кто все эти люди, Слоун? Я здесь абсолютно никого не знаю.

Мать Флетчер, дубленая кожа да кости, в розовом шелковом платье, которое свисало с ее костлявых плеч, зато выгодно оттеняло теннисный загар, встретила Сента крепким мужским рукопожатием и, подойдя к нему почти вплотную, так что он чувствовал запах джина и сигарет у нее изо рта, спросила дребезжащим, скрипучим голосом:

— Знаешь, зачем ты здесь? Моя девчонка перемалывает таких, как ты, и выплевывает еще до наступления рассвета.

Харлан Мак-Гроу, широкоплечий, с такими огромными ручищами, что бокал с шампанским казался наперстком в его руке, посоветовал:

— Она очень норовистая, кровь в ней так и бурлит. Постарайся держать ее в узде, и все будет превосходно.

— Да, сэр, постараюсь.

— И не вздумай обидеть мою маленькую девочку. Она для меня самое ценное в мире.

Вера, усталая и апатичная, в неподходящем для торжества аляповатом синем, похожем на абажур платье, явно скучала. Сент представил ее Флетчер, которая, оглядев девушку с головы до ног, небрежно улыбнулась.

— Значит, вы та самая женщина, с которой я делю своего мужа? — Слова были произнесены с вызывающим высокомерием, а глаза Флетчер смотрели на Веру, как на пустое место, и Сент почувствовал внезапный приступ злобы.

Арни, шафер Сента, прекрасно смотрелся в сизого цвета жилете, бледно-лиловых штанах и длинной рубахе с темно-голубыми гофрированными кружевными манжетами — костюме героя из фильма «Дрозды-рябинники», который вышел на экраны к Рождеству. Приглашенные журналисты следовали за ним по пятам, как волы в упряжке. Он расточал всем и каждому ослепительные улыбки, но его знаменитые зеленые глаза оставались серьезными и грустными.

— Надеюсь, ты понимаешь, что делаешь, — сказал он приятелю.

— Я тоже на это надеюсь.

— Почему здесь нет Джи Би?

— Я ее не приглашал.

Арни с удивлением посмотрел на Сента.

— Я не хотел, чтобы она приезжала сюда, — ответил тот, — и давай закроем эту тему.

Взгляд Арни стал жестким.

— Что она тебе сделала? — спросил он. — Между вами что-то произошло? Вера говорит, что вы поссорились.

— Я сказал, хватит об этом, — резко оборвал Сент.

— Хорошо, прости. — Арни слегка пожал плечами. — Но помни, что я всегда рядом. Я в твоем распоряжении в любое время.

Ну и, конечно, сама Флетчер выглядела сногсшибательно: изящная и нежная, как лепесток магнолии, облаченная в платье из тафты, из-под которого выглядывали изысканные кружева, с газовой вуалеткой, легким облаком окутывающей ее головку, она была чудо как хороша. И хотя они вместе играли в теннис, плавали, катались верхом, танцевали, спали несчетное число раз и многое из этого ему нравилось, Сент вдруг понял, что совсем ее не знает, но, что ужаснее всего, и не хочет знать.

Однако из всего происходящего, из всей этой веселой неразберихи, из всех людей с их шумной болтовней лучше всего запомнился Сенту разговор с матерью.

Они не виделись очень давно. И хотя он неоднократно порывался встретиться с ней и выбить из нее правду: «Так кто же он, мама? Скажи мне, кто мой отец?» — мать всегда была неуловима, да и сам Сент, увлеченный работой над «Старфайер», постепенно успокоился и, махнув рукой, решил, что в конце концов это не так уж и важно. Все это было раньше, но сейчас этот вопрос снова встал перед ним. Сейчас, как никогда, ему важно получить на него ответ, потому что, если бы не этот обед с его... со Слоуном Тредвеллом-старшим, не было бы этих гостей, и в понедельник утром он бы снова вернулся к своей работе с Верой, а не... Сент сразу и решительно отогнал от себя мысль о предстоящем медовом месяце.

Спринг Кентфилд оделась в полном соответствии с сегодняшним торжеством: золотые локоны, ниспадающие на плечи из-под шляпки сапфирового цвета, шуршащий кринолин с пеной воздушных юбок, в руках изящный зонтик, прикрывающий лицо от загара. Она сделала повторную подтяжку лица, и издали ей можно было дать не больше тридцати.

По иронии судьбы Спринг сама коснулась вопроса, давно мучившего Сента.

— Какое хамство, что сюда не приехал твой отец.

— Мне странно это слышать, мама.

— Почему, дорогой?

— Я не приглашал на свадьбу своего отца, так как не знал, кому послать приглашение.

— Слоун, дорогой, что ты такое говоришь?

— Мне очень жаль огорчать тебя, мама, но отец, то есть твой бывший муж, сам заговорил об этом за праздничным обедом по случаю моего дня рождения. Он дал мне ясно понять, что не является моим отцом. Мне же очень хочется знать, кто является им в действительности.

Спринг, похоже, потеряла дар речи.

— Слоун! — воскликнула она наконец. — Что ты такое говоришь? И что за тон? — Спринг встряхнула золотыми кудрями и расправила кринолин. — Какое нелепое предположение.

— Не надо притворяться.

Мать широко распахнула свои голубые глаза и стала вертеть в руках зонтик.

— О, Слоун, неужели ты ему поверил?

— Почему же я должен не верить?

— Ты же знаешь, как он меня ненавидит. Дорогой, Тредвелл ужасный человек и просто решил поссорить нас с тобой. Ему доставляет удовольствие делать мне гадости. В самом деле...

Она слегка прижалась к нему и рукой, затянутой в лайковую голубую перчатку, убрала с его лба свесившуюся прядь волос. Жест был такой нежный и материнский, что у Сента возникло подозрение, что где-то рядом фотограф.

— Не хмурься, — приказала Спринг, дотрагиваясь пальцем до складки, залегшей между бровями сына. — Сегодня день твоей свадьбы! — воскликнула она весело. — Мне кажется, что уже пора резать свадебный торт!

Спринг таким образом легко ушла от ответа. Она действительно была хорошей актрисой, но минутное замешательство выдало ее с головой.

Одним словом, ничего не изменилось. Он только что совершил самую большую ошибку в своей жизни и должен винить за это только себя.

Глава 13

В апреле 1984 года, в Акапулько, почти год спустя после своей женитьбы, Сент, лежа в постели номера гостиницы, название которой так никогда и не сможет вспомнить, твердо знал, что его браку пришел конец.

Год выдался ужасный, и если вспоминать, то все можно свести к четырем характерным эпизодам, которые отравляли Сенту не только мозг, но и душу.

Июль. Они на ранчо. Играют в теннис...

Покрытый красной кирпичной крошкой корт словно охвачен огнем от нестерпимой утренней жары. Перед глазами Сента мелькают красные круги; он вытирает пот со лба и щурится, чтобы лучше видеть.

Подача Флетчер. Она откинулась назад, подняв ракетку высоко над головой. Ее груди напряглись и заострились. На ней — теннисные туфли и носочки с помпончиками, на голове махровая повязка, на руках такие же напульсники — и все, больше ничего нет. Можно считать, что она совсем голая.

Она ударяет по мячу, удар сильный и резкий. Сент отбивает мяч у самой сетки. Он играет неистово, его волнует ее голая грудь. Флетчер бьет по мячу, и тот летит через высокий забор в заросли олеандров. Флетчер смеется. Слышится мужской крик:

— Кончайте играть, миссис Тредвелл. Привели жеребца.

Флетчер вся напряглась, отбросила ракетку и побежала к воротам, кивнув Сенту через плечо:

— Быстрей!

Сент пожал плечами и последовал за ней в заросли олеандров, через которые проходила едва заметная тропинка. Флетчер остановилась у живой изгороди и раздвинула ветки. Сент посмотрел через ее плечо. За кустами с яркими розовыми цветами находился небольшой загон. На нем, переминаясь с ноги на ногу, стояла крупная чалая кобыла, а рядом с ней совсем маленький жеребенок. Здоровенный детина — ветеринар, как сообщила Флетчер, — стоял рядом с кобылой и гладил ее по холке.

Выглядывая из-за плеча Флетчер и не зная, чего ожидать, Сент увидел, как ветеринар расправил плечи и повернул голову, явно нервничая. Надвигалось что-то грозное и даже опасное. Сент услышал мощный топот копыт по земле, отчего та задрожала, звук мужских голосов, удары хлыста, скрип кожи и выкрики проклятий на испанском языке.

Спустя некоторое время в загон выскочил широкогрудый жеребец, тонна мяса и мускулов, едва сдерживаемый двумя мексиканскими ковбоями, буквально повисшими с двух сторон его крупной, рвущейся из их рук головы. Его громкое ржание напоминало трубный клич.

— Вот это жеребец, — восхищенно прошептала Флетчер. — Настоящий производитель. Вот подлец, чуть не откусил парню руку. Я бы побоялась даже приблизиться к нему.

На долю секунды Сент забыл о Флетчер, забыл обо всем на свете. Жеребец был настолько прекрасен, что у него от восхищения перехватило дыхание. Спина животного блестела от хорошего ухода, грива разметалась, шея изогнулась, и Сент внезапно вспомнил сильных лошадей на старых фламандских гобеленах. Запах кобылы уже сильно взбудоражил жеребца.

— Вот это да! — восхищенно воскликнула Флетчер. Она встала за спиной Сента, прижалась к нему голой грудью, расстегнула «молнию» его шорт и просунула в них руку, стараясь возбудить мужа.

— Ты когда-нибудь видел что-нибудь подобное? — спросила она. — Как бы мне хотелось быть кобылой, чтобы испробовать на деле такое чудо.

— Не смей!

Сент попытался оттолкнуть ее руки. Сцена, разворачивавшаяся перед ним, завораживала и одновременно пугала его. То, что делала Флетчер, казалось ему смешной пародией на происходившее в загоне.

— Не смей, сейчас не время и не место.

— Почему? — удивилась Флетчер. — Не будь ханжой. Лошади нас не почуят, мы стоим против ветра. Никто нас не видит и ничего не узнает.

Но Сент женат уже два месяца, и за это время ему многое открылось, поэтому он с горьким чувством подумал: «Все всё видят и знают».

Определенно все знает ветеринар, по виду тоже мексиканец. Сент догадывался, что стал уже предметом насмешек и косых взглядов. Он замечал кривые ухмылки ковбоев и конюхов. Сент не кто иной, как очередной «жеребец» Флетчер. Как хорошо, что он знает по-испански всего лишь несколько слов.

Сравнительно недавно Сент узнал то, что на протяжении многих лет знали все в округе, а возможно, и в штате: Флетчер была сексуальной разбойницей. Она вела список всех мужчин, с которыми спала, а затем отвергала за ненадобностью, причем описывала их во всех подробностях. В первую же неделю медового месяца жена рассказала ему о своей связи с ветеринаром, очевидно, считая, что сейчас, когда они уже женаты, ей нет нужды притворяться.

— Я переспала с ним всего лишь раз и сразу же отвергла, а этот наглец стал рассказывать мне о своей любви и уговаривал бежать с ним. Ты представляешь? Я о него ноги вытирала, а он не отставал. Мне кажется, некоторые люди любят, когда их топчут. Чем больше на них плюешь, тем им лучше. Как ты считаешь?

— Не знаю, — едва сдерживаясь, ответил Сент. — Со мной у тебя этот номер не пройдет.

— Конечно, — ответила Флетчер, широко распахнув глаза, — ты совсем другое дело.

Она крепко прижалась к нему, ее ногти вонзились ему в спину.

— Я хочу тебя прямо здесь, Сент, прижми меня к стене и покажи, на что ты способен. Прошу, Сент...

И он подчинился и занялся с ней любовью прямо в коридоре, выходящем из гостиничного вестибюля. И это в десять часов вечера, когда в любую минуту кто-нибудь мог войти. К счастью, никто не появился, хотя, возможно, тогда ему это было бы безразлично, так как Флетчер пробудила в нем дикую страсть.

Жеребец приблизился к кобыле и осторожно поднял передние ноги, как бы примериваясь. Кобыла отскочила, а вместе с ней и жеребенок.

Один из мексиканцев отвел жеребенка в сторону. Другой, ухватив кобылу за уздечку, удержал ее на месте, затем начал поглаживать ей ноздри. Кобыла фыркнула и прижала уши.

Жеребец с развевающейся на ветру гривой и раздутыми от возбуждения ноздрями подошел к ней и потерся носом о ее холку. Кобыла издала угрожающий звук. Жеребец попытался пристроиться к ней, но та, оскалив зубы, начала лягаться. Державшие ее мужчины полетели в разные стороны. Один из них упал на спину и чуть не угодил под передние копыта, послышалась грязная ругань.

Флетчер взобралась Сенту на спину и впилась зубами ему в шею, но в ту же минуту извернулась и оказалась впереди него. Согнувшись и уперевшись руками в колени, она подставила ему свой зад.

— Давай действуй. Представь себе, что я кобыла. Ну давай же, делай, как он.

Сент посмотрел на загорелые ягодицы, и голова его пошла кругом.

Проклиная себя за безволие, он ухватил ее и с силой вошел в глубины тела, закрыв при этом глаза. Флетчер теснее прижалась к нему задом и стала помогать его сильным движениям, которые становились все быстрее и неистовее, и вскоре ему показалось, что он уже пронзил ее до самого горла. Его руки сжимали ее грудь, ногти впивались в плоть, оставляя на ней кровавые следы, и Сент знал, что жена будет рассматривать эти ссадины и кровоподтеки и плотоядно улыбаться.

Совокупление животного достигло кульминационного момента. С губ кобылы стекала пена, жеребенок, привязанный к забору, жалобно ржал. Жеребец трубил и брызгал слюной.

— Да, — стонала Флетчер, — да, да, да...

Сент зажал ей рот рукой, и она зубами впилась в нее...

Сентябрь. Спальня...

— Если ты когда-нибудь надумаешь уйти от меня, — говорит Флетчер с коротким дребезжащим смехом, — я убью тебя. Помни об этом.

Она лежит на кровати в одном тонком кружевном бюстгальтере, который тотчас же расстегивает и швыряет на пол.

— А потом, — продолжает жена, поглаживая груди, — потом я убью себя. У меня есть очаровательный маленький дружок.

Взмахнув длинными ногами, она вскакивает с кровати и бежит к стенному шкафу.

— Хочешь с ним познакомиться? Смотри. Вот здесь он живет. Хитрый маленький дьяволенок. Разве не очаровательный?

— Нет, — твердо заявляет Сент, рассматривая «маузер» с инкрустированной перламутром ручкой, который жена хранила среди белья, вибраторов и прочей дребедени. — Нет, мне он совсем не нравится. Где ты, черт возьми, его раздобыла?

— Папочка подарил, чтобы я могла в любой момент защитить себя. Папочка меня очень любит.

На следующий день Сент решил поговорить с Харланом Мак-Гроу. Впервые за весь месяц ему удалось повстречаться с ним. Он готов был присягнуть, что все это время тесть нарочно избегал его.

— Мистер Мак-Гроу, нам надо поговорить.

— Конечно, сынок, в любое время.

— Речь пойдет о Флетчер.

Харлан Мак-Гроу ускорил шаг.

— Давай поговорим в другой раз... У меня назначена встреча...

— Мне не нравится, что у нее есть пистолет.

— Послушай, сынок, я сам подарил ей его.

— Это я знаю.

— Меня часто не бывает дома, да и ты почти всегда в Сан-Франциско, а она остается одна. Девочка должна как-то защитить себя.

Сент ускорил шаг, чтобы не отставать от тестя.

— Она относится к нему не как к средству защиты. Для нее он игрушка, забава. Вы понимаете меня, мистер Мак-Гроу?

— Харлан, сынок. Зови меня Харлан. Сколько раз я должен тебе напоминать?

— Хорошо, Харлан. Мне надо серьезно поговорить с вами. Не могли бы вы остановиться и выслушать меня? Флетчер нуждается в помощи, она больна.

— На мой взгляд, девочка выглядит вполне здоровой. Что с ней могло случиться?

Тяжелое лицо Мак-Гроу порозовело, что было довольно странно для человека, который проводит большую часть времени, наблюдая за спариванием лошадей. «Похоже, что в душе он ханжа, когда речь заходит о людях, — подумал Сент, — и особенно если это касается его дочери».

— Она что... ты что... — замялся тесть, а затем выпалил одним духом: — Флетчер ждет ребенка?

— Нет, она не беременна, — ответил Сент, начиная злиться. — Ей нужен совсем другой врач. Она нуждается в консультации психиатра.

Харлан Мак-Гроу резко остановился, и его лицо налилось кровью.

— Что ты мне здесь сказки рассказываешь? Ты хочешь сказать, что у нее не все в порядке с головкой? Она такая же сообразительная и разумная, как и мы с тобой.

— Я говорю о другом, мистер... Харлан. Речь идет о вещах, связанных с сексом. Она...

— С сексом? — Харлан Мак-Гроу задумчиво покачал головой. — Ну хорошо, сынок. Она, конечно, была сумасшедшей девчонкой. Ну погуляла немного... Но сейчас с этим покончено. Она замужняя женщина, все образуется. — Тесть внимательно посмотрел на Сента. — Ты ведь не из этих... Тебе ведь нравятся женщины?

Сент кивнул.

— Тогда не о чем беспокоиться. — Харлан Мак-Гроу подавил вздох и похлопал себя по карману. — Хочешь сигару?

— Нет. Спасибо.

Мак-Гроу еще раз посмотрел на зятя с подозрением, как будто сомневался в его мужских достоинствах на том лишь основании, что тот отказывается от хорошей сигары.

— Твоя жена красивая женщина, надеюсь, ты это ценишь. Парни начали виться вокруг нее, когда ей было лет одиннадцать-двенадцать. Но сейчас она уже перебесилась.

Сент опять кивнул.

— Сейчас со всем этим покончено. Она твоя жена, и ты должен заботиться о моей девочке. Будь с ней ласков. Я говорил это раньше и повторяю сейчас, от этого тебе же будет лучше.

Декабрь. Рино, отель «Белли». Съезд крупных промышленников.

Жить в отеле с одним из крупнейших казино в мире — в этом было что-то сюрреалистическое. Здесь был свой особый мир, где день сливался с ночью, время текло медленно и незаметно, где даже двери с пурпурными стеклами, отделявшие этот мир от окружающего, создавали иллюзию вечных сумерек.

Торжественный обед состоялся на третий день их пребывания. Флетчер, яркая, сияющая, пышущая здоровьем и похожая на зрелый румяный персик, в шелковом розовом платье, расшитом золотом и бисером, стоимостью в пять тысяч долларов, — просто неотразима. Отец гордится и своей красивой дочерью, и ее дорогим платьем, улыбается ей, похлопывает по руке, называет крошкой и дорогушей.

Перед самым обедом Флетчер захотелось поиграть со своей новой игрушкой — настоящими наручниками. Она потребовала, чтобы Сент приковал ее к кровати и хорошенько избил. Он отказался. Флетчер с кулаками набросилась на него, затем выскочила из комнаты, хлопнув дверью.

Весь обед жена была холодна с ним, улыбалась только отцу, а после обеда отказалась посмотреть шоу и потанцевать.

— Я поиграю с папой в рулетку, — заявила она, — и выиграю кучу денег.

Немного позже он увидел ее, сидевшую рядом с отцом за рулеткой. Около нее на столе лежала куча стодолларовых фишек.

Мак-Гроу помахал ему рукой.

— Иди сюда, сынок, развлекись немного.

Сент покачал головой:

— Как-нибудь в другой раз.

Тесть посмотрел на него с тем же подозрительным сомнением, с которым смотрел раньше, когда Сент отказался от сигары.

— Я плохой игрок, — разъяснил Сент.

Пять часов спустя Сент, прижавшись лбом к холодному стеклу окна, наблюдал, как далеко внизу тянулся на юг нескончаемый поток машин. Западнее машины ехали в сторону Сьерра-Невады, в небе сияла холодная, безмолвная луна.

Сент никак не мог заснуть. В два часа ночи, встревоженный отсутствием Флетчер, он спустился в казино, но ее там не было. В предрассветной тишине наступающего холодного утра Сент взывал к луне, горам и пронзительному ветру:

—. Где она? С кем? Что делает?

За дверью послышался какой-то шорох.

Сент почувствовал, как неприятный холодок пробежал по спине. Все было таким таинственным, неприятным. Сент отвернулся от окна и прислушался.

Кто-то теперь пытался открыть замок.

Сент, споткнувшись о ковер, бросился к двери и распахнул ее.

На пороге стояла Флетчер. Лицо ее было все в кровоподтеках и распухло, на губах запеклась кровь, платье разорвано.

— О Господи! — воскликнул Сент и, подхватив жену на руки, отнес на большую круглую кровать, где осторожно снял с нее остатки платья. Грудь также покрывали синяки, на шее остался след от зубов, из которого струилась кровь.

— Господи, Флетч. Что с тобой случилось? Сейчас я вызову доктора и полицию. Кто, черт возьми, тебя так разукрасил?

— Не надо полиции, — прошептала жена распухшими губами. — Не надо никуда звонить.

Но Сент кричал по телефону:

— Мою жену избили. Она срочно нуждается в помощи. Господи, Флетч, кто же мог себе позволить такое сделать?

Флетчер слегка приоткрыла один глаз.

— Какая разница, кто это сделал, — ответила она, и по ее тону Сент почувствовал, что жена довольна. — Встретила его за игорным столом. Думаю, что он мафиози, отмени полицейских.

Сент растерянно смотрел на жену.

— Но зачем ты это сделала, Флетч? Я ничего не понимаю. Зачем?

— Потому что ты отказался выполнить мою просьбу.

— За кого ты меня принимаешь?

— Если бы любил, то непременно сделал то, о чем я тебя просила. Просто ты меня совсем не любишь и никогда не любил. — Флетчер разрыдалась.

И вот теперь, в Акапулько, в апреле, всему пришел конец.

Всю зиму Сент старался как можно реже бывать дома, ссылаясь на работу над «Старфайер». Постепенно Флетчер начала ревновать его к Вере.

— Неужели тебя не тошнит от толстых женщин? — спрашивала она.

К этому времени Сент уже решил, что им надо расстаться, и чем скорее, тем лучше. Дни, которые он проводил за работой в Сан-Франциско, стали для него спасительным островком, оазисом в море грязи, и с каждым разом Сент все неохотнее возвращался к Флетчер.

Ему становилось все труднее и труднее вспоминать все то хорошее, что у них было, если вообще в их отношениях было что-то хорошее. Когда-то она проявила доброту и нежность по отношению к нему, но сейчас Сент сомневался и в этом. Скорее всего ее доброта была наградой за то, что она сумела соблазнить его, что он подчинился ее воле и изнасиловал.

— Так дальше продолжаться не может, — сказал ей Сент как-то в начале апреля.

— Рада, что ты тоже так думаешь, — согласилась Флетчер. — Нам пора обзаводиться собственным домом.

— Я не это имел в виду.

— Может, нам переехать в Палм-Спрингз? — предложила Флетчер. — Там потрясающе. Совсем нет смога и хорошие теннисные корты.

— Нам надо поговорить, Флетчер. Мы обязательно должны серьезно поговорить.

Так они оказались в Акапулько, в роскошном отеле с отдельными гостевыми коттеджами, с индивидуальными плавательными бассейнами, в отеле, построенном в

1930 году как уединенное место для отдыха очень богатых людей.

На второй день после их приезда Сент отправился на прогулку. Было жарко, душно и очень тихо, так тихо, что он мог слышать биение своего сердца.

Он шел по дорожке, вымощенной белым мрамором; слева от него находился бассейн, справа шел ряд стройных низкорослых пальм.

Дверь их коттеджа оказалась открыта. Оттуда доносились странные звуки. Осторожно ступая, Сент вошел в дом и остолбенел. Сквозь открытую дверь спальни он увидел сцену, которую не забудет до конца своих дней. Его как кипятком ошпарили. Пораженный, Сент не мог сдвинуться с места.

Флетчер лежала на спине поперек кровати, раскинув руки, длинные ноги широко раздвинуты. Между ними, уткнувшись лицом в заросший светлыми волосами лобок, лежал абсолютно голый мужчина. Сент видел только его темную голову с длинными гладкими волосами и слышал чавкающие звуки. В руке его был нож, острие которого он нацелил Флетчер прямо в живот. Сама же она, с закрытыми глазами и искаженным от страсти лицом, со стоном выкрикивала:

— Да, да, да, делай это сейчас!

Сент с ужасом увидел, как мужчина осторожно провел лезвием ножа по ее животу, на котором тотчас же набух кровавый рубец, а Флетчер закричала от восторга и боли.

Мужчина медленно повернул голову и увидел стоявшего в дверях Сента.

Оказалось, это был вовсе не мужчина, а мальчик лет шестнадцати, не старше. Сент видел, как глаза подростка расширились от ужаса, рот скривился, лицо побледнело. Он начал что-то быстро говорить по-испански, голос его дрожал от испуга, несмотря на нож в руке. Сент ничего не понял из того, что он говорил, но легко догадался: Флетчер заставила его сделать это и, наверное, хорошо заплатила.

Сент не сомневался, что так оно и было. Наконец он нашел в себе силы сдвинуться с места. Кивнув мальчику, Сент отступил в сторону, освобождая проход.

Мальчик быстро вскочил и с выпученными от страха глазами ринулся к двери. Сент отвлеченно подумал, что все выглядело бы очень комично, не будь так трагично. Почувствовав свободу, мальчик пустился наутек.

Флетчер лениво перевернулась на бок, провела руками по животу, лизнула окровавленные пальцы и громко рассмеялась.

— Ты ненормальная, — сказал Сент. — Тебе надо лечиться.

— Просто немного развлеклась. Хочешь порошка? Возьми в ванной. Это он принес мне.

Сент пошел в ванную комнату, на ручное зеркальце Флетчер был насыпан белый порошок.

«Неужели ко всему прочему еще и это?» — подумал он, высыпая кокаин в унитаз. Порошок покрыл воду молочной пленкой. Сент спустил воду.

— Эй! — закричала Флетчер. — Что ты там делаешь?

Сент вернулся в спальню и встал у кровати, беспомощно глядя на жену.

— О Господи, — вымолвил он наконец. — Какая же ты сучонка. — Сент сел на кровать и взял Флетчер за руку. — Тебе нужна срочная помощь, я не оставлю тебя в беде, завтра же утром мы возвращаемся в Калифорнию.

— Что ты сказал? — грозно спросила Флетчер, прищурив глаза.

— Я сказал, что ты нуждаешься в помощи.

— Нет, что ты сказал до этого?

— Я сказал, что ты сучонка и мне тебя очень жаль.

Флетчер размахнулась и ударила Сента по лицу.

— Паршивый ублюдок! Как ты смеешь со мной так разговаривать? Попробуй только еще раз сказать мне что-нибудь подобное. Мне не нужна твоя жалость, никто не смеет меня жалеть.

— Флетч...

— Убирайся отсюда!

— Нет, я не оставлю тебя в таком состоянии.

— Лучше бы тебе убраться. Я не желаю тебя видеть, если ты сейчас же не исчезнешь, я закричу и расскажу всем, что ты пытался меня зарезать.

Она бросилась на него, нацеливаясь выцарапать глаза. Сент перехватил ее руки и отбросил на кровать. Она вырывалась с такой силой, что он едва удерживал ее. Ее глаза яростно горели, но внезапно злость ушла и в них вспыхнула страсть.

Она облизала губы, улыбнулась и потянулась к «молнии» на его шортах. Потрясенный произошедшей с ней переменой, Сент резко оттолкнул жену и быстро поднялся.

— Прекрати!

Флетчер проворно вскочила с кровати и схватила его за руку.

— Послушай, Сент, я пошутила. Ты можешь остаться.

— Нет, Флетч, извини.

Сент выскочил из коттеджа, широким шагом пересек аллею и вошел в вестибюль основного здания отеля, где толпа ярко одетых туристов делала предварительный заказ на завтрашнюю морскую рыбалку. Флетчер, как была голая, вбежала за ним.

— Сент, остановись. Подожди.

Сент не обращал на нее никакого внимания. Выбежав на раскаленную улицу, он вскочил в первое попавшееся такси и захлопнул дверцу.

Флетчер принялась стучать в стекло. Таксист переводил испуганный взгляд с нее на Сента, не зная, что делать.

Выражение лица пассажира было таково, что таксист решил не вмешиваться и с ходу рванул машину. Флетчер пробежала еще несколько шагов, оставляя на стеклах такси кровавые отпечатки пальцев. Сквозь рев мотора был слышен ее голос:

— Ты очень пожалеешь об этом, Сент. Никто не смеет со мной так обращаться. Клянусь, тебе придется горько раскаяться.

Сент не придал ее угрозам никакого значения, а следовало бы.

Лишь позднее он поймет, что, бросив Флетчер одну на улице, ему следовало на этом же такси поехать в аэропорт, взять билет на любой рейс и улететь куда угодно, лишь бы подальше от нее. Вместо этого Сент просто переехал в другой отель.

Он не мог оставить ее одну в таком состоянии.

Войдя в номер, Сент сразу же позвонил Флетчер, чтобы узнать, как она себя чувствует, но трубку никто не снял. Он начал волноваться и хотел было поехать разузнать, что с ней, но в последний момент передумал и оставил в регистратуре сообщение, где жена может его найти. Обеспокоенный и чувствуя свою вину, Сент долго ждал звонка, но шли часы, а жена так и не позвонила, и тогда, чтобы скоротать ожидание, он отправился на прогулку, а вернулся в отель уже в полночь.

И сразу лег спать...

... но в три часа утра его разбудило прикосновение холодного дула к шее.

Ничего не понимая со сна, Сент попытался подняться, но двое вооруженных людей удержали его. Тот, что приставил ружье, объяснил на ломаном английском, что они из федеральной полиции, из отдела по борьбе с наркотиками, и потребовал, чтобы Сент сознался, где хранит запасы.

— Какие запасы? — спросил тот, все еще ничего не понимая. — О чем вы говорите?

Человек ударил его прикладом по лицу, рот наполнился кровью. Второй тем временем прошел в ванную. Сент облизал пересохшие губы.

— Послушайте, ребята, здесь какая-то ошибка, — сказал он, все еще не веря в серьезность происходящего. — Произошла чудовищная ошибка, но скоро все разъяснится.

Человек вышел из ванной, держа в руке два пластиковых пакетика с белым порошком. Он повертел их перед носом у Сента и сообщил своему напарнику, что там же нашел и нож.

Сенту стало страшно.

— Это не мое, — сказал он. — Я никогда раньше этого не видел, у меня вообще нет ножа.

Мужчины никак не отреагировали на его слова, а просто стащили с постели и приказали одеться. На Сента надели наручники и под дулом ружья повели к лифту, затем через холл, где на него в испуге уставились ночной портье и несколько запоздавших гостей, и далее на улицу в ожидавшую их машину.

По пустынному темному городу его привезли в полицейский участок, где наручниками приковали к трубе с горячей водой. Час шел за часом, а его все не отпускали, объяснив, что печатают протокол задержания.

Когда бумаги были готовы, ему дали одну из них на подпись, объяснив, что это его «признание». Документ составили на испанском языке.

— Я ничего не буду подписывать, — сказал Сент. — Надо быть просто сумасшедшим, чтобы подписать такое. Прошу привести ко мне адвоката.

Полицейские настаивали на подписи. Ему терпеливо разъяснили, что так будет лучше для всех, особенно для него самого. Почему он не желает подписывать, ведь налицо все доказательства: кокаин, нож, и есть свидетели, которые видели, как через холл за ним бежала голая, истекающая кровью девочка.

— Нет, — твердо заявил Сент, все еще отказываясь верить в происходящее. Он, Слоун Сент-Джон Тредвелл-младший, гражданин Америки, молодой, красивый, богатый, с хорошими связями — и вдруг такое.

221

Значит, он отказывается подписывать? Значит, он хочет, чтобы его заставили? Ну что же, следователь покачал головой.

Сента повалили на дощатый стол; руки его по-прежнему были прикованы наручниками к трубе.

Несколько мужчин схватили его за ноги, двое других крепко зажали уши и волосы, а еще один разжал ему рот и засунул туда тряпку с омерзительным запахом. Здоровенный детина взмахнул над его головой бутылкой с содовой и стал лить ему в ноздри, время от времени для верности зажимая их. Сент стал корчиться. Кровь прилила к голове, легкие болели. Лицо мужчины, его рука и бутылка исчезли в темноте. На какое-то мгновение детина разжал ему ноздри, и Сент непроизвольно глубоко вздохнул. Бурлящая вода, к которой, как Сент узнал позднее, подмешали какой-то соус, хлынула из носа на грудь. Боль была нестерпимой, и сквозь эту разрывающую тело боль, сквозь помутневший рассудок Сент слышал страшные крики, которые, как оказалось, издавал он сам. Тело Сента дергалось в страшных конвульсиях: четверо мужчин с трудом удерживали его на столе.

После довольно долгого перерыва, когда он, истерзанный, задыхающийся от боли, рыдающий, стал понемногу приходить в себя, ему снова предложили подписать «признание».

— Пошли вы к черту, — выдохнул Сент.

Пытка повторилась.

Небольшой перерыв, и снова та же процедура.

После третьего испытания, более тяжелого и продолжительного, Сент понял, что сопротивляться бесполезно. Они все равно выбьют из него признание, они могут пытать его до бесконечности, и он не выживет. А в том, что пытки будут продолжаться, можно было не сомневаться.

Сент подписал признание, и все сразу заулыбались и стали вести себя более дружелюбно.

Как только Сент смог говорить, он снова потребовал адвоката, и его заверили, что обязательно пригласят, ведь это его законное право.

А тем временем Сента поместили в камеру, рассчитанную на двоих, где он оказался шестым.

Сент не мог поверить в случившееся. «Такого не может произойти со мной, — повторял он про себя. — В это трудно поверить. Такого вообще не должно быть».

И тем не менее случилось — и случилось именно с ним. Сент вдруг с ужасом подумал, что они могут сделать с ним все, что захотят, и никто не придет ему на помощь, потому что никто даже не знает, где он.

Однако ему привели обещанного адвоката. Это был его единственный шанс, и Сент возлагал на него все свои надежды. Адвокат выслушает его, он поймет, что произошла чудовищная ошибка. Его непременно оправдают...

Адвокат Доминго Белтран, толстенький, похожий на грушу человек, в синем нейлоновом костюме, с пальцами, унизанными перстнями, молча слушал его, отбивая ногами, обутыми в маленькие черные блестящие ботинки, что-то похожее на чечетку. Он с трудом понимал по-английски.

Выслушав Сента, он стал задумчиво полировать ногти надушенным носовым платком с монограммой. Посмотрев внимательно на результат своей работы, адвокат спросил:

— Вы говоришь мне, что кокаин... подброшен? Ваша жена?

— Я говорю, что моя жена могла подбросить эту улику. Между нами произошло небольшое... недоразумение. — Сент умоляюще скрестил на груди руки. — Сеньор Белтран, мне ничего не известно о кокаине, все это ложь. Неужели вы не понимаете? Все это специально подстроено. Она просто решила мне отомстить.

Сеньор Белтран прищелкнул языком, этот звук мог означать все, что угодно: сочувствие, недоверие, безразличие.

Сент глубоко вздохнул и вновь принялся убеждать адвоката в своей невиновности:

— Сеньор Белтран, я хочу изменить показания. Я ни в чем не виноват, меня вынудили подписать...

Адвокат вытянул ладони и стал рассматривать свои многочисленные кольца.

— Но, мистер... гм... — Он заглянул в лежавшую перед ним бумагу. — ...Тредвелл. — Фамилию ему удалось выговорить только со второго захода. — Жаль, но невозможно... Вы уже подписали признание.

— Но вам, черт возьми, известно, почему я подписал его. Они же пытали меня.

— Пытали? — удивился сеньор Белтран. — Вы говорить ужасный вещь.

— Мое признание ложное, — продолжал настаивать Сент. — Я скажу об этом в суде.

— Хорошо. — Адвокат согласно кивнул. — И вы продемонстрируете суду следы пыток?

Сент молча уставился на него.

— Господи! — вырвалось у него.

Адвокат вежливо кивнул.

— Я выражаю вам свое глубокое сочувствие, сеньор Тредвелл, — сказал он вдруг на хорошем английском языке.

Приговор был быстрым. На все ушло десять минут. Обвинение было серьезным. Зачитали его признание и спросили, есть ли у него претензии. Их у Сента было достаточно. Он пустился в пространные разглагольствования о пародии на суд, о насмешке над правосудием, но его уже никто не слушал. Все смотрели на него, как на надоедливую муху, которая зря отнимает у них время. Толстая девица с обилием косметики на лице уже заложила в пишущую машинку новую бумагу и начала громко печатать.

Обвинительное заключение передали судье, который, в свою очередь, передал его судейскому чиновнику, поставившему на нем печать.

Пятнадцать лет.

И жизнь, как теперь Сент уже не сомневался, кончилась.

Часть третья

Глава 14

Была среда. А каждую среду и пятницу, ровно в восемь часов утра, Виктор Даймонд завтракал в «Поло Лоундж» с Ясоном Бриллом, своим личным помощником. Следуя традиции, они всегда располагались в одном и том же кабинете и заказывали один и тот же завтрак: свежевыжатый апельсиновый сок, горячие булочки с отрубями, отвар из трав для Даймонда, а для Брилла, страдавшего язвой желудка, стакан пахты.

Даймонд, чрезвычайно высокого роста мужчина, седовласый, с орлиным носом, внешне смахивал на цыгана. Брилл — бледный коротышка, в очках, затянутый в черный шелковый костюм. Однако вместе они были мощной командой, и здесь дважды в неделю, на протяжении часа с четвертью, Даймонд вершил свой неофициальный суд, хотя только избранные могли приблизиться к нему с просьбой и под взглядом холодных, беспристрастных глаз Брилла устраивал своим просителям настоящий разгон.

Ровно в девять с четвертью они уедут на киностудию «Омега», где Даймонд, самый преуспевающий продюсер страны, будет руководить своей маленькой империей и наслаждаться властью и привилегиями почище, чем у Дэвида Циммермана, председателя правления студии и его непосредственного начальника.

В это утро предстояла встреча с двумя людьми.

Первым был Макс Фрэнк, его секретный агент, представлявший интересы Даймонда в британском совместном предприятии, финансировавшемся из Западной Германии.

За Фрэнком последовала Сидней Фаррел, главная героиня фильма «Опасный ветер», который снимался на студии «Омега». Она волновалась за своего партнера, у которого возникли проблемы с расписанием.

— Мы так давно работаем вместе. Просто не знаю, что буду делать, если мне не удастся договориться с телевидением. Не могли бы вы нажать на тайные пружины? Я знаю, вы это можете, если захотите.

Даймонд заулыбался. Уж что-что, а нажимать на тайные пружины он умел.

— Рассчитывай на меня.

Сидней ушла, рассыпаясь в благодарностях.

— К нам направляется Арни Блейз, — едва слышно заметил Брилл.

— Нет, — сказал Даймонд, для которого Арни превратился в настоящий кошмар.

Арни носился с каким-то научно-фантастическим материалом и почему-то решил, что это может заинтересовать Даймонда. Он неделями осаждал Брилла, прося устроить ему встречу с ним.

— Сейчас ставится слишком много подобных фильмов, и они меня не интересуют, — твердо заявил Даймонд. — Попытайтесь в «Дюне».

Но Арни продолжал атаковать его снова и снова. Он даже попытался воспользоваться именем Спринг Кентфилд, надеясь с ее помощью открыть заветную дверцу. Но подкупить Даймонда было невозможно, особенно ссылаясь на такую сомнительную актрису, роли которой ему совсем не нравились.

— Доброе утро, мистер Даймонд.

В ответ Даймонд энергично закивал головой. Ясон Брилл бросил на Арни взгляд, способный испепелить даже гранит, но Арни был непрошибаем.

Он послал Бриллу очаровательную улыбку, опустился на диван рядом с Даймондом, открыл черный кожаный портфель, вытащил из него толстый конверт и положил на стол. Затем вежливо протянул Даймонду руку.

— Мы еще официально не представлены друг другу, — сказал он. — Я Арнольд Блейз, можете звать меня просто Арни.

— Я вас знаю, — ответил Даймонд, неохотно пожимая руку. Он не желал иметь ничего общего с Арнольдом Блейзом, кумиром молодежи с ее низкопробными вкусами, которые, по мнению Даймонда, опошляли все серьезное в кинобизнесе. Не хотел он и пачкать руки, приобретая то, что не принесет ему ни славы, ни денег. — Мне кажется, что вы уже достаточно наговорились с мистером Бриллом и он объяснил вам...

— Я хотел поговорить лично с вами, мистер Даймонд. Вы сами должны увидеть это, и если оно вас не заинтересует, я больше не приду.

Даймонд тяжело вздохнул.

— Ну хорошо, — сказал он, глядя на часы, — даю вам пять минут.

— Мне этого вполне достаточно, — ответил Арни и, сверкнув зелеными глазами, вытащил из конверта книгу комиксов.

Даймонд громко рассмеялся:

— Ради Бога, мистер Блейз, зачем впустую тратить мое время?

— Вы дали мне пять минут. Просмотрите ее и выслушайте меня.

В голосе Арни звучала такая уверенность, что это удивило Даймонда и даже в какой-то степени заинтриговало, но не более того. Комиксы, да это же просто смешно.

— «Старфайер» уже стала популярной, но концепция нуждается в развитии. Ей нужна более широкая аудитория. Настало время игрового кино. Нам нужна поддержка такой студии, как «Омега», с ее хорошо налаженной рекламой и системой распространения. Но особенно важно для нас иметь продюсера такого масштаба, как вы, с вашим кругозором.

Даймонду начинала нравиться настойчивость Арни, однако он сухо ответил:

— Я польщен вашим отношением, но все равно ничего не могу для вас сделать, даже если бы очень сильно этого захотел. На ближайшие три года все расписано. Если хотите вынести это на широкий экран, рекомендую обратить внимание на японский рынок. Они создают прекрасные анимационные фильмы. Я могу помочь вам связаться с человеком, который...

Не слушая его, Арни продолжал:

— Здесь уже четвертая серия. Каждый эпизод имеет свою жизненную линию, свой уникальный характер, сценарий уже пишется. Я пришел к вам первому, мистер Даймонд, потому что знаю, что вы с вашим воображением сделаете из «Старфайер» нечто особенное.

— Вы это серьезно? Вы хотите, чтобы я пропагандировал поп-арт? — Широкие брови Даймонда сошлись на переносице.

— Никогда в жизни я не был так серьезен, как сейчас, — ответил Арни. — У меня осталось еще две минуты.

Рот Даймонда скривился в насмешливой улыбке. Он посмотрел на Арни, затем на обложку книги, которая, к его удивлению, была выполнена неплохо и производила приятное впечатление. Название «Старфайер-следователь. Сага номер 4» набрали жирным шрифтом поверх экрана компьютера, вделанного в кусок льда. Льдина неслась в пространстве явно внеземного происхождения среди таинственных очертаний гор и зловещих красок. На экране графически изобразили лицо женщины с большими сверкающими глазами, широкими бровями и копной мерцающих волос. В графику вплеталась информация: рисунки Веры Браун, текст Джона Сента.

Даймонд заглянул женщине в глаза. Это был всего лишь рисунок, но взгляд этих глаз увлекал и завораживал.

Продюсер налил себе еще одну чашку отвара из трав и стал медленно листать книгу.

Пролистав всего лишь несколько страниц, он должен был признать, что рисунки выполнены превосходно, а текст под ними написан хорошим литературным языком.

— Кому принадлежит авторское право? — спросил он.

— Права на рисунки принадлежат Вере Браун, идея о Старфайер тоже ее собственность. Текст принадлежит Джону Сенту, одним словом, они партнеры.

— А какое отношение ко всему этому имеет Спринг Кентфилд?

— Она мать Джона Сента.

— А кто его отец?

— Слоун Тредвелл, «Тредвелл комьюникейшенз».

— Ясно. — Даймонд продолжал листать страницы. — Расскажи мне о нем подробнее.

— Я знаю Сента очень давно, еще со школьных лет. Он потрясающий парень и очень талантливый. — Арни принялся с энтузиазмом рассказывать о Сенте, сказав в заключение: — Сейчас он стал писателем, вышла в свет его первая книга, о ней хорошо отзываются в печати.

— Чтобы называться писателем, надо издать не одну книгу.

— Сейчас он работает над сценарием к «Старфайер».

— Ну и что из этого? Почему этот парень так уверен, что справится с таким делом?

— Вы же сами сказали, что вам нравятся его диалоги, — ответил Арни.

— Уфф, — выдохнул Даймонд, — дай мне передохнуть.

Однако он продолжал листать страницы, внимательно всматриваясь в рисунки. Линии были четкими, цвета подобраны с хорошим вкусом. Даймонд не переставал удивляться, как удалось художнице изобразить сцены в такой необычной перспективе.

Сама Старфайер была слишком хороша для книги комиксов. Даймонд долго смотрел на рисунок, где та, обнаженная, пряталась за наносным песчаным баром, окруженная экзотической растительностью. Пар, поднимавшийся от земли, почти скрывал ее тело, лицо выдавало смятение. На нем отражалось все: потрясение, страдание, возмущение. Даймонд сразу ощутил: она затерялась во времени и пространстве. Он мог читать ее мысли, мог слышать ее голос. Девушка была как живая.

— Браун использовала модель? — резко спросил он.

Арни кивнул.

— Джи Би, — ответил он с уверенностью, что ее все знают, так как Джи Би, которую называли по начальным буквам ее имени, превратилась в известную модель. — Так что вы обо всем этом думаете? — спросил он Даймонда, который пока еще не высказал своего мнения.

Даймонд поставил чашку на блюдце и резко оттолкнул их. Услужливый официант тотчас же подхватил посуду.

— Будете заказывать что-нибудь еще, мистер Даймонд? — спросил он.

Ясон Брилл бросил на Арни тяжелый взгляд.

— Уже поздно, — сказал помощник. — Сейчас девять часов шестнадцать минут.

Пять минут, отведенные на Старфайер, закончились.

Даймонд пригладил волосы, его глаза остались непроницаемыми, взгляд холодным. Разговор закончился, и он уже думал о другом.

— Ты прав, Арни, — сказал он. — Это заслуживает внимания, но сейчас я спешу, у меня совещание. Позвони мне в офис, и мы поговорим. Это я возьму с собой, — добавил он, забирая конверт.

Он уже подошел к выходу из вестибюля, где на улице его дожидался сверкающий темно-синий «Ягуар XL-S», когда понял, что Арни следует за ним.

— Арни, у меня больше нет для тебя времени, — сказал он, стараясь сдержать раздражение. — Пожалуйста, позвони мне в офис.

— Я еще не все сказал. Я доеду с вами до «Омеги».

Это уже было неслыханным нахальством. Брилл грозно посмотрел на Арни, а Даймонд повернулся, чтобы как следует отчитать, но тут на них стали обращать внимание. Группа туристов перешептывалась, глядя в их сторону. Арни узнали. «... А рядом с ним Виктор Даймонд, известный продюсер», — прошептал кто-то. Еще минута, и туристы бросятся к ним за автографами, чего Даймонд хотел меньше всего.

— О Господи, — вздохнул он. — Поехали.

Даймонд вел машину с жесткой аккуратностью, вливаясь и выныривая из потока машин, устремившихся к бульвару Сансет.

Арни разглагольствовал:

— Мы представляем себе все это следующим образом: графическая мультипликация сольется с живым действием и специальными световыми эффектами. Это будет нечто уникальное. А с вашим именем и вашей репутацией каждый поймет, что это что-то стоящее. Не заурядный анимационный фильм, а фильм для взрослых, в котором есть все: глубина, характеры, эротика... Только вам под силу сделать такой фильм.

Арни безжалостно давил на тщеславие Даймонда, и тому было приятно. Да, за ним укрепилась репутация утонченности и качества. Он не боялся рисковать, вводя в свои фильмы эротические сцены, поэтому его часто сравнивали с великими европейскими мастерами.

— А с тем составом, который у нас имеется...

— Арни, остановись, — прервал его Даймонд. — О каком еще составе ты говоришь? Ты пытаешься навязать мне совершенно неизвестные публике имена. Я не могу пойти в банк, взяв с собой Джона Сента или Джи Би.

— Можете, — упорствовал Арни. — Вы все можете. Поэтому я и пришел к вам. Вы обладаете властью.

Даймонд удовлетворенно кивнул. Да, у него есть власть. Студия «Омега» никогда ни в чем ему не отказывала. Он строил свою империю с особой тщательностью и уже давно сделал вывод, что никакой талант не спасет фильм, если свою работу плохо выполнит электрик или на него наложит запрет правительство. Целых тридцать лет Даймонд подбирал нужных людей, начиная от профсоюзных лидеров и кончая политиками и финансовыми деятелями. Он знал всех, знал их слабые стороны, знал, кто и где будет похоронен, выражаясь буквально и фигурально. Даймонд был великим манипулятором и мастером нажимать на нужные пружины.

— Возьмите сейчас хотя бы Джи Би. Из нее выйдет хорошая актриса, не говоря уже о внешности. И потом она в конце концов Старфайер. Сент пока еще мало известен, но у него большое будущее. Я купил постановочные права на его книгу, в нем я уверен. А потом не забывайте обо мне. С моим именем вы можете пойти в банк. Я играю заглавные роли и пользуюсь популярностью. Затраты себя окупят.

— Откуда такая уверенность?

— Я верю в проект.

— И по-видимому, в Джона Сента.

— В него я всегда верил.

В машине зазвонил телефон.

— Нет, — отрезал Даймонд. — У меня совещание. Попросите мистера Циммермана перезвонить мне попозже.

Даймонд переключил передачу и легко влился в поток машин на скоростной автостраде, их раскаленные крыши отражали солнечный свет. Осталось всего десять минут пути, плюс-минус одна, две минуты. Жара становилась нестерпимой. Даймонд включил кондиционер и, дождавшись, когда холодный воздух заполнит машину, начал размышлять.

«Эта девчонка... Джи Би — крупным планом, затем наплывом огромные глаза Старфайер. Дальше пойдут анимационные кадры: Старфайер, чувственная, возможно, даже обнаженная, направляет арбалет на страшное чудовище, сплошные когти и острые клыки, которое смотрит на нее из-за багряных облаков и готово напасть в любую минуту. Анимацию можно заказать Ральфу Бакши. Должно получиться красиво, и красота будет немного зловещей...»

Снова зазвонил телефон, но на этот раз Даймонд не взял трубку.

«Да, пожалуй, идея неплохая, если за нее правильно взяться. Немного эротики, анимационные кадры, специальные эффекты, но надо вложить в нее какой-нибудь смысл, фильм должен нести информацию, скажем, начать с загрязнения нефтью морских вод и постепенно перейти к общему загрязнению окружающей среды. Пожалуй, может получиться».

Машина приблизилась к воротам, и они бесшумно открылись. Проехали еще четверть мили, поднялся красно-белый полосатый шлагбаум, и Даймонд въехал на территорию студии и подкатил к главному зданию, на котором красовалась вывеска «Виктор Даймонд».

Он выключил мотор.

— Хорошо, Арни, — сказал Даймонд после минутного молчания. — Собери все свои идеи воедино, и мы поговорим.

— Правда? — Голос Арни уже не был таким требовательным. В нем чувствовались радость, волнение, и сейчас он стал почти мальчишеским.

— Пришли мне все свои предложения. Собери своих приятелей, позвоните Ясону Бриллу, и пусть тот назначит встречу на следующей неделе. Значит, так: ты, Браун, Джон Сент и, конечно, Джи Би.

Даймонд открыл дверцу машины.

— Я все сделаю, — пообещал Арни, — вот только есть одна проблема... с Сентом.

***

Ближе к вечеру Даймонд, как всегда, бегал по пляжу, но только сегодня дольше и быстрее обычного. Затем за линией прибоя он проплыл полмили против течения и вернулся домой.

Когда-то давно, после того как его жену, свихнувшуюся на почве длительного употребления ЛСД, поместили в лечебницу, Даймонд купил три близлежащих дома в Малибу-Бич, снес их и построил себе из красного дерева дом, похожий на пирамиды цивилизации майя, который окружил садом с японскими горками.

Ходили слухи, что этот странный дом стал своеобразным памятником любимой жене, но когда о нем расспрашивали самого хозяина, тот только усмехался и отвечал, что дом не имеет к Вэнджи никакого отношения. Просто ему захотелось пожить на берегу, «а уж если ты платишь за дом миллион долларов, тебе не обязательно слышать, как соседи спускают в туалете воду».

Даймонд никогда не говорил о своей жене и раньше, а уж сейчас, спустя двадцать лет, когда скандал и трагедия ослепительной красавицы Вэнджи Селлорз забылись, и тем более.

Время от времени Даймонд навещал жену, проверяя, хорошо ли за ней смотрят, но это всегда было очень мучительно, потому что Вэнджи не имела ни малейшего представления, кто он такой, кто она и кем была когда-то.

Но после трагедии он так возненавидел наркотики, что об этом ходили легенды.

Даймонд принял душ и направился в комнату для медитации, расположенную в центре его дома-пирамиды и не имеющую окон, где сел на черный ковер, принял позу «лотоса» и привел свою психику в состояние углубленности и сосредоточенности. После этого, переодевшись в легкие хлопковые слаксы и рубашку из махро-

235

вой ткани, он вышел во внутренний садик и немного погулял среди аккуратно расставленных скульптур и фонтанчиков с журчащей водой, потягивая при этом охлажденный перье.

Огромный оранжевый диск солнца соскальзывал за кромку горизонта, пока не превратился в полусферу цвета расплавленного золота.

Это время дня Даймонд любил больше всего, эти полчаса мира и созерцания, пока не появится его слуга Хамура с легким, изысканным обедом, после которого он направится в проекционную комнату, расположенную рядом с медитационной, и будет смотреть что-нибудь из своей богатой фильмотеки. Сегодня это один из его любимейших фильмов — «Мальтийский сокол».

Солнце превратилось в блестящую точку и исчезло за горизонтом, на землю спустились сумерки. И сразу же появился Хамура, выкатывая тележку, уставленную хрусталем, фарфором, с овальным плоским блюдом, закрытым крышкой, и бутылкой «Мерсо» в серебряном ведерочке со льдом. Он сервировал одно место за столом из кованой мягкой стали со стеклянной столешницей и зажег торшер в виде стилизованной стальной женщины, поддерживающей поднятыми вверх руками плафон в виде цветка. Торшер был чисто декоративным, но хорошо гармонировал со всем остальным интерьером. Хамура выдвинул стул, чтобы Даймонд сел, и закрыл его колени большой льняной салфеткой, затем положил ему на тарелку несколько полосок сырого тунца, большую креветку, слегка припущенную в оливковом масле с чесноком, немного риса, смешанного с морскими водорослями, налил вина, улыбнулся и слегка согнулся в поясном поклоне.

— Подай мне телефон, Хамура, — попросил Даймонд.

Телефон был подан, слуга снова поклонился и бесшумно исчез, мягко ступая по каменному полу.

Даймонд сделал глоток вина, посмотрел на сгущающиеся сумерки, и на него нахлынули воспоминания.

Он вспомнил Вэнджи Селлорз, семнадцатилетнюю дочь проповедника из Техаса, с ее соломенного цвета волосами и огромными дымчатыми глазами — сырую глину, из которой он вылепил кинозвезду и, по общему мнению, самую красивую женщину в мире; богиню, которая в один прекрасный день сбежала с ренегатом-директором в какую-то общину в Нью-Мексико сниматься в каком-то дефективном фильме, который, как они считали, должен был стать фильмом века. Только съемка превратилась в наркотический кошмар. Директор вскоре покончил с собой, бросившись с утеса, а Вэнджи отправилась в долгое путешествие, из которого уже никогда не вернется.

— У Сента проблема, — сказал Арни. — Он в Санта-Пауле. — Разъяснив при этом, что Санта-Паула — это федеральная тюрьма в штате Герреро.

Даймонд мрачно улыбнулся, вспомнив, как, захлопнув дверцу машины, с удивлением посмотрел на Арни.

— Как он там оказался? — спросил продюсер.

И естественно, причиной были наркотики. Джона Сента приговорили к пятнадцати годам тюрьмы за контрабанду, хранение и торговлю наркотиками, но, как пытался объяснить Арни, произошла чудовищная ошибка, и Джон Сент не виноват.

— И именно меня ты выбрал, чтобы вытащить его из тюрьмы. Значит, ты меня плохо знаешь, Арни. Вызволяй сам своего мистера Сента.

— Я пытался! — кричал Арни. — Я пытаюсь это сделать вот уже два года, но кто меня будет слушать, зная о моем прошлом? Послушайте, он ничего не знал об этом порошке. Он...

— Пожалуйста, Арни, оставь меня в покое и никогда больше не пытайся связаться со мной. Никогда.

Охранник открыл тяжелую стеклянную дверь, пропуская его в вестибюль.

— Доброе утро, мистер Даймонд.

Даймонд вошел в здание, не обращая внимания на кричавшего Арни.

— Послушайте, это была его...

Дверь бесшумно закрылась, оборвав Арни на полуслове.

Даймонд закончил обед, задумчиво посмотрел на торшер в виде нимфы, налил себе в стакан вина, и рука его потянулась к телефону.

Даймонд нажал на кнопку с цифрой два. На том конце взяли трубку, и он, не называя себя, сказал:

— Мне нужна информация. Полное досье на Джона Сента. Ему приблизительно двадцать пять лет, он сын Спринг Кентфилд. Все до мельчайших подробностей.

Прихватив с собой бутылку вина, стакан и конверт, Даймонд прошел в просмотровый зал и плотно закрыл за собой дверь.

«Мальтийский сокол» уже был заправлен в проектор, и все приготовлено к просмотру. Однако Даймонд вынул пленку и положил ее на полку.

Вместо предыдущего он зарядил в аппарат фильм «Образ Терри». Пустая, претенциозная картина в черно-белом варианте. Фильм сняли в 1962 году, и для этого понадобились один фотограф, три модели и желание сделать фильм. Действие происходило в основном в нью-йоркской подземке. Самыми ценными в этом фильме были кадры с Вэнджи Селлорз. Пока они мелькали, Даймонд вынул из конверта книгу комиксов и открыл страницу, где Старфайер пряталась за наносным песчаным баром.

Когда на экране появилась Вэнджи, Даймонд посмотрел на жену, затем на Старфайер, снова перевел взгляд туда и обратно и удовлетворенно кивнул головой.

Глава 15

Стояла удушливая жара, тело Сента стало мокрым от пота.

Он прислонился к тонкой перегородке камеры и с трудом дышал. Липкий воздух пропитался омерзительными запахами, рассвет был зловеще багряным, лучи солнца, проникая через узкую, расположенную под самым потолком решетку, окрашивали противоположную с растрескавшейся штукатуркой стену в красный цвет.

Беспокойный сон Сента прервал ужасный крик, за которым последовали глухие удары и леденящий душу смех.

Эль Бурро, как всегда, лежал около гальюна, который представлял собой открытую канализационную трубу, покрытую по краям ржавчиной и разлагающимися экскрементами. Бето, крепко ухватив его за волосы, бил беднягу головой о стену. Эль Бурро был сумасшедшим бродягой и испускал вопли в самое неподходящее время. Бето — предводитель уличных гангстеров и убил немало людей, остальные трое сокамерников были ворами. Сейчас они лежали на своих бетонных нарах и грязно ругались, выражая недовольство, что их так рано разбудили.

Сент зажал руками уши в тщетной попытке не слышать этих ужасных криков, и волна отчаяния в тысячный, миллионный раз захлестывала его. Он останется здесь навсегда, всеми брошенный и забытый, его миром будут эта грязная камера и эти ужасные люди; он будет жить здесь, пока не умрет или не сойдет с ума, как Эль Бурро.

Сумасшедший завыл снова. Бето зажал ему рот и, размахнувшись, ударил по лицу. Воры громко захохотали. Красные лучи солнца закончили свое путешествие по стене, и в камере вновь стало сумрачно. Сквозь вой и смех Сент услышал металлический лязг и хриплые крики.

Пришел тореро.

«Эль торо» — так с издевкой заключенные называли отвратительное варево, заправленное кусочками гнилых овощей и мелких хрящиков, которое вместе с маисовыми лепешками составляло их дневной рацион. Его развозил на грязной тележке и маленькими порциями плескал в их миски тореро, здоровенный детина со сломанным носом.

Дверь их камеры широко распахнулась. Грязные тела, словно крысы, рванули к двери. Сент слышал топот босых ног по каменному полу. Он побежал за ними, ничего не видя в темноте. Когда зовет тореро, все должны спешить на его зов, иначе останутся голодными.

Сент бежал, бежал и бежал, преследуемый воем сумасшедшего.

Он старался бежать быстрее, но крики и вой становились все громче.

Кто-то звал его по имени:

— Санто! Проснись!

Сент вздрогнул, дико закричал и открыл глаза.

Один из воров тряс его за плечо.

Приходя в себя, Сент понял, что кричал вовсе не сумасшедший, а он сам.

— Это уже слишком, — сказал сокамерник. — Имей совесть, Санто. Побереги мои нервы. Ты кричишь седьмую ночь подряд.

Его сокамерником по федеральной тюрьме, куда Сента отправили после предварительного заключения, был Хавьер Гальегос, толстый циничный человек, бывший владелец ресторана, который сидел за то, что занимался нелегальным бизнесом, сдавая комнаты проституткам и их клиентам, и имел с этого немалый доход. К своему бизнесу он относился философски и считал свое занятие ничем не хуже любого другого. «Мы с тобой оба невинно осужденные, Санто, — любил говорить он. — С нами обошлись несправедливо».

Отношение к нему сокамерника стало большим утешением для Сента.

Гальегос как нечто само собой разумеющееся принял рассказ Сента о пытке. «Знаем мы эти трюки с носом. Это их обычный метод. Никаких следов на теле, просто и эффективно».

На что Сент отвечал: «Содовая, смешанная с соусом «Табаско», это же так омерзительно. Большего унижения я в жизни не испытывал».

— А ты бы предпочел, чтобы они раздавили тебе половые органы? Расслабься, все уже позади. Ты прошел через ад и выжил.

— Добро пожаловать в чистилище, — сказал ресторатор, широким взмахом руки указывая на тюремный двор, где бродили, дрались, ругались или спали другие заключенные. — Сядь и успокойся, у меня есть немного кальвадоса.

Хавьер Гальегос оказался человеком практичным и во всем руководствовался этим качеством. Аристократ-американец, с которым он делил одну камеру в привилегированном отделении тюрьмы, делал его положение еще более прочным, а то, что он к тому же был еще и богат, тоже играло ему на руку, ибо здесь, имея деньги, можно было купить все и «жить словно дома», как любил повторять Гальегос.

— Мы будем помогать друг другу и приятно проведем время, — говорил он.

Каждый месяц Сент платил ему немалые деньги за отличную еду и прочие услуги. Он был уверен, что Гальегос не такой мошенник, как другие, и уж если и обманывал его, то самую малость.

Вот и сейчас, когда послышался звук открываемых замков и звон посуды, он с удовольствием посмотрел, как его собственный официант вкатывает в камеру столик на колесах, весь заставленный блюдами с едой.

— Пора завтракать, — сказал он, поднимая крышки и с наслаждением впитывая в себя аппетитные запахи.

Одетый в легкий темно-синий костюм, Гальегос готовился начать новый день. Официант заложил за ворот своего хозяина большую розовую салфетку из льняного полотна, налил ему кофе и протянул газету. Гальегос сразу же открыл ее на странице «Финансы» и погрузился в чтение.

Сент посмотрел на хорошо сервированный стол, застеленный скатертью, с кофейником, полным дымящегося кофе, с графином свежего апельсинового сока и вынужден был признать, что это гораздо приятнее, чем «эль торо», которым его кормили в камере предварительного заключения. Если не обращать внимания на стены, покрытые пятнами сырости, на решетку на маленьком окошке, на запертую дверь, то можно подумать, что они в номере гостиницы с обслуживанием выше среднего уровня.

После прибытия в эту тюрьму с ее более или менее приемлемыми условиями существования Сент снова потребовал привести к нему адвоката.

Адвокат многое обещал, но ничего не выполнял. Он был образованнее и богаче и, как Сент решил впоследствии, гораздо коррумпированнее, чем сеньор Белтран, но выбора у него не было.

В Соединенных Штатах его дело так и не сдвинулось с мертвой точки. Арни изо всех сил старался помочь ему, но пока ничего не получалось. Авторитет мистера Фридмана не выходил за рамки страны, да и власти штата Герреро не желали с ним сотрудничать.

— Флетчер и ее отец подкупили здесь всех, — сказал Сент своему сокамернику. — Они будут держать меня здесь до тех пор, пока я не сгнию.

— По крайней мере года два ты здесь пробудешь, — заметил Гальегос. — Для них не имеет значения, кто ты такой. Уж если машина запущена, ее трудно остановить, бюрократия проникла во все сферы жизни. Твоя задача перестать терзать себя и постараться получать удовольствие.

Поудобнее откинувшись в кресле, он раскурил сигару.

— Получать удовольствие в таком месте! — фыркнул Сент.

— А почему бы и нет? Что еще нам остается делать? Время летит быстро и делает свое дело. Успокойся, Санто. Зачем пробивать лбом стену? Если захотеть, можно и здесь найти массу развлечений.

Сент последовал совету Гальегоса и в последующие месяцы попытался занять себя, чем только мог. Он купил гитару и стал учиться играть на ней. К сожалению, Сент не мог петь, так как горло после пыток болело, а голос стал хриплым. Он быстро перенимал испанский язык от проституток, растратчиков, воров, торговцев наркотиками и убийц. Научился драться, усвоив приемы, которых раньше никогда не знал. Однако дни по-прежнему тянулись бесконечно долго, в непрерывном столкновении с такими пороками, как взяточничество, коррупция, постоянная ругань и потворство иным грехам человеческой натуры. Единственным светлым пятном в его жизни была отличная еда, которую поставляли из ресторана Гальегоса.

Правда, сейчас у него появилось право переписки. Письма приходили от Веры, Арни, тети Глории, из издательства и сотрудников его фирмы «Старфайер энтерпайзес». Даже мать прислала открытку. Сент больше не чувствовал себя отвергнутым и забытым, но то, что жизнь за воротами тюрьмы текла сама по себе, без его участия, приводило его в безумное отчаяние.

От Джи Би не было никаких известий, что и неудивительно.

Но проходили месяцы, и Сент постепенно забыл их последнюю ужасную ссору. Время словно повернуло вспять, и, к великому неудовольствию Гальегоса, он снова и снова описывал ему их волшебное путешествие по стране и незабываемые недели, прожитые на яхте. Лежа ночью без сна, Сент пытался представить себе ее лицо, но сколько ни напрягался, даже во сне она оставалась безликой. «Я не должен думать о ней здесь, — уговаривал он себя, — поэтому ее образ все время исчезает».

— Ты только изводишь себя, думая о ней, — сказал Гальегос. — Забудь ее. Она тебя совсем не любит.

— Почему ты так считаешь?

— Я хорошо знаю женщин, они мой бизнес.

После шести недель пребывания Сента в тюрьме ресторатор, сияя улыбкой, вбежал в камеру с радостным криком:

— Санто! Эй, Санто! К тебе посетитель.

Кровь бросилась Сенту в лицо. Это Джи Би. Скорее всего она решила простить его и вернуться навсегда. За долю секунды Сент убедил себя, что это может быть только Джи Би.

Но он ошибся.

Гальегос привел в камеру Веру с таким почтением, как будто та была герцогиней. Затем, радостный и довольный, удалился, оставив их наедине.

Лицо Веры заливала краска от гордости за то, что ее такое долгое и трудное путешествие так успешно закончилось, ну и, конечно, жара немало этому способствовала. Она была вся увешана пакетами. Вера снова стала толстой.

Сент заключил ее в объятия. Разочарование было невыносимым, но только первые несколько секунд, затем он почувствовал огромное облегчение. Какое счастье, что Джи Би не увидит его в таком ужасном месте. С Верой же Сент не чувствовал стыда, он так обрадовался, что чуть не заплакал.

А Вера плакала по-настоящему.

— О, Сент, как все ужасно, мне так тебя жалко!

Перестав плакать, Вера оглядела камеру, снова расцеловала Сента, сказала что-то о невероятной жестокости Флетчер и стала разбирать пакеты, сияя радостью от того, с каким удовольствием он принимает подарки.

Она принесла ему конфеты, арахисовое масло, несколько баночек с любимым желе, зубную пасту, шампунь, мыло, электробритву, испанский словарь и магнитофон с кассетами, но самое главное — книги, которые он просил, — «я не могла привезти все, а послать по почте побоялась», — и макет новой книги о приключениях Старфайер.

— Мне нужна твоя помощь, Сент. Я хочу, чтобы ты просмотрел их и написал текст. Самой мне не справиться. У меня готовы рисунки еще для двух книг, но нужен текст.

Настроение Сента улучшилось. Значит, у них производственная встреча, и они опять будут работать вместе.

«Старфайер» хорошо раскупалась.

— Успех потрясающий, — рассказывала Вера. — Уже издано триста тысяч экземпляров.

Сент увидел в этом хорошее предзнаменование. Если «Старфайер» так хорошо расходится, то, несомненно, и его будущее не совсем безнадежно.

Но лицо Веры омрачилось.

— Господи, Сент, чего мы только не делаем, но твоя... — На слове «жена» Вера запнулась и, немного помолчав, продолжала: — Она и ее отец даже не хотят разговаривать с нами. Они подкупили всех. Как же эта женщина должна ненавидеть тебя, чтобы поступить так жестоко. Какое чудовищное обвинение! И только за то, что ты ее ударил... Я бы сама ее хорошенько ударила, если бы могла.

Вера всхлипнула, вытерла нос рукавом платья и продолжала:

— Она все правильно рассчитала. Арни узнал, что в то время здесь проводили кампанию по борьбе с наркотиками. Власти хотели выловить основных поставщиков и провести показательный процесс, но им в сети попалась только мелкая рыбешка.

— Такая, как я.

Вера кивнула:

— Мелкие торговцы, наркоманы, ну и ты, ненавистный гринго. Они решили сделать тебя козлом отпущения. Ну и, конечно, им заплатили. О, Сент, как все ужасно!

— Ладно, ладно, успокойся, — принялся утешать Веру Сент. — Все хорошо.

— Не вижу ничего хорошего. Это отвратительно. Ты не поверишь в то, что я сейчас скажу. Я звонила твоему отцу, и он оказался жутким подонком. Он тебя знать не хочет. Представляешь, даже разозлился, когда я позвонила. Все, что он сказал: «Это так похоже на него, тратить деньги на такое пустое занятие, как издание комиксов». И это говорит твой собственный отец! Он ничего не хочет делать и, я думаю, потому, что боится испортить свою репутацию. Арни считает, что нам нужны не деньги и даже не связи. Нам нужен человек, который пользуется неограниченной властью, чье влияние неоспоримо и гораздо больше, чем у Мак-Гроу.

Когда Вера ушла, Гальегос, сияя улыбкой, спросил Сента:

— Ты остался доволен ее визитом?

— Конечно, — ответил Сент.

— В постели она, должно быть, настоящая львица, — заметил мечтательно ресторатор.

Сент с удивлением посмотрел на него.

— Можешь не сомневаться, самая что ни на есть львица. К тому же девушка любит тебя, поверь мне. Я знаю, о чем говорю.

— Не болтай глупостей, — фыркнул Сент. — Это же Вера, мы с ней просто друзья.

Гальегос с сожалением посмотрел на Сента:

— Тебе надо научиться разбираться в женщинах, Санто.

Дни шли за днями, недели за неделями, проходили месяцы.

После визита Веры у Сента затеплился было лучик надежды. Но время шло, а ничего хорошего так и не произошло, и он вновь впал в отчаяние, еще более глубокое, чем прежде.

Вместе с ним стал волноваться и Гальегос.

— Нельзя быть таким глупцом, — говорил он. — Ты ничего не сможешь сделать, только истерзаешь свою душу.

— Тебе хорошо меня успокаивать, — огрызнулся Сент. — Сам-то ты скоро будешь на свободе.

— Хочу надеяться, но разговор сейчас не обо мне. Послушай, что я тебе скажу, Санто. — Камера на ночь запиралась, и Гальегос спокойно разлил по рюмкам дорогой коньяк. — Один из ваших американских писателей сказал: «Одно из преимуществ быть писателем — это то, что даже свои несчастья можно обратить в деньги».

— Возможно, ну и что? — сказал Сент, пожимая плечами.

— Перестань жалеть себя. Ты писатель, и в этом твое преимущество, ты можешь мысленно исчезнуть отсюда, можешь с пользой для себя проводить не только дни, но и ночи, и когда-нибудь еще поблагодаришь судьбу за то, что провел несколько лет в тюрьме, которая дала тебе такой богатый материал.

— Скажешь тоже, — усмехнулся Сент.

Мексиканец пожал полными плечами, обтянутыми дорогой шелковой рубашкой, и, отпив немного коньяка, продолжал:

— До чего же ты скучен, Санто, и к тому же глуп. Я буду повторять это каждый день, пока ты не возьмешься за ум. Ты писатель и должен писать. Пиши обо всем, что взбредет тебе в голову.

Неохотно и только для того, чтобы отделаться от Гальегоса, Сент приступил к работе.

Благодаря стараниям сокамерника ему принесли бумагу и ручку. Можно было даже нанять машинистку, появись такое желание.

— Главное, на тебя никто не давит, — заметил Гальегос. — У тебя масса свободного времени.

Сент хотел было возразить, но передумал: в словах ресторатора была железная логика.

Гальегос оставил его одного.

Сент заправил в пишущую машинку лист белой бумаги и задумался. Спустя минуту он напечатал: «Старфайер-скиталица».

Он поразмышлял еще минут пять и добавил: «Сценарная обработка текста».

Постепенно в его голове стали возникать образы, которые затем он описал словами:

«Старфайер, межпланетная посланница, возвращается в свою галактику и видит, что звезда ее старой системы видоизменилась, взорвалась и раздулась в поперечнике на миллиарды миль. Теперь это раскаленный гигант, поглотивший свои планеты с их спутниками, вся система превратилась в пыль.

Старфайер не верит своим глазам.

Почему ее никто не предупредил? Как долго она отсутствовала? Должно быть, время уплотнилось и прошла целая вечность. А с исчезновением ее дома, дававшего ей энергию, она утрачивает свою способность принимать различные очертания. Она больше не может, концентрируя свою энергию, перемещать предметы в пространстве и времени. Сейчас она или просто сгусток энергии, или навсегда заключена в оболочку тела Дианы Старр...

Старфайер также привязана к вектору, который тянет ее обратно на Землю, и теперь ей остается только уповать на будущее».

Воображение Сента рисовало ему Вселенную. Вместе со Старфайер он парил в ней, стараясь избежать катаклизмов, черных дыр, пробиться сквозь миллиарды миль космической пыли.

Увлекшись, Сент не заметил, как наступил вечер.

«Спустившись по вектору за Землю, Старфайер увидела, что и сюда она прибыла слишком поздно.

В ее отсутствие на Земле разразилась ядерная война.

Земля лежала перед ней черная и обуглившаяся, окутанная дымом; в образовавшихся воронках бурлило грязное месиво; на горизонте до самого неба вздыбились черные горы — остовы зданий разрушенных городов.

Старфайер пришла в ужас, потому что Земля теперь по воле судьбы стала навсегда ее единственным домом. Она клянется сделать все возможное, чтобы спасти ее. Старфайер не позволит ей исчезнуть навсегда, как выветриваются и исчезают горные породы...»

— Отлично, — похвалил Сента Гальегос. — Начало положено.

— Думаю закончить этот сценарий в ближайшее время.

— Не торопись, — с улыбкой заметил сокамерник. — У тебя масса времени.

Заканчивался второй год пребывания Сента в тюрьме, 1985-й плавно перешел в 1986 год. В мае Вера снова приехала в Санта-Паулу, чтобы провести деловое совещание. Она остановилась в гостинице и каждый день навещала Сента.

Девушка быстро усвоила процедуру посещений и подружилась с некоторыми заключенными.

— Здесь вполне можно жить, имея деньги, — как-то раз заметила она.

— Хочешь попробовать?

— Я хочу сказать, что здесь отношение к заключенным более гуманное, чем в американской тюрьме. Мне все это напоминает деревню, — заметила она, глядя на тюремный двор, заполненный навесами, под которыми сидели целые семьи, включая и маленьких детей; женщины в полосатых пончо пекли маисовые лепешки.

— Семьи к вечеру уйдут, а заключенных на ночь запрут в камерах, — ответил Сент.

Вера рассказала Сенту, что Арни очень хочется навестить его, но сейчас он занят в съемках фильма и боится рисковать.

— Лично я думаю, — добавила Вера, — что ему просто невыносимо будет видеть тебя в таком ужасном месте. Он только еще больше разозлится.

Далее Вера поведала, что они с Арни посылают во все инстанции бесконечные прошения, пытаясь добиться освобождения Сента, но в ответ получают лишь обещания, что их очень расстраивает. Мать Сента посоветовала им обратиться к Виктору Даймонду, с которым она когда-то встречалась, правда, неизвестно, при каких обстоятельствах.

— Спринг очень переживает за тебя и говорит, что только Даймонд с его связями и влиянием может вызволить тебя отсюда.

— С какой стати ему помогать мне? — удивился Сент. — Чем он мне обязан?

Вера не имела ни малейшего представления.

Сент прощался с Верой у ворот, через которые на свободу устремлялись родственники заключенных.

— Одним словом, у вас ничего не получается, — сказал он напоследок. — Видимо, мне суждено провести в этой тюрьме всю жизнь.

— Не смей так говорить! — возмутилась Вера. — Мы делаем все возможное, даже твоя мать принимает участие. Если Виктор Даймонд нам не поможет, она найдет кого-нибудь еще.

— Могу я попросить тебя об одном одолжении? Не могла бы ты... — «попросить Джи Би написать мне», — хотел сказать Сент, но так и не решился. Он вздохнул и подумал: «Все равно из этого ничего не выйдет».

Позже он даже радовался, что не обратился к Вере с такой просьбой. Лучше ему забыть Джи Би, спрятать в потаенный уголок своей памяти и никогда не извлекать оттуда.

Этой ночью Сент сидел за машинкой, и слова сами ложились на бумагу:

«Старфайер. Сценарий Джона Сента.

Космическая темнота, лишь кое-где мелькает свет далеких звезд да слышится завывание ветра, пропитанного космической пылью.

Камера медленно наезжает на одну из звезд; та сжимается, затем внезапно взрывается, излучая энергию, и становится красным пульсирующим гигантом; под музыкальную какофонию озаряется экран.

Постепенно красный свет исчезает, уступая место черному; снова завывание ветра и свет далеких звезд; постепенно на экране появляются очертания человеческого лица. Шум ветра сменяется приглушенной музыкой, которая вначале усиливается, затем становится все тише и, наконец, стихает совсем.

Из далеких звезд формируется женское лицо, становясь все ближе и отчетливее, пока экран не заполняют одни только глаза. Они необычайного серебристого цвета, в них видны отблески огня. Зрачки излучают звездный свет.

Накатом дается название:

«Старфайер»...

Глава 16

«Дорогой Дональд, — писала Вера, — мне очень жаль, что снова не удалось встретиться с тобой во время моего приезда в Англию, но мне надо было торопиться в Йоркшир к маме, которая, как ты, наверное, знаешь нездорова...»

На самом же деле все обстояло не так уж плохо.

— Ей хочется, чтобы о ней кто-нибудь заботился, — говорила Синтия. — Она чувствует себя одинокой, ей нечем занять себя.

Мама очень обрадовалась, что Вера навестила ее, и говорила: «Я так рада, что ты перестала наконец изображать из себя манекенщицу. Теперь ты снова похожа на прежнюю Веру».

Когда пришло время возвращаться в Калифорнию, мама слегла и стала жаловаться на ужасные боли.

— Не могу поверить, что ты опять уедешь туда и оставишь меня в таком состоянии. Ты стала безжалостной, Вера, чудовищно безжалостной. Не могу понять, зачем тебе возвращаться. Ведь видно, что у тебя нет молодого человека, который бы ждал...

«Я рада, что ты наконец возвращаешься в Калифорнию. Твой преемник представляется мне человеком знающим и не растеряет твоих пациентов. Я уезжаю на несколько недель, поэтому, к сожалению, не смогу тебя встретить, к тому же уверена, что твоя семья настолько рада твоему возвращению, что им будет неприятно, если при встрече будет присутствовать кто-нибудь чужой».

На самом деле Вера и не планировала встречать Дональда в аэропорту, как тот просил ее. Девушке совсем не хотелось его видеть, особенно сейчас, когда она снова растолстела и все ее мысли были сфокусированы на одном Сенте.

«Дело Сента так и не сдвинулось с места. Все упирается в мексиканские власти, но мы с Арни не сдаемся и разработали новый план. Сейчас я живу у него в Беверли-Хиллз, он снимает квартиру, и я не могу тебе передать, как здесь чудесно. Здесь есть все, о чем только можно мечтать, включая просмотровую комнату, бассейн, гимнастический зал, хотя сам Арни пользуется только двумя комнатами: библиотекой, где работает над сценарием и слушает музыку, и спальней...»

Спальня Арни, по мнению Веры, была странной, но именно такой представлял ее директор, по замыслу которого подросток должен ощущать себя здесь уютно: односпальная кровать с выдвижным ящиком внизу, яркие клетчатые обои, напоминающие шотландский плед, такие же занавески и повсюду на стенах старые школьные фотографии спортивной команды, где среди колыхающихся физиономий школьников виднелось и лицо Сента.

«Жизнь Арни совсем непохожа на жизнь кинозвезды. Он редко появляется в обществе, отказывается от приглашений на обеды...»

И слава Богу. Вера чувствовала себя отвратительной жабой среди изящных, загорелых, красивых женщин Беверли-Хиллз. Она боялась появляться вместе с Арни, которого везде узнавали, а на нее глядели с удивлением и шептали: «Что за толстая корова вцепилась в Арни?»

«...Он почти всегда сидит дома, и ему присылают еду из итальянского ресторана, что расположен на первом этаже...»

А как вкусно там готовили! Вера за это время растолстела еще больше, но девушка опять махнула на себя рукой и не отказывалась от вкусной еды.

Вера вздохнула и устало откинулась в шезлонге. Ей казалось, что она писала это письмо целый день и никак не могла его закончить.

Гораздо проще позвонить Дональду по телефону, но тогда придется отвечать на его вопросы, быстро соображать, выкручиваться, а так написала письмо, выполнила свой долг, и можно еще долго не встречаться. Да к тому же это занятие помогало скоротать время.

Скорее бы Арни пришел домой.

Что могло его так задержать? Встреча с Виктором Даймондом была назначена на восемь утра.

Спринг была совершенно уверена, что он поможет Сенту.

— Он снимал несколько фильмов в Мексике, и у него есть хорошие друзья в правительстве. У него власть и связи по всему миру.

— Они что, были женаты? — спрашивала Вера Арни. — Или, может, были любовниками?

Ей очень хотелось знать, что связывало Спринг с Даймондом.

— Мне кажется, что они работали вместе, — отвечал Арни. — Правда, это было давно.

— По крайней мере она тоже пытается что-то сделать для Сента. И ведет себя как настоящая мать.

— Не обольщайся на этот счет, — отвечал Арни. — Она из всего извлекает для себя пользу. Страдающая мать рвется на части, чтобы освободить сына, и все в том же духе.

— Арни, не будь циничным.

— Но это правда.

Так или нет, но Спринг дала им хороший совет обратиться к Виктору Даймонду, и Арни, полный надежд, отправился на встречу с известным продюсером.

Но Арни ни разу не позвонил за весь день, а в этом нет ничего хорошего.

У Веры подводило живот, ей хотелось есть, но было еще только пять часов, а обед принесут не раньше семи.

Вера, ходившая взад-вперед по террасе, снова опустилась в шезлонг. Она положила три страницы письма на столик перед собой и придавила их терракотовой рыбкой. Она вернется к письму позже. Если бы только у Арни было что-нибудь в холодильнике.

Как было бы сейчас хорошо съесть большой кусок шоколадного торта, покрытого глазурью.

— Ну вот, — устало сказал Арни, — ничего не вышло. План не сработал. Я не позвонил тебе, чтобы не расстраивать раньше времени.

Арни только что вышел из душа и зачесал мокрые волосы за уши. Он надел белые слаксы и белую батистовую рубашку и выглядел аккуратным, чистеньким и изящным.

— Жаль, — ответила Вера, стараясь скрыть свое разочарование. — Он, наверное, думает, что мультфильм будет предназначаться для детей.

Арни покачал головой:

— Вовсе нет. Я его почти уговорил. Он просмотрел материал, у него заработало воображение, но я сам все испортил. Мне следовало помнить, что он становится

254

фанатиком, когда речь заходит о наркотиках. — Арни готов был заплакать. — Я забыл, что его жену поместили в клинику после очередного срыва. Кажется, у нее шизофрения или что-то в этом роде.

— Но...

— Когда-то в шестидесятых она разрушила свой мозг, употребляя ЛСД. Как только Даймонд услышал, что Сент сидит за торговлю наркотиками, то стал грознее тучи. И не захотел иметь со мной дело. Если бы он дослушал, мне, возможно, удалось убедить его. Но я его не виню, я все равно не сдамся.

Арни крутанулся на пятках и, облокотившись о парапет, принялся рассматривать расстилавшийся внизу город.

— Теперь я убежден, что он именно тот человек, который нам нужен. Надо только найти подход, нам необходимо что-то придумать.

Вера заплакала:

— Сколько так может продолжаться? Лишь только забрезжит какая-то надежда, дверь захлопывается прямо перед носом. Я все время навещаю его и стараюсь подбодрить, но с каждым разом мне это дается все труднее. Я не могу видеть Сента в этом ужасном месте. А каково ему? Ты себе можешь это представить? Господи, Арни. — Вера нервно теребила подол своего платья. — Я скоро не выдержу. — Она подумала о Сенте, который проводит за решеткой свои лучшие годы, и зарыдала еще сильнее. — Я просто не выдержу, я люблю его, Арни.

Арни погладил ее по спине, как любимую собачонку, и стал измерять шагами террасу, затем снова облокотился о перила и посмотрел в сторону океана, туда, где, по его мнению, была Санта-Моника.

— Я тоже его люблю, — проговорил он. — И полюбил еще при первой встрече. Он стал моим соседом по комнате. Все отказывались жить со мной рядом, а он нет. Я был противным, толстым очкариком, и все надо мной смеялись. А Сент красивый мальчик, хороший спортсмен, умный, общительный, — все искали его дружбы, к тому же из богатой семьи. Когда он вошел в комнату, я сразу подумал, что, увидев меня, Сент рассмеется и уйдет, хлопнув дверью, и потребует себе другую комнату. Мне тогда стало жутко, но ничего страшного не случилось. Он отнесся ко мне, как к ровне. Мы очень подружились. Сент всегда заступался, если кто-то начинал задирать меня, всегда приходил на помощь. Он дрался с одноклассниками из-за меня, и его все опасались. Когда рядом был Сент, я ничего не боялся. Я просто обязан помочь ему сейчас...

Солнце уже село; небо за горами потемнело, и Вере показалось, будто она видит вспышки молний. По террасе пробежал теплый ветерок. Арни посмотрел на Веру и глубоко вздохнул.

— Теперь моя очередь помогать ему, — повторил он, — и клянусь, меня ничто не остановит.

Вера прошла в ванную и умылась холодной водой. Она вернулась совершенно спокойная.

— Возвращаясь к нашему разговору... Что мы теперь будем делать?

Арни опустился на стул и вытянул под столом ноги. Его глаза блестели, Вера никогда еще не видела у него такого решительного взгляда.

— Что теперь? — повторил Арни. — Нам надо действовать решительнее, пустим в ход тяжелую артиллерию.

— Какую именно?

— Старфайер.

Поначалу Джи Би возмутилась.

— Ты что, совсем выжил из ума? Я никогда не решусь на такое.

— Обязана решиться, — холодно ответил Арни. — Даймонд не хочет со мной разговаривать, он даже не отвечает на мои звонки. Ты единственное спасение Сента.

— Значит, по-твоему, я должна лечь с этим продюсером в постель и понравиться настолько, чтобы ради меня ему захотелось спасти Сента?

— Я этого не говорил. Ты должна произвести на него такое сильное впечатление, чтобы ему самому захотелось снимать фильм. Послушай меня, Джи Би, он профессионал, Старфайер ему нравится. Виктору просто необходимо увидеть тебя, поверь мне. В конце концов, — продолжал Арни с угрозой в голосе, — тебе хочется видеть Сента на свободе или нет?

— За кого ты меня принимаешь? Разве я виновата, что он женился на Флетчер и та засадила его в тюрьму?

— Сент бросился в объятия Флетчер из-за тебя, — жестоко напирал Арни. — Наверняка ты что-то сказала ему или сделала. Я не знаю, что между вами произошло, и знать не хочу, но только ты могла удержать его от этого брака и только ты можешь спасти его сейчас.

Две недели спустя, в пятницу вечером, Арни готовил Джи Би к званому вечеру, где девушка впервые должна была встретиться с Виктором Даймондом. Уверенными движениями Блейз наносил косметику на ее лицо.

Немного отступив, он критически оценил свою работу.

— Пожалуй, основа немного темновата, надо сделать посветлее.

И снова принялся колдовать над лицом Джи Би, все время сверяясь с портретом Старфайер, висевшим на стене.

— Мы добьемся нужного сходства.

Арни нанял частного детектива, чтобы выяснить распорядок дня Виктора Даймонда. На сегодня тот был следующим:

Завтрак в «Поло-Лоундж».

Совещание на студии «Омега».

Ленч с Дэвидом Циммерманом и встреча с председателем корпоративной штаб-квартиры в Нью-Йорке.

Снова совещание.

В пять часов вечера — кардиолог Рубин Зефф.

В восемь вечера коктейль у Романо.

Даймонд редко посещал такие вечера, но сегодня решил сделать исключение. Обычно он приезжал на такие мероприятия после того, как гости отобедают, выпивал один-два бокала вина, проводил переговоры с нужными людьми и уезжал. Весь визит занимал не больше часа.

— Я никуда не поеду, — опять возражала Джи Би. — Придумай что-нибудь другое.

Арни уже не один раз перебрал в уме все возможные варианты, как привлечь внимание продюсера к проекту «Старфайер», но все не годилось. Старфайер должна лично встретиться с Даймондом на одном из приемов, лицом к лицу.

— Такая встреча будет выглядеть более естественно, — заметил Арни.

— Естественно? С таким-то гримом? Меня никто туда не приглашал, ты уверен, что я пройду? У охраны наверняка есть список гостей. Меня просто вытолкают взашей.

— Не думаю, чтобы они не впустили в дом прекрасную незнакомку, особенно к такому сатиру, как Романо.

— Что значит сатиру?

— Он сексуальный маньяк.

— Просто великолепно! Только этого не хватало. Послушай, а что, если Даймонд вообще там не появится или появится, но мы разминемся, а тем временем Романо потащит меня в постель? Что тогда делать?

— Постарайся выкрутиться, — сказала Вера. — Объясни ему, кто ты такая. Скажи, что ты Старфайер со звезды Ригель.

— Кто мне поверит?

— Ты самая настоящая Старфайер. — Арни взял Джи Би за подбородок и развернул к зеркалу, где девушка увидела свои глаза дымчатого цвета, водопад серебристых волос, искусно окрашенных мистером Джи под руководством Арни.

— Ты Старфайер, необычайно... нет, это не то слово, — продолжал Арни, — необыкновенно прекрасная. Ты обладаешь чудесной силой и сможешь поставить Стива Романо на место.

— Пожалуй, у нее слишком густые брови, — заметила Вера.

— Я не позволю их выщипывать, — возразила Джи Би.

— Сиди тихо, — приказал Арни, — а то я прихвачу тебе кожу.

Затем он нанес на веки Джи Би серебряные тени, оттенив их по краям темно-серыми линиями.

Вера нетерпеливо переминалась с ноги на ногу. У нее на глазах Джи Би превращалась в неземное существо, Арни был великолепным визажистом. Он сотворил чудо. Джи Би исчезла. Вместо нее на свет явилась настоящая Старфайер.

Откинувшись назад, Арни с удовольствием смотрел на свое творение.

— Неплохо получилось, — заметил он.

— Я хочу пить, — попросила Джи Би.

— Терпи, — ответил Арни. — Ты размажешь помаду.

Настала очередь одежды. Арни выбрал для нее короткую металлического цвета тунику, серебряные лайковые сандалии с ремешками, оплетающими ноги до колен. Из украшений на Джи Би осталось только массивное серебряное кольцо в виде змеи, как бы ползущей по указательному пальцу левой руки.

Арни взял Джи Би за плечи и развернул ее к трехстворчатому зеркалу.

— Вот ты и Старфайер, посмотри на себя.

Джи Би взглянула в зеркало и замерла. На нее смотрела предводительница амазонок со светящейся кожей и огромными сверкающими глазами.

— Боюсь, что у продюсера случится сердечный приступ. Он стар и не выдержит такого шока. Даймонд умрет и не сможет помочь Сенту.

— Виктор не стар, ему всего лишь пятьдесят, и, кроме того, у него крепкое здоровье.

— Но он же посещает кардиолога, — заметила Вера.

— Ну и что? — возразил Арни. — У мужика нервная работа, бесконечные стрессы, вот он и предпринимает меры предосторожности.

— Даже если его не хватит удар, то он разозлится как черт, увидев меня в таком виде, и результат будет тот же самый, — сказала Джи Би.

Положив руки ей на плечи, Арни наклонился и встретился с ней в зеркале глазами, он буквально гипнотизировал девушку.

— Что бы ни случилось, — сказал он, — ты с этим справишься. Сейчас ты Старфайер, и в тебе ее сила. Посмотри на себя внимательно.

Вера отшатнулась от них, едва дыша от страха. За какую-то долю секунды она почувствовала, что между ними существует какая-то потусторонняя связь.

«Я потеряла свою Старфайер, — подумала Вера, — потеряла раз и навсегда. Джи Би поглотила ее и растворилась в ней, и если Даймонд не вызволит Сента из тюрьмы, то моя жертва напрасна».

— Только бы сработало, — охрипшим от волнения голосом прошептала она.

— Старфайер сумеет это сделать, — ответил Арни. — Я нисколько не сомневаюсь. Джи Би, ты должна проникнуть в подсознание Даймонда и заставить его сделать то, что нам нужно. Твоя задача спасти Сента, и надо с этим справиться. Сейчас тебе все под силу, и ты сама это отлично понимаешь.

В вестибюле среди простых смертных Джи Би выглядела как экзотическое существо с другой планеты. Люди смотрели на нее и столбенели, гул голосов затихал, наступала тишина.

— Господи, — шептала Джи Би, руки ее дрожали. Девушка выронила маленькую серебряную вечернюю сумочку, которую Арни поднял и повесил ей на плечо.

— Удачи, — шепнул он Джи Би на ухо.

Та посмотрела на него своими неземными глазами, полными ужаса, плотно сжала рот, распрямила плечи и прошествовала за шофером.

Арни и Вера наблюдали, как он помог ей сесть в длинную серебристую машину и захлопнул дверцу.

Лимузин влился в поток машин, увозя Старфайер к каньону Голд-Уотер для выполнения миссии, предначертанной ей судьбой.

— Мне кажется, что ты обошелся с ней жестоко, — заметила Вера.

— Иначе нельзя. — Арни взял девушку за руку и повел к лифту. — Сегодня я нарушу одно свое правило, мы сейчас с тобой хорошенько напьемся. Повод для этого есть.

Глава 17

— Я Старфайер — у меня необыкновенная сила. Я Старфайер, я обладаю могуществом, — как заклинание повторяла Джи Би, вжавшись в сиденье, в то время как тело ее мотало из стороны в сторону при каждом повороте. Сначала лимузин выехал на скоростное шоссе, но вскоре свернул на проселочную дорогу, затем стал кружить, поднимаясь все выше и выше в горы. Девушка чувствовала себя растерянной, одинокой, отрезанной от всего мира, как будто действительно находилась в космосе.

Наконец они подъехали к мощным железным воротам, освещенным двумя прожекторами и охраняемым четырьмя сотрудниками службы безопасности.

У Джи Би возникло непреодолимое желание сбежать, открыть дверцу машины и умчаться куда глаза глядят, пока ее не задержали, но после короткого разговора шофера с охранниками, которого она не могла слышать, ворота бесшумно отворились, и машина проехала дальше, остановившись у высокой ярко-красной лакированной двери.

Шофер помог Джи Би выбраться из машины и уехал. Бежать было поздно. Через открытые двери она вошла в дом Стивена Романо и сразу попала в огромный зал высотой в два этажа, увитый тропическими лианами и цветами, где звучала незнакомая ей электронная музыка, еще больше испортившая ей настроение.

Она приняла от одетого в белый жакет дворецкого бокал шампанского и последовала за ним сквозь дверную арку в японский сад с нагромождением камней и белыми гравиевыми дорожками. Следуя за провожатым, девушка спустилась по заросшим мхом ступеням к плавательному бассейну причудливой формы, миновала узкий каменный мостик и вошла в тоннель, созданный из цветущих кустов жасмина и клематисов. В другое время Джи Би нашла бы все это очень красивым.

Стив Романо устраивал прием на нижней террасе, вымощенной мрамором и заставленной железной мебелью, покрашенной в белый цвет. На хозяине были облегающие черные кожаные брюки и такой же жилет, надетый на голое тело. С шеи свисала массивная золотая цепь с маленьким, сделанным из слоновой кости черепом. Стив сразу же заметил Джи Би, его брови удивленно изогнулись, и он изящной походкой подошел к ней.

— Добро пожаловать, прекрасная незнакомка. — Стив намотал на палец локон ее серебристых волос. — У вас такой вид, словно вы собираетесь пронзить копьем дракона.

Джи Би, решительно взмахнув головой, отняла у него свои волосы и выдавила улыбку:

— Привет, я Джи Би.

Девушка быстро огляделась вокруг: никто из гостей не походил на Даймонда. Ей удалось проникнуть в логово, но силы Старфайер она не ощущала, скорее чувствовала себя жертвенной овечкой, которую приготовили на обед тигру, готовому появиться с минуты на минуту.

— Я точно могу сказать, кто ты, — заметил Романо, — просто не знаю, кому принадлежишь.

Принадлежишь? Глаза Джи Би вспыхнули гневом.

— Я принадлежу только себе.

— Значит, ты одна? Чудесно! Самая приятная новость за неделю. — В улыбке Стива появилось нечто хищное. — Мне здесь чертовски скучно, такого отвратительного приема у меня еще никогда не было. Зачем я собрал всех этих людей? — Он чокнулся с ней бокалом. — Еще раз: добро пожаловать! Ты скрасишь мне вечер.

«Я этого не вынесу», — подумала Джи Би, но в следующий момент вспомнила Сента, который сидел в тюрьме по ее вине, вспомнила гнев Арни, любовь Веры и, отпив шампанского, посмотрела в глаза Романо холодным взглядом.

— Ничем не могу помочь, — заговорила в ней Старфайер. — Я бесчувственная.

— Но острая на язык, мне нравятся такие женщины. — Стив пожирал ее глазами, как голодный пожирает взглядом сочный бифштекс. — Я люблю более интимные приемы. Почему бы нам не выпить шампанского в постели? К тому времени, как мы закончим наши игры, может, и гости разойдутся. — Он по-хозяйски положил руку на шею Джи Би, та невольно отпрянула. — Вот этого не стоит делать, — сказал Романо вкрадчиво. — Не надо набивать себе цену.

Старфайер убедилась в правоте Арни, который утверждал, что Романо — сексуальный маньяк. Так и было на самом деле.

— Вы уверены, что не теряете время зря? — спросила она.

— Уверен, — весело ответил Романо. — Это мой дом и мой прием.

— Ну что же, ответ честный, — проговорила Старфайер. — Стоит подумать.

— Что тут думать, — сказал Романо. — Идем, моя дорогая, здесь очень шумно. Мы сможем продолжить разговор в постели. Ты расскажешь, кто ты такая и почему оказалась в моем доме. Вот увидишь, я тебе понравлюсь. Меня считают прекрасным любовником, спроси кого хочешь.

— Я польщена, — твердо заявила Старфайер, — но я не занимаюсь любовью с человеческими существами.

— Как это понимать? — спросил Романо.

— Очень просто. Не говоря уже о низкой ступени развития вашей жизни...

Темные глаза Романо вспыхнули гневом. Сейчас он уже не выглядел очаровашкой, как раньше.

— Послушайте, леди, это уже слишком. Что вы там болтаете? Кто прислал вас сюда?

— Я выполняю приказ, — с улыбкой ответила Старфайер.

— Кто вы такая, черт возьми? Откуда вы сбежали?

— Если я расскажу, вы все равно не поверите.

— Попробуйте...

— Я прилетела с планеты Ригел.

— Предположим, я вам верю, уж очень необычно вы выглядите. Но если вы здесь не для того, чтобы повидать меня, то что вам нужно?

— Мне необходимо встретиться с другим человеком.

— Послушайте, леди, я не люблю, когда меня используют, особенно в моем собственном доме.

— Но жизнь так устроена, что все используют друг друга. Не понимаю, к чему возражения? Все останется между нами. По крайней мере вы больше не скучаете, возможно, я даже скрашу ваш вечер, как вы того хотели.

Тут, к счастью, они услышали звуки приближающихся голосов, и вскоре их окружила целая толпа парадно одетых людей. Все разговаривали наперебой.

— Стиво, дорогой, ты потрясающе выглядишь.

— Стиво, зайчик, не томи нас. Кто твоя приятельница?

Женщина с копной волос и в очень коротком платье сказала Старфайер:

— Сногсшибательный костюм, дорогая. Кто ты такая?

— Принцесса Лейя с новой прической, — фыркнул Романо.

Все громко рассмеялись.

— Не ваш ли НЛО стоит во дворе? — спросил какой-то мужчина.

— Нет, я его просто арендовала, — ответила Старфайер, встряхнув серебристыми волосами.

Все начали истерически хохотать, Старфайер становилась гвоздем программы.

Появился официант с подносом, уставленным бокалами с шампанским.

«Где же Даймонд? — думала Старфайер. — Возможно, он вообще не придет. Еще пять минут, и мне надо исчезать».

Внезапно женщина с рыжими волосами, украшенными жемчугом, толкнула в бок стоявшего рядом мужчину.

— Смотри, Морт, кто идет. Я же говорила тебе, что он обязательно появится.

В мгновение ока в зале наступила тишина, и все взгляды устремились к спускающемуся вниз по лестнице мужчине.

Старфайер тоже повернулась в его сторону. Стив Романо болтал ей что-то о том, что теперь даже рад, что не занялся с ней любовью, потому что это не идет ни в какое сравнение с приходом Виктора Даймонда, но девушка не слушала его.

Она стояла посреди террасы, сжимая обеими руками бокал с шампанским, вновь чувствуя, что никакая она не Старфайер, а обыкновенная Джи Би, которая с ужасом ждет своей участи. Она молила Бога, чтобы Даймонд ее не заметил.

— Я Старфайер, — твердила она себе. — Я невидима, я Старфайер, я невидима.

Но, естественно, заклинание не сработало. Вся ее сила куда-то испарилась.

Виктор Даймонд сразу же увидел ее и застыл на нижней ступени лестницы, сверля пронзительными темными глазами. Джи Би почувствовала, что моментально постарела на десять лет. Он выглядел огромным и внушительным, он воплощал власть. Девушка никогда не видела такой значительной фигуры.

— Вик, — сказал Романо, — очень рад, что ты сумел выкроить для меня минутку.

Стоявшая за спиной Джи Би рыжеволосая женщина прошептала своему спутнику:

— Ну иди же, Морт, другого такого случая никогда не будет...

Небрежным наклоном головы Даймонд ответил на приветствие хозяина, прошел сквозь толпу гостей, словно их там и не было, и остановился перед Джи Би.

— Кто ты такая и почему загримировалась под Вэнджи?

Вэнджи? Это еще кто? Джи Би молча смотрела на Даймонда, пытаясь что-то сказать, но ее рот и челюсти свело, как от укола новокаина. Прошли долгие минуты, прежде чем она сумела выдавить из себя:

— Я Джи Би.

— Ах да, конечно. — Веки Даймонда устало опустились. — Как я сразу не догадался, тебя подослал Арнольд Блейз. А я-то все ждал, что еще он выкинет.

Отрицать было бесполезно, и Джи Би ответила:

— Да.

— Он об этом горько пожалеет, — произнес Даймонд.

Джи Би не сомневалась.

— И ты тоже, — добавил он.

У Джи Би перехватило дыхание. Черт бы побрал этого Арни, втянул ее в историю. Джи Би почувствовала, как в ней закипает ярость на Арни и Сента.

— Мне очень жаль, — сказала она, поджав губы. — Я говорила ему, что это не сработает.

— Вот в этом ты ошиблась. Я даже испугался, мне показалось, что я вижу привидение.

Даймонд подошел ближе, и Джи Би, попятившись, уперлась спиной в стеклянный столик.

— Привидение? — как эхо, повторила она.

— Хватит морочить мне голову, — прорычал Даймонд с кривой усмешкой. — Я прожил большую жизнь и знаю все трюки и уловки, к которым прибегают такие женщины. Но ты просто превзошла всех и заслуживаешь награды. Ни одна старлетка еще так долго не отвлекала моего внимания, давай говори свою коронную речь и убирайся.

Дрожащей рукой Джи Би поставила бокал на столик: дело оборачивалось куда хуже, чем она предполагала.

— Я не понимаю, о каком привидении вы говорите, но совершенно согласна с вами — мы сделали большую глупость. Мне очень жаль, и я немедленно ухожу.

Джи Би повернулась, но Даймонд схватил ее за руку.

— Минуточку, послушай, что я тебе скажу.

Отсвет стеклянной поверхности стола отражался в его темных глазах, и они горели, как раскаленные угли. Его рука скользнула по руке Джи Би и больно сжала ей ладонь.

— Я хочу, чтобы ты передала Арни следующее: я никогда не помогу ему вытащить его подонка-приятеля из тюрьмы. Он останется там, пока не сгниет. — Даймонд еще сильнее сжал ей руку. — Скажи ему также, что, если он сунется со своей «Старфайер» куда-нибудь еще, я сотру его в порошок. Я не позволю эксплуатировать образ Вэнджи подобным образом.

Он так больно сжал Джи Би руку, что та чуть не закричала. Девушка попыталась выдернуть ее, но Даймонд продолжал жать все сильнее. «Господи, — подумала Джи Би, — сейчас он сломает мне руку».

— Я все ему передам, — ответила она, сдерживая слезы, — а теперь позвольте мне уйти.

— Что же касается тебя, — продолжал Даймонд, — то убирайся в ту дыру, из которой вылезла, и не надейся когда-нибудь стать кинозвездой.

Он снова сдавил ей руку.

Джи Би перевела дыхание. Она внезапно почувствовала, что совсем не боится Даймонда. Он был одним из мужиков, каких много, только с комплексом властолюбия. Что плохого она ему сделала? Глаза ее вспыхнули гневом.

— Отпустите мою руку, — сказала Джи Би сквозь стиснутые зубы. — Как вы смеете так обращаться со мной?

— Не устраивай мне сцен, дорогая, — ответил Даймонд с омерзительной улыбкой, небрежно похлопав ее по щеке. — Зря теряешь время, на этом твоя карьера закончилась.

Джи Би массировала покрасневшую руку, она была вне себя от злости.

— Если моя карьера закончилась, — твердо произнесла она, — то я должна достойно ее похоронить.

Размахнувшись, Джо-Бет что было силы ударила его по щеке. Голова Даймонда дернулась, и он выронил бокал, который разбился на мраморном полу на мелкие кусочки.

Все затаили дыхание, затем послышался шепот, в котором различались такие слова, как суд... оскорбление... нахальство, и извиняющийся голос Стива Романо:

— Мне очень жаль, Вик. Я даже не знаю эту дрянь. Она ворвалась в мой дом... просто сумасшедшая. Надо вызвать врача и полицию.

Джи Би никак не отреагировала на эти слова. Она смело посмотрела Даймонду в глаза.

— Прощайте, мистер Даймонд. Я обязательно передам Арни все, что вы просили.

Джи Би повернулась и, не оглядываясь, поднялась по лестнице, прошла через дом и вышла во двор, где ее уже ожидала машина.

Она не дрожала от страха и не плакала, всю дорогу до дома оставаясь совершенно спокойной... и, лишь оказавшись в своей квартире, дала волю слезам.

***

— Я сделала все от меня зависящее, — рассказывала она Арни по телефону на следующее утро. Накануне вечером девушка не решилась ему позвонить, так как была очень расстроена. — Ничего не вышло. Мы сделали что-то не так. — В нескольких словах она рассказала ему о Вэнджи, образ которой, по словам Даймонда, они использовали. — Все было просто ужасно, я еще никогда ни к кому в жизни не испытывала такой ненависти. Все, что он делал и говорил, было сплошным унижением. Я не знала, куда деться со стыда. Мерзкий человек. Мне очень жаль, Арни, что я не справилась с заданием. Прошу тебя, не заставляй меня больше делать ничего подобного.

В субботу у Джи Би был выходной. Обычно этот день она посвящала отдыху и встречам с друзьями. Девушка вставала поздно, завтракала и отправлялась по магазинам.

Но в это утро все пошло по-другому. Поставив телефон на автоответчик, она бесцельно слонялась по квартире, боясь, что снова придется разговаривать с Арни или, что еще хуже, с Верой. Этого она бы не вынесла. Телефон звонил дважды, и девушка представляла себе, как автоответчик говорит ее голосом: «Привет! Это Джи Би. Я сейчас не могу подойти к телефону...»

В середине дня она не выдержала и поехала на пляж, где пробродила два часа.

Был жаркий, душный день; солнце едва выглядывало из-за туч. Джи Би надела старенькие джинсы и просторную полосатую рубашку; серебристые волосы прикрывал платок. Она смыла с себя весь грим, словно он жег ее. Девушка медленно бродила по пляжу, вспоминая события вчерашнего дня. Она понимала, что подвела всех: Сента, Арни, Веру, но самое ужасное — дала Даймонду пощечину, что было непростительной глупостью с ее стороны. Если бы можно было все вернуть назад,

269

Джо-Бет повела бы себя иначе, но, увы, второго шанса у нее никогда не будет. Даймонд сказал, что никогда не позволит Арни осуществить проект со «Старфайер», и можно не сомневаться, что так и будет. Все просто ужасно. Но откуда ей было знать, что она выглядит, как Вэнджи Селлорз?

Поглощенная тяжелыми мыслями, Джи Би вернулась к машине, не заметив, что рядом с ее серебристым «БМВ» стоит черный «ягуар», за рулем которого сидит седовласый мужчина и, оперевшись подбородком о скрещенные на руле руки, наблюдает за ней.

— Долго же вы гуляете, — сказал он, выходя из машины.

— Почему вы преследуете меня, мистер Даймонд? — непроизвольно вырвалось у Джи Би.

В ветре, дувшем с океана, чувствовался запах соли. Солнце закатилось, и наступили сумерки. Опустившись в шезлонг, на который указал ей Даймонд, Джи Би, запрокинув голову, смотрела в темное небо, где сверкали крупные звезды. Она прикидывала, где может находиться звезда Ригель.

Появился Хамура с двумя хрустальными бокалами и бутылкой шампанского. Он молча наполнил бокал, поклонился и бесшумно исчез.

Даймонд поднял свой бокал.

— Я должен извиниться перед тобой. Мне показалось, что ты нарочно предстала передо мной в образе жены.

Джи Би никак не могла поверить в чудо: судьба предоставила ей еще один шанс. Она покачала головой и тихо ответила:

— Я не знала... Я не видела ни одной ее роли или фотографии. Мне очень жаль...

— Вэнджи снялась всего в трех фильмах, и все копии у меня. Мне было невыносимо осознавать, что кто-то еще смотрит на нее и вспоминает, какой она была. Я хотел, чтобы Вэнджи была только моей. Может, это и глупо, но иначе я не мог.

— Должно быть, вы ее очень любили, — сказала Джи Би.

— Прошло уже много времени, а я все еще люблю ее, но предпочитаю никогда об этом не говорить.

Даймонд долго молчал, молчала и Джи Би, не решаясь прервать ход его мыслей.

— Сразу после твоего ухода я понял, что произошло недоразумение, что я поступил с тобой несправедливо, — сказал он наконец. — Я решил, что нам надо поговорить. Возможно, мы еще можем помириться, если ты, конечно, этого захочешь. — Даймонд потер щеку. — Ты сильная, я почувствовал это по твоему удару.

— Я очень разозлилась...

— И справедливо. Сейчас я весь внимание, Джи Би. Скажи мне, что я могу для тебя сделать?

Джи Би почувствовала себя свободнее. Она рассказала ему о Сенте, Флетчер, Арни, Вере и о себе. Вопреки ожиданиям Виктор оказался хорошим слушателем; он почти не прерывал ее, и Джи Би становилась все раскованнее и чувствовала себя легко, как никогда в жизни.

— Похоже, вы все возлагаете на меня большие надежды, — заметил Даймонд. — Вы серьезно думаете, что я могу освободить вашего друга? Это так?

— Арни говорит, что у вас хорошие связи, что вы дружите с некоторыми членами правительства Мексики. У вас есть знакомые в полиции и в Департаменте по борьбе с наркотиками.

— Это правда.

— И что, если вы попросите, они помогут освободить Сента.

— Возможно, я могу попробовать.

— Спасибо.

— Пожалуйста. Я подумаю, что можно сделать, — сухо заметил Даймонд, — а теперь давай поговорим о тебе и о Старфайер...

После разговора Виктор повел Джи Би через стеклянную дверь в широкий коридор и дальше по каменным ступеням лестницы, опоясывавшей дом.

Спальня занимала весь третий этаж. Это была очень простая комната: гладкие белые стены, кафельный пол, западная стена сплошь стеклянная. Единственная мебель — источенная червями деревянная скамья с высокой спинкой, напоминающая те, что стоят в испанских соборах, и огромная кровать, расположенная в центре комнаты и покрытая пледом буйной расцветки: коктейль рыжего, алого, темно-красного и черного.

— Похоже на алтарь, — сказала Джи Би.

— Да, — согласился Даймонд. Он дотронулся до панели рядом с дверной аркой, и комнату залил мягкий свет. Дотронулся еще раз, и крыша шумно раздвинулась. — Раздевайся, — тихо приказал он.

Закинув руки за спину, Джи Би расстегнула «молнию», и платье светящейся массой упало к ее ногам. Наклонившись, она развязала тесемки сандалет. Шлепая босыми ногами по холодному полу, девушка отнесла свои вещи на скамью.

— Встань у окна, — приказал Даймонд.

Джи Би повиновалась. Стеклянная стена стала раздвигаться, и Джи Би почувствовала на своем теле дуновение ветерка и услышала шелест волн. Она отвернулась и посмотрела на океан, не желая видеть, как раздевается Даймонд, хотя по шуршанию одежды можно было догадаться, что именно он делает. Девушка услышала его приближающиеся шаги и напряглась, ладони непроизвольно сжались в кулаки. Он стар, и, возможно, у него больное сердце, но Виктор был сегодня так нежен, так внимателен, что почти понравился ей. Внезапно Джо-Бет вспомнила его железную хватку, от которой рука до сих пор болела, и подумала, что она с ним совершенно одна в этом странном доме, не считая невидимых слуг, которые никогда не прибегут ей на помощь, даже если услышат крики.

«Черт возьми, — подумала она, — зачем я все это делаю? Почему не сопротивляюсь?» И тут же ответила: «Потому, что этот человек Виктор Даймонд, у него власть и связи, и он обещал вызволить Сента из тюрьмы». И еще девушка подумала: «Я делаю это не только ради Сента, но и ради себя, потому что мне так хочется, потому что я никогда еще не встречала такого необыкновенного человека и еще... — сердце Джи Би учащенно забилось, — еще потому, что он сделает из меня Старфайер. А когда я стану его, то тоже буду могущественной, у меня тоже будет власть...»

Даймонд взял девушку за плечи и притянул к себе. Он поднял руку и дотронулся до ее лба, затем пальцы стали блуждать по ее лицу, шее, изгибу груди, ладони прошлись по лопаткам, спине, ягодицам.

— А сейчас в постель, — прошептал он.

То, что за этим последовало, напоминало балет: легкие прикосновения, поглаживания, переворачивания, мягкие движения навстречу. Он от нее ничего не требовал, а только шептал:

— Подними колени, перевернись, вытянись.

Вся сцена напоминала съемку фильма, он просто вертел и рассматривал ее.

Джи Би понимала, что Виктор наблюдает за игрой света и теней на ее теле, подмечая и гладкость кожи, и свечение волос. Руками и языком он обследовал ее всю, не спуская при этом глаз с лица. Одной рукой он перебирал пряди ее волос, другой ласкал между ног до тех пор, пока у девушки не вырвался стон.

Закончив ласки, Даймонд растянулся рядом с ней, его дыхание стало спокойным и ровным.

Джи Би подумала, что он крепко спит, когда внезапно раздался его голос:

— На сегодня хватит, в следующий раз будет лучше.

— Уверена, что так, — прошептала Джи Би, а про себя подумала: «Надо быть с ним поосторожнее, его не проведешь».

Шли долгие минуты, и она совсем было поверила, что он спит, но опять ошиблась.

— Я помогу Сенту выйти из тюрьмы, — сказал Даймонд. — Я это обязательно сделаю, скажи Арни и Вере Браун.

Джи Би с облегчением вздохнула:

— Спасибо. Они будут очень рады.

— Не сомневаюсь, но у меня есть одно условие.

— Какое?

— Я хочу получить все права на «Старфайер». Вера должна подписать со мной контракт. Ты меня понимаешь, Джи Би? Я хочу безраздельно владеть «Старфайер».

Глава 18

Его сразу узнавали.

— Ма, посмотри, это же...

— Да вон там, парень в зеленой рубашке, рядом с толстушкой. Это...

— Неужели не узнаешь? Десять минут съемок — и сразу кинозвезда.

Не обращая внимания на толпу поклонников, Арни изучал расписание прибытия самолетов компании «Вестерн эйрлайнз» из Мехико.

— Черт возьми, Вера, он опаздывает. Нам придется болтаться здесь еще целых два часа.

— Я предупреждала тебя, что слишком рано едем.

Хор голосов усиливался:

— Арни, я люблю тебя!

— Дай мне автограф. Вот, пиши прямо на руке. Вилли... это я.

274

— Арни, женись на мне. Я хочу от тебя детей!

Арни писал свое имя на бумажных салфетках, на обратной стороне конвертов, на разгоряченных телах подростков, расточал заученные улыбки, которые каждый истолковывал по-своему, но Вера знала, что окружающая обстановка для него не существует и, хотя тело его находится здесь, около международного терминала в аэропорту Лос-Анджелеса, все его мысли и сердце с Сентом, самолет которого летел сейчас где-то над мексиканским штатом Сонора.

И это совсем неудивительно. Вера сама испытывала ощущение нереальности происходящего, она до сих пор не могла поверить в случившееся. После двух лет просьб, унижений, надежд и разочарований произошло то, на что никто уже не надеялся.

Правда, ей пришлось согласиться продать все авторские права на «Старфайер» Виктору Даймонду.

Арни был возмущен, узнав от Джи Би об этом условии.

— Вера не должна этого делать, — говорил он.

— Виктор обещал подписать контракт на самых выгодных для нее условиях.

— Если другого выхода нет, то я согласна, — сказала Вера.

Раздался пронзительный крик:

— Арни!

К нему присоединились сотни других оглушительных криков. Упитанная четырнадцатилетняя девица рванула на себе блузку, обнажив большие белые груди.

— Я хочу тебя, Арни!

— Нам нельзя здесь оставаться, — сказала Вера, схватив друга за руку.

— Хорошо, — согласился тот, — давай подождем его у выхода.

Вера посмотрела на неистовствующую толпу, откуда тянулись к Арни жадные руки, готовые разорвать его на части, и покачала головой.

— Надо быть сумасшедшим, чтобы оставаться здесь. Нам надо немедленно уходить.

Но к ним подошли обеспокоенные служащие аэропорта в сопровождении двух крепких полицейских. Арни и Веру пригласили в другой зал ожидания, толпу фанатов разогнали. Арни же, казалось, не замечал происходящего вокруг.

Вера устало опустилась в кресло. Арни слонялся из угла в угол, поглядывая сквозь высокие окна на взлетно-посадочные полосы, где непрерывно взлетали и садились самолеты, но Сент все еще находился где-то в воздухе. Арни попросил у сияющей барменши стакан минеральной воды, выпил ее залпом и долго держал стаканчик у рта — непонятно, с какой целью. Вере начало казаться, что она сходит с ума.

Время тянулось бесконечно медленно. Минута следовала за минутой, но прошло всего полчаса.

Вера размышляла над тем, стоило ли ей продавать права на «Старфайер» и как она теперь будет себя чувствовать без нее. Конечно, потеря слишком велика... «Но, — подумала она, — я уже потеряла ее. Фактически я потеряла ее дважды. Первый раз, когда впервые познакомилась с Джи Би на приеме у Арни...»

— Прошел всего час, — прервал ее размышления его голос. — Когда же прилетит этот чертов самолет?

Виктор Даймонд взял с собой в Мексику Джи Би. После их возвращения они должны все встретиться и Вера подпишет контракт, предоставив Даймонду исключительные права на «Старфайер», которой тот хотел владеть безраздельно. Вера снова подумала о том, как будет себя чувствовать, подписав этот контракт.

Но не надо волноваться раньше времени. Сейчас, когда она вот-вот увидит Сента на свободе...

— Вера! — закричал Арни. — Вера, он приземлился! Сент прилетел! — Арни выглядел совершенно испуганным.

Арни рыскал глазами по толпе пассажиров, проходивших через таможню и паспортный контроль.

Здесь были загорелые туристы в ярких одеждах, бизнесмены, большие мексиканские семьи, группа священников в черных шляпах с плоскими полями. Каждый из прибывших катил перед собой тележку, доверху заполненную чемоданами, коробками, дипломатами, сувенирами и даже маленькими детьми. Сента среди них не было. Арни, нервничая, переминался с ноги на ногу. Вера испугалась, что Сент не успел на самолет или, что самое худшее, его вообще не выпустили из тюрьмы. Когда Вера была уже на грани истерики, из дверей вышел одинокий пассажир, бледный, плохо одетый, с отросшими длинными волосами. У него не было тележки, не было сумки, один только коричневый пакет, который он крепко прижимал к груди. Пассажир шел неровной походкой, как матрос, ступивший на сушу после длительного плавания.

Сент вернулся домой.

Последовала трудная неделя. Настроение Сента все время менялось: поначалу смущенный, он вдруг становился агрессивным и подозрительным или, наоборот, безропотно послушным, когда Арни водил его к дантисту, чтобы вставить выбитые зубы, затем в мужской магазин на Мелроуз-авеню. Он позволил Арни самому выбрать для него вещи и лишь покорно поворачивался, поднимал руки, примеряя одежду, и безразлично смотрел на себя в зеркало, как будто не он, а другой человек примерял все эти рубашки, пиджаки, свитера и брюки.

— Возможно, у тебя послестрессовый синдром, — предположил обеспокоенный его поведением Арни. — Такое бывает у заложников и военнопленных.

— Ну и что?

— Возможно, ты нуждаешься в хорошем советчике. Центр в Раунд-Маунтинз уже больше не занимается реабилитацией наркоманов. Теперь они консультируют ветеранов войны и жертв похищений. Если ты проведешь там месяц-другой...

— Не говори глупостей, — ответил Сент. — Я не собираюсь менять одну тюрьму на другую.

— Дай ему время прийти в себя, — посоветовала Вера. — Он никак не может оправиться от шока.

На третий день Сент разговорился. Он говорил и говорил, слова лились бесконечным, бессвязным потоком, голос стал сиплым и неприятно резал ухо. Такого Арни за ним раньше не замечал. Когда он спросил Сента, что с его голосом, тот уклончиво ответил:

— У меня проблемы с горлом.

— Какого рода проблемы? Оно болит?

В ответ Сент только пожал плечами и ушел на террасу.

— Не спрашивай его об этом, — посоветовала Вера. — Его пытали, чтобы он дал показания, и повредили горло.

— Они что? — Голос Арни сорвался на крик. — Они...

— Тише, — попросила Вера, посмотрев на открытую дверь.

— Да, но... Господи, Вера. Это же просто ужас... Господи... Но как ты узнала? Почему он рассказал об этом тебе, а не мне?

— Просто я была там и знаю, что в Санта-Пауле людей пытают, там это обычная вещь.

— «Обычная вещь», — передразнил Арни. — Господи, Вера, мне больно думать, что Сент...

— Поверь мне, Арни, лучше его сейчас ни о чем не расспрашивать.

— Ему надо высказаться, — горячо возразил Арни. — Это ему поможет быстрее прийти в себя.

— Он так и сделает, когда сам того захочет, — резко сказала Вера, — а сейчас не дави на него.

Сент боялся низких потолков, закрытых дверей и большого скопления народа.

Он настоял, что будет спать на террасе, хотя на самом деле почти не спал и проводил большую часть ночи, расхаживая босиком по квартире и разглядывая виды из каждого окна.

Сент становился беспокойным на улице, испуганно смотрел на несущиеся мимо машины и снующих в разных направлениях людей. После первого похода с Арни по магазинам он решительно отказывался выходить с ним снова, не хотел даже ездить в лимузине с затемненными стеклами, навязчивое внимание раздражало его.

К разочарованию Арни, который пригласил Сента в итальянский ресторан, чтобы порадовать вкусной едой, Сент предпочел отправиться с Верой в «Макдоналдс», где они съели по биг-маку с жареной картошкой, обильно поливая все это кетчупом и горчицей.

Сент, который благодаря Гальегосу очень хорошо питался в тюрьме, соскучился по простой, доступной пище.

— Я мечтаю съесть пиццу, — сообщил он Арни на третий день своей свободы, — хот-догов, гамбургеров с различными приправами, но я не хочу, чтобы ты шел с нами, так как твое появление вызовет много шума.

На самом деле причина была в другом. Сент гораздо лучше чувствовал себя в обществе Веры, которая разговаривала с ним, как с нормальным человеком, а не как с выздоравливающим, только что вернувшимся из больницы, и, кроме того, в ее компании он был незаметнее, так как мало кто из мужчин обращает внимание на толстых женщин.

Арни пришел в ужас:

— «Макдоналдс»! Я тебя умоляю.

— Мне там нравится, там можно посидеть на улице и быстро смыться, если что-то не понравится.

— Но сейчас ты в полной безопасности. Не забывай, здесь Калифорния.

— Я знаю, — отвечал Сент, но голос его звучал неуверенно.

— Что ему сейчас действительно нужно, — сказала Вера по прошествии недели, — так это побыть в тишине, подальше от города.

И Арни сразу вспомнил о своем новом доме на озере Тахо.

С того самого лета, когда он, выздоравливая, жил там с Сентом, озеро Тахо стало казаться ему убежищем, благословленным небесами, и Арни купил тот дом, где мог в любой момент укрыться, остаться наедине с ветром, небом и водой. Сент там наверняка быстро поправится.

— Как же я не подумал об этом раньше, — корил себя Блейз.

В первый день на озере друзья взяли моторную лодку и отправились в плавание. За рулем сидел Сент, он включил мотор, и они быстро проплыли две мили.

— Я хочу поплавать, — заявил Сент.

— Вода ужасно холодная, — предупредил Арни.

— Не имеет значения, я не плавал уже два года.

Он быстро разделся, встал на край лодки, немного побалансировал и бесшумно нырнул. Несколько хороших гребков, и Сент скрылся из виду.

Однако после длительного заключения, да еще в тропиках, его тело ослабло. Сент понял это, проплыв сотню ярдов. Арни быстро подогнал лодку, а Вера бросила ему веревочную лестницу.

— Тебе стоит быть осторожнее, — упрекнула она его, пока Арни помогал ему взобраться в лодку, где Сент улегся на дно, дрожа от слабости и холода. — Нельзя же сразу бросаться в холодную воду, тебе надо потренироваться.

Сент сел на скамью и натянул на себя шерстяной рыбацкий свитер, который купил ему Арни. Он закатал рукава и посмотрел на свои руки, посиневшие от холода.

— Вера, — сказал Сент, стуча зубами, — не изображай из себя наседку.

Дни протекали тихо, без особых событий.

Сент много гулял, носился с бешеной скоростью на моторке из конца озера в конец.

Прошло еще семь дней. Сент лежал на дне лодки и смотрел на парящих в небе чаек. Они то касались воды своими черно-голубыми брюшками, то взмывали высоко в небо, в заоблачную высь.

Арни хотел сам править лодкой, но Сент решительно отказался.

— Не надо за меня беспокоиться, — сказал он.

— Обещай мне, что не будешь плавать, да и погода, кажется, портится.

Арни и Вера стояли на пристани и махали ему, как будто он отправлялся в одиночное кругосветное плавание.

Сент тоже помахал им в ответ, отдал швартовы, медленно отплыл от пристани, а затем на полной скорости рванул вперед, взметая тучу брызг. Он попетлял между городами Тахо и Хоумвуд и поплыл к противоположному берегу, где находился штат Невада, там выключил мотор и медленно вошел в бухточку Сэнд-Харбор.

Здесь, глядя в грозовое небо, чувствуя дуновение ветра на лице, слушая далекие раскаты грома и тихий шелест волн, он мог наконец подумать о Джи Би. Наступил момент, которого он ждал так долго. Когда в Лос-Анджелесе Арни предложил ему поехать отдохнуть на озеро Тахо, Сент выглядел смущенным, потому что именно здесь он познакомился с Флетчер. Арни тогда сказал:

— Может, это не очень хорошая идея.

— Почему? — удивился Сент.

— Может, тебе будет неприятно вспоминать... Как я об этом раньше не подумал...

Сент искренне удивился.

— Не переживай так за меня, Арни, — сказал он.

Флетчер постепенно исчезла из его мыслей, а озеро осталось связано только с воспоминаниями о Джи Би, оно принадлежало ей, и когда-нибудь Сент снова привезет ее сюда. Тот давнишний инцидент в Сан-Франциско казался ему сейчас тривиальным, а ее гнев и желание побольнее обидеть его говорили лишь о том, что он ей небезразличен.

Теперь старательно, боясь упустить какую-нибудь подробность, Сент вспоминал их давний пикник в этой бухточке: одеяло в коричнево-белую полоску, расстеленное в тени дерева, рядом журнал, сандвичи и ведерко с холодной водой, белое с красной каемкой. Сент плотно закрыл глаза, и перед ним ожила картина: он, бегающий по раскаленному песку, и Джи Би, сидящая под соснами и наблюдающая за ним.

Джи Би в голубом купальнике пьет кока-колу.

Но, к его великому разочарованию, одеяло оставалось все время пустым. На нем никого не было.

Сильный порыв ветра раскачал лодку.

Дождь стал накрапывать, затем разошелся. Вода в озере потемнела, Сент уперся спиной в пластиковое сиденье лодки и для упора расставил ноги. Гром гремел так оглушительно, что у него чуть не лопнули барабанные перепонки; дождь лил сплошным потоком. Сент не обращал на это никакого внимания, удивляясь несправедливости судьбы: несмотря на все усилия, он никак не мог вспомнить лицо Джи Би.

В тюрьме Сент даже уговаривал себя, что это к лучшему, там не имело смысла вспоминать ее, видеть даже во сне.

Теперь же этот образ потерян навсегда.

Сент чувствовал себя так, словно сначала воспарил в небо, а затем больно шлепнулся на землю.

Он в испуге открыл глаза. Неужели заснул? До сих пор он боялся спать, не доверяя внезапно свалившейся на него свободе. Ему все время казалось, что стоит забыться, и он снова проснется в камере.

Сент посмотрел вверх и увидел затянутое тучами небо, льющий на землю дождь и почувствовал, что он на свободе и снова, уже в который раз вспомнил тот последний день в тюрьме, когда Гальегос, поздравляя его с могущественными друзьями, обещал ему теплый прием в его ресторане в любое удобное время; когда тюремное начальство крепко пожимало ему руку, мило улыбалось, словно расставалось с очень важной персоной; вспомнил он и восхищенные взгляды молодых полицейских, провожавших его до вертолета.

— Я свободен, — напомнил себе Сент. — Свободен по-настоящему.

Его освободили благодаря Виктору Даймонду. На всю оставшуюся жизнь он должник этого незнакомого человека, который даровал ему свободу, забрав взамен Джи Би.

Нет ничего удивительного в том, что Сент никак не мог вспомнить ее: она больше не принадлежала ему, даже в мечтах.

Дом Арни, построенный из натурального дерева, был веселым, солнечным, с гладким полом, застекленной крышей и располагался на разных уровнях террасы из настоящей монтеррейской сосны. Жить в таком доме, говорил Арни, это все равно что жить внутри дерева.

Теплый плавательный бассейн, окаймленный с трех сторон горами, четвертой стороной выходил на озеро — вид весьма впечатляющий. Бассейн был радостью и гордостью Арни: больше по размеру, чем общепринятые бассейны, с островками скал, которые оказалось трудно удалить, и богатой тропической растительностью: карликовые пальмы, папоротники, орхидеи.

Сейчас, далеко за полночь, на улице было очень холодно, и стекла высоких окон запотели.

Вера давно ушла спать.

Сент с прилипшими к голове мокрыми волосами, голый сидел на краю бассейна и задумчиво барабанил подушечками пальцев по стеклу. Арни устроился на ступенях лестницы, ведущей в бассейн, и попивал газированную воду из кубка зеленого стекла.

Сент громко чихнул. «Так я и знал, — подумал Арни, — простудился, гоняя по озеру в грозу». Пока приятель смотрел на запотевшее темное окно с причудливым узором из стекающих капель, Арни рассматривал его спину, каждый позвонок, каждое ребрышко, которые выпирали, несмотря на усиленное благодаря Гальегосу питание в тюрьме, — он искал следы пыток. «Они повредили ему горло, — сказала Вера. — Пытки там обычная вещь». Арни было мучительно думать об этом, но знать все же хотелось. Однако он ничего подозрительного не нашел, никаких следов. Тело осталось идеально чистым.

Нетерпеливым движением Сент размазал влагу по стеклу и нырнул обратно в бассейн. Он поплавал вокруг скал и исчез под водой. Арни видел очертания его тела и длинные волосы, словно водоросли, плывущие за ним.

Сент вынырнул рядом с ним, сел на лестницу и встряхнул головой, откидывая мокрые волосы назад.

Было невыносимо жарко и влажно, по стеклам струились потоки влаги. «Мы словно прилипли, — подумал Арни, — нас окутывает пар».

Сент тяжело вздохнул и, уперев в колено руку, положил на нее подбородок.

Арни внимательно наблюдал за ним. О чем он думает? Как себя чувствует? Если бы Сент только захотел высказаться, облегчить душу, позволил ему, Арни, разделить с ним свои печали и горести. Сейчас, в этой влажной теплой атмосфере, самое время для облегчения души.

Арни придвинулся ближе и положил руку на мокрое плечо друга.

— Сент, — сказал он тихо, — может, сейчас самое время... — Арни замолчал, не осмеливаясь продолжить.

Сент смотрел на него непонимающим взглядом.

— Самое время для чего? — спросил он.

— Я подумал, может, ты хочешь... Господи! — воскликнул Арни, начиная нервничать. — Не обращай внимания.

«Не трогай его, — говорила Вера. — Он сам тебе все расскажет, когда придет время». Возможно, Вера права.

По крайней мере друг вернулся живым и невредимым. За одно это надо благодарить Бога.

Арни притянул Сента к себе, и какое-то время тот покорно сидел в его объятиях. Сердце Арни наполнилось радостью, он нежно гладил Сента по голове, приговаривая:

— Все будет хорошо, все будет хорошо. Вот увидишь. И вдруг...

Он забылся. Красивое место, пар, тепло, ночь за окнами и близость Сента, его тела, такого молодого и гладкого. Арни осторожно поцеловал Сента в губы и, уже не сдерживаясь, крепко поцеловал еще раз.

Сент не сразу понял, что произошло. Он в это время грезил о Джи Би, и ему показалось, что это она целует его. Грезы мгновенно растаяли, как дым, и он осознал реальность происходящего.

Сент быстро отодвинулся от Арни и посмотрел на приятеля круглыми от удивления глазами.

Арни задрожал от страха. О Господи, что же он наделал? Что ему сейчас скажет Сент? Что теперь делать? Как поступить? Он с ужасом ждал последствий. Нет, ему не вынести того, что сейчас скажет Сент.

Но тот ничего не сказал, а просто внимательно посмотрел на Арни, и его взгляд впервые стал осмысленным. Наступила зловещая тишина, Арни сгорал от стыда.

— Господи! — вымолвил наконец Сент. — Что на тебя нашло?

Арни сидел подавленный, разглядывая свои едва заметные в воде ноги.

«Я все испортил, — думал он. — Я потерял его навсегда. Все, что было хорошего между нами, — все коту под хвост. Прежней дружбе не бывать, и все из-за моей глупости».

Он зажал коленями руки, чтобы Сент не заметил восставшей плоти. Ему показалось, что того тошнит.

Сент снова громко чихнул.

— О, Арни, — сказал он уже привычным сиплым голосом, — мне ужасно жаль.

Глава 19

Когда Джи Би проснулась, было еще темно. Рядом лежал незнакомый мужчина.

Ее сразу охватила паника. Сердце сильно забилось в груди.

— Кто я? Где я? Кто этот мужчина?

Постепенно страх прошел, пульс успокоился, в памяти всплыли события прошедших дней.

— Я Старфайер. Я в Каса-лос-Суспирос, Пуэрто-Валларта, Мексика. Я с Виктором Даймондом. Он могущественный человек с такими же могущественными друзьями, и я тоже стала обладать некоторой властью, потому что сумела помочь Сенту.

Старфайер с удовольствием вспомнила события последней недели, когда все шло удивительно хорошо и гладко.

Сначала полет в Мехико на самолете Даймонда, сверкающей белой птице, где и внутри все было белоснежным. Одетые в белую форму с темно-синими знаками различия люди подавали ей вкусные коктейли, журналы в глянцевых обложках, изысканный ленч, а сам Даймонд подарил опаловый кулон на золотой цепочке, который тут же повесил ей на шею.

— Это твой камень, — казал он. — Никогда не расставайся с ним.

Затем лимузин, Джо-Бет с Даймондом на заднем сиденье, впереди шофер и телохранитель, довез их до отеля «Эль пресиденте», где даже воздух, казалось, был пропитан властью.

На следующий день она с опаловым кулоном на шее, одетая в дорогое серебристо-голубое платье, купленное ей Даймондом в эксклюзивном бутике на Сона-Роса, отправилась вместе с ним на ленч, где их уже ждала группа хорошо одетых средних лет мужчин, прекрасно говоривших по-английски. Все носили дорогие золотые украшения.

Один из мужчин был членом правительства, другой губернатором штата, а третий начальником федеральной полиции. К концу ленча Старфайер узнала, что ее миссия завершилась успехом, что сегодня же днем за Сентом пошлют вертолет, чтобы привезти в столицу, где он первым же самолетом улетит в Лос-Анджелес.

— Сент будет на свободе в течение часа, — сказал Даймонд. — Надеюсь, ты довольна?

На следующий день они отправились в Пуэрто-Валларта. Эта поездка была и развлекательной, и деловой, так как где-то на побережье располагалась деревушка, которую Даймонд хотел осмотреть как будущий объект съемок.

— Возможно, для кинофильма о Старфайер, — сказал он.

А пока они остановились в Каса-лос-Суспирос, в доме вздохов, расположенном на высоком холме над рекой Рио-Куале, плавно несущей свои желтые воды. Это был удивительный дом, полный неожиданностей, где внезапно за какой-нибудь аркой открывался маленький, полный цветов дворик, где вода бежала в бассейн, расположенный на нижнем патио, через рот горгульи, где птицы, сидевшие в едва различимых клетках, пели на все голоса и их пение сплеталось со звоном хрустальных бокалов.

Весь день и вечер шел дождь, сопровождавшийся оглушительными раскатами грома. Когда они под дождем поднимались по лестнице, над их головами сверкала молния и гремел гром, но, соперничая со стихией, еще громче звучала чудесная музыка, доносившаяся из соседнего дома.

— «Полет валькирий», — заметил, рассмеявшись, Даймонд. — Как нельзя кстати. Я так и вижу тебя летящей в космическом пространстве.

Теперь, проснувшись окончательно, девушка вспомнила, что никакая она не Старфайер, а всего-навсего Джи Би, которая на замечание Даймонда о музыке отве-

287

тила: «Я думала, что это музыка из фильма «Апокалипсис», — и покорно выслушала разъяснение: «Ее использовали в этом фильме в сцене с геликоптером. Музыка написана столетие назад немецким композитором Рихардом Вагнером. Это его опера «Валькирии».

Девушка мгновенно почувствовала себя невежественной и незначительной. У нее появилось ощущение, что настоящая Старфайер обязательно знала бы музыку Рихарда Вагнера, и тут же опять напомнила себе, что она Джо-Бет Финей из маленького городка Корсика в Техасе и что она не получила хорошего образования и всегда должна помнить об этом.

Сегодня опять с утра зарядил дождь, по узкой, мощенной булыжником улочке неслись потоки грязной воды, и они предпочли остаться дома.

— Настало время поговорить о тебе, — сказал Даймонд. — Расскажи о своей жизни.

В тусклом свете фонаря, потягивая текилу, Джи Би поведала Даймонду отредактированный вариант своей жизни, инстинктивно опустив полгода кошмара, выпавшего на ее долю в Нью-Йорке.

Старфайер никогда бы не позволила Анжело врать ей, третировать и использовать в своих целях. Она бы ни за что не стала позировать голой для сомнительных календарей.

По ее словам получалось, что путешествие из Амарилло в Нью-Йорк сразу же вылилось в путешествие с Сентом по стране, и если Даймонд что-нибудь и заподозрил, то промолчал и не задавал никаких вопросов.

Позже, за обедом, когда они ели салат и цыпленка с рисом, которых приготовила для них и оставила в духовке приходящая домоправительница, Даймонд спросил:

— И ты никогда не мечтала стать кинозвездой?

Джи Би покачала головой:

— Об этом мечтала моя сестра Мелоди. Она очень хорошенькая и всегда одерживала победы на конкурсах красоты.

— А почему ты стала моделью?

— Я не знаю другого способа заработать много денег.

— Ты хочешь стать богатой? — удивился Даймонд.

Он посмотрел на нее насмешливым взглядом, и девушка выложила ему все проблемы, связанные с матерью, Мелоди, и в заключение добавила:

— Я стараюсь не ради себя, а ради них.

— Ты и сейчас им помогаешь?

— Конечно, больше некому.

— Понятно, — ответил Даймонд. — А что Флойд?

Рот Джи Би плотно сжался, в глазах промелькнула ненависть, и на какую-то долю секунды перед ней снова возникло окровавленное лицо, голубой комбинезон с пометкой «Флойд», но она сдержалась.

— К счастью, он навсегда ушел из нашей жизни.

— Не будь так уверена. Люди имеют привычку возвращаться именно тогда, когда ты этого меньше всего ждешь.

Около девяти часов вечера отключилось электричество, затем шквал ветра обрушился на дом, лампа упала со стола и разбилась.

— Ничего не остается, как идти спать, — сказал Даймонд.

Он снова занимался с ней любовью на широкой постели, завешенной противомоскитной сеткой, отчего создавалось впечатление, что они в пещере. В горах за рекой блистали молнии.

Виктор взял ее за плечи и осторожно повернул лицом вниз. Она чувствовала прикосновение его коленей к бедрам, движение рук, откидывающих волосы с ее шеи, его губы и язык, блуждающие вдоль позвоночника. Затем Даймонд подсунул руку ей под живот и приподнял ее. Опытными движениями он продолжал исследовать ее тело, которое знал уже достаточно хорошо.

— Великолепно, — прошептал Даймонд. — Словно шелк.

Виктор еще ни разу не проникал в нее.

— Никогда не знаешь, что может случиться, — разъяснил он шепотом. — Я должен знать тебя всю, чтобы нам обоим потом было хорошо.

Ему нравилось, когда девушка нежными круговыми движениями языка возбуждала его, он наблюдал, как после долгих ритмических движений она подводила его к кульминации, а затем, удовлетворенный и сонный, лениво наматывал ее длинные волосы на соски грудей.

В тот день, когда они первый раз были вместе, небо постепенно менялось и из темного, грозового превращалось в оранжевое, переходящее в пурпурный закат, и Даймонд восхищался игрой красок, света и теней. Сейчас же было темно, и Виктор только ощупью мог изучать ее тело, все время восклицая при этом:

— Великолепно! Словно шелк.

Джи Би лежала очень тихо, чувствуя влагу на бедрах. Рука Даймонда гладила ее ягодицы. Подавив вздох, девушка в уме перебирала события последних дней: в Мехико и здесь, в Пуэрто-Валларта, они много ходили по магазинам, покупая дорогие украшения, эксклюзивную одежду, кожаные сумочки и туфли ручной работы. Она вспоминала частные самолеты, роскошные отели, слуг, выполняющих каждое ее желание. «Что я с собой делаю? — думала она. — В кого превращаюсь?» Ответ был неутешительным, она с горечью признавала, что стала такой же, как и Мелоди Рос, только классом выше.

Но ведь этого не может быть, она не должна допустить, чтобы так случилось.

Сейчас она Старфайер, а Старфайер обязана думать совершенно иначе: это Виктор Даймонд принадлежит мне, он выполняет все мои желания, и скоро у меня будет независимость и власть, и я смогу распоряжаться собой по своему усмотрению.

Внутренний голос шептал ей: «Остановись, пока не поздно».

И тут же в глубине сознания звучал ответ: «Уже слишком поздно».

Вера лежала в ванне в своей квартире на Телеграф-Хилл и брила ноги.

Сент находился рядом, за дверью в комнате, где они когда-то много работали. Он мерил ее шагами, словно загнанная в клетку пантера.

— Здесь так тесно, — говорил он. — Неужели ты не можешь снять квартиру побольше? Как ты здесь живешь? Я больше никогда не смогу работать в такой тесноте, она сводит меня с ума.

Взяв банку пива, Сент сел на подоконник и стал наблюдать за происходящим в баре.

Сегодня вечером там было особенно шумно. Моторы мотоциклов рычали так, что тряслись стены, люди кричали и ругались, грохотала музыка.

— Как ты выносишь весь этот шум? — раздраженно спросил он Веру.

— Меня они не беспокоят, какая-никакая, а все-таки компания.

Она нанесла на правую ногу пену и принялась брить ее от лодыжки до колена, не переставая думать о том, что же произошло прошлой ночью между Сентом и Арни.

Вчера был такой обычный домашний вечер. На обед они съели пиццу, затем на ковре перед камином немного поиграли в «скребл». Сент выиграл и радовался как ребенок.

Затем Вера легла спать. Засыпая, она слышала, как Сент и Арни разговаривают на кухне, затем хлопнула дверца холодильника, и все смолкло. Она заснула, но ночью проснулась, почувствовав, что кто-то стоит у ее кровати. Чей-то голос прошептал в темноте:

— Вера, ты спишь?

Вера зажгла ночник.

— Что такое? Что случилось? — спросила она.

— Я, кажется, сделал нечто ужасное. — Сент выглядел смущенным и обескураженным. — Пожалуйста, погаси свет.

— Что же ты такое сделал? — шепотом спросила Вера.

— Все произошло очень быстро, я даже не догадывался. Кто бы мог подумать?

Вера ждала объяснений, но он молчал.

— Сент, — позвала Вера.

В ответ послышался тяжелый вздох.

Прошла минута, прежде чем последовал ответ:

— Так, ничего хорошего. Жаль, что напрасно разбудил тебя. Спи.

Она услышала, как за ним закрылась дверь.

Утром ей показалось, что все это только сон.

Но что-то все-таки случилось. Сент и Арни не смотрели друг на друга и были на редкость вежливы и официальны.

— Арн, нам надо поговорить, — сказал Сент.

— В этом нет необходимости, — ответил Арни. — Мне тебе нечего сказать.

— Но...

— Хватит об этом. Хорошо?

— Мне лучше уехать отсюда, — сказал Сент после долгого молчания.

— И куда ты поедешь?

Вера переводила взгляд с одного на другого, ничего не понимая.

— Я поеду в Сан-Франциско и приглашаю Веру с собой.

Арни подвез их в Рино, чтобы они могли улететь первым же рейсом. Он простился с ними у терминала, неуклюже поцеловав Веру в щеку. Блейз постарался не заметить протянутой руки Сента, и тот быстро убрал ее, сунув в карман.

Все это произошло утром, а днем Сент в спешном порядке принялся обустраивать свою жизнь. Он позвонил адвокату, менеджеру, тете Глории и в бюро путешествий. За весь день Слоун не перекинулся с Верой и парой слов, он избегал разговоров о «Старфайер» и единственное, что сделал, так это отправил Виктору Даймонду свой сценарий.

— Что, черт возьми, все-таки происходит? — громко спросила себя Вера, с трудом выбираясь из ванны. Она досуха вытерлась и, закутавшись в махровый халат, решительно направилась в гостиную.

— Так дальше продолжаться не может, — заявила она. — Нам надо поговорить.

Силуэт Сента четко вырисовывался в окне на фоне неоновой рекламы.

— Ты хочешь сказать, что мне надо лечиться, Вера? — спросил он, не поворачивая головы.

— Нет, — решительно ответила она. — Все ужасное позади.

— Я сейчас говорю о другом. — Закинув голову, Сент отхлебнул из банки, неоновый свет вспыхнул на ней и погас. — Послушай, можешь ты мне объяснить, почему я все время люблю не того, кого надо, и меня любят не те, кому надо?

— Любовь не выбирает, — заявила Вера со знанием дела. — Такого не бывает.

Сент смял банку в кулаке.

— Тогда тем более обидно. Я приношу людям только несчастье, Вера. Я делаю это непреднамеренно, но так получается. Я обидел Арни, обидел Джи Би и Флетчер...

Вера встала перед Сентом, уперев руки в бока.

— У тебя болезненное воображение. Продолжай в том же духе, Сент. Что плохого ты сделал Флетчер? То, что она сотворила с тобой...

— Ты ведь многого не знаешь, Вера, а у меня сейчас нет охоты все рассказывать. Может, как-нибудь после... Все дело в том, что я никогда не любил ее, я женился, чтобы насолить другой. Не окажись она тогда на моем пути, может, все бы пошло по-другому, но именно Флетчер попалась мне под горячую руку, и я использовал ее, но никогда не любил, и она прекрасно это знала. Флет-

293

чер вовсе не дура, она просто жалкая. У нее в голове сплошная неразбериха, ей нравятся всякие игры...

— Прекрати, Сент.

— Поначалу они были безвредными, но теперь она стала играть с оружием, окружила себя опасными людьми. Флетчер сама себя погубит. Или она себя убьет, или ее убьют, а я, к сожалению, вовремя не сумел помочь ей, я...

— Сент, прошу тебя!

— Я только еще больше навредил. А теперь вот Арни. Господи, Вера, какое же я дерьмо! Он такой ранимый. Он...

— Замолчи. С Арни ничего не случится, Блейз гораздо сильнее, чем ты думаешь.

— Ты же не знаешь, что произошло.

— Догадываюсь. Он рассказывал мне, какие чувства к тебе питает.

— Я просто не знаю, что делать.

— А что ты можешь сделать? Ты же не поступишь так, как он хочет? Оставайся ему просто другом, ему нужны настоящие друзья. Кстати, и тебе тоже.

Вера протянула руки, и Сент упал в ее объятия так, что она зашаталась.

— Все будет хорошо, — сказала Вера. — Вот увидишь.

— Когда я сидел в тюрьме, — начал вдруг Сент, — я думал о тебе. Я никогда не мечтал там о Джи Би, а вот о тебе мечтал. Мы всегда будем друзьями, ты будешь надевать парики моей матери, утешать меня, говорить, что все будет хорошо.

— Вот и чудесно. — Вера нежно погладила Сента по голове, чувствуя себя заботливой матерью. — Пусть так и будет. А теперь баиньки. Сегодня ты устал, а завтра проснешься свежим и отдохнувшим.

Вера проснулась далеко за полдень, перевернулась на спину и сладко потянулась. Она была в постели одна, впрочем, другого и не ожидала.

Снова закрыла глаза, не готовая встретить новый день. Ей хотелось еще понежиться в постели, вспомнить о ночи, проведенной с Сентом, вспомнить каждую минуту, каждую секунду.

Все было не так, как ей мечталось. Первый сексуальный опыт почти разочаровал ее, все оказалось просто и обыденно.

Сент, шатаясь от усталости, пришел в ее спальню, рухнул на кровать, почти сразу отключившись.

Спустя некоторое время она тоже пришла в спальню и попыталась немного подвинуть его, чтобы лечь самой. Сент проснулся, и тогда... Вспоминая о случившемся, Вера не могла удержаться от смеха: они долго барахтались на ее узкой девичьей койке, Сент крутился, не зная, как приспособиться, шептал проклятия, затем нашел более-менее удобное положение, быстро вошел в нее, она вскрикнула от острой боли, и все закончилось. После этого он моментально заснул, положив голову ей на грудь. Позже, уже ближе к трем часам ночи, как она определила по потухшей рекламе и наступившей тишине, нарушаемой только душераздирающими воплями котов, гуляющих по крышам, Вера почувствовала, как он зашевелился, а затем и совсем проснулся. Она открыла глаза и поняла, что Сент смотрит на нее, хотя было еще достаточно темно и Вера не видела выражения его глаз.

Сент молча откинул волосы с ее лба и нежно поцеловал сначала в глаза, затем в губы. Продолжая молчать, он стал целовать ее груди, затем осторожно вошел внутрь, нежно лаская ее. На этот раз все было гораздо приятнее, и их тела двигались в слаженном ритме. Под покровом ночи рядом с Сентом Вера чувствовала себя изящной, красивой и желанной.

Он снова поцеловал ее и наконец, поцеловав в закрытые глаза, прошептал:

— Спасибо тебе, Вера.

Сент заснул как мертвый. На сей раз он, не шелохнувшись, проспал до самого рассвета. Вера сквозь сон почувствовала, что Сент проснулся и вылез из постели. Немного позже девушка услышала, как хлопнула входная дверь, но у нее не было сил пошевелиться.

Вера с трудом открыла глаза, ведь знала, что так случится, предчувствовала, что он обязательно уйдет, и все же на что-то надеялась.

Она встала и обошла квартиру: гостиную, кухню, ванную.

На ее рабочем столе лежала записка. Она взяла ее, но в это время зазвонил телефон. Вера сняла трубку:

— Ало?

— Могу я попросить к телефону мисс Браун? — спросил мужской голос. — Говорит Виктор Даймонд.

«У меня нет слов, чтобы отблагодарить тебя за все, что ты для меня сделала и особенно за ночь, проведенную вместе. Я просто не знаю, что бы делал без тебя. Ты настоящий друг, в лучшем понимании этого слова».

— Кто? — спросила Вера. Она никак не могла вспомнить, кто такой Виктор Даймонд. — Ах да, — ответила Вера, спохватившись.

«Прости, что убежал, не попрощавшись, но у меня сейчас нет сил обсуждать что-либо. Как только я немного приду в себя и определюсь, обязательно позвоню, а может быть, и раньше».

— Я сожалею, что не мог позвонить раньше, но я был в Мексике.

— Да, да, я знаю.

— Мой юрист пришлет все необходимые документы относительно «Старфайер». Попросите вашего юриста внимательно ознакомиться с ними. Я уверен, вы найдете условия более чем удовлетворительными...

«Господи, — подумала Вера, — он сразу же хватает быка за рога».

— Я не сомневаюсь, мистер Даймонд, — холодно ответила она.

— Я хочу как можно скорее познакомиться с вами. Мы обязательно должны собраться все вместе: вы, Джон Сент и я. Кстати, я пытался связаться с ним, но мне сказали, что он у вас.

— Он был, но... ушел.

«Ты для меня очень много значишь, Вера...»

— Я передам ему, что вы звонили. Думаю, что Сент скоро даст о себе знать.

Вера повесила трубку и сидела, тупо уставившись на номера телефонов, которые Даймонд ей дал: один, прямой, в его офис, другой домашний. «Время — деньги», — сказал он в заключение.

«У меня нет слов, чтобы отблагодарить тебя...»

Думая о том, когда может позвонить Сент, Вера машинально открыла альбом.

Она с полчаса рисовала, радуясь своему новому состоянию. Наконец можно рисовать еще что-то, кроме Старфайер. Отложив карандаш, Вера со счастливой улыбкой провела рукой между ног, где до сих пор ощущался какой-то дискомфорт, но он был ей только приятен, потому что напоминал о том, что это наконец произошло, что теперь у нее есть любовник, теперь она настоящая женщина.

Как бы ей хотелось все повторить, и как можно скорее. Может, она просто распутная женщина, если хочет этого опять?

— Сент, — сказала она, глядя на рисунок, — я так тебя люблю. Позвони скорее.

Вера целый день не выходила из дома, ожидая звонка.

В девять часов вечера, когда Вера уже потеряла всякую надежду, в дверь позвонили.

Она в это время мыла голову. Ей хотелось быть свежей к его приходу, хотелось, чтобы от волос исходил приятный запах.

Звонок повторился.

Это может быть только он, больше некому. Кто еще может прийти к ней так поздно? «Спасибо, спасибо тебе, Господи, — шептала Вера. — Жаль только, что я не успела привести себя в порядок».

«Какого черта, — подумала она в следующее мгновение. — Какая разница?»

Вера вылезла из ванны, накинула на мокрое тело халат и побежала к двери. Сердце ее рвалось из груди.

Вера открыла. Это был не Сент.

— Боже, — сказала она, затягивая на груди халат, — это вы.

— Прямо скажем, прием не очень радушный, — заметил Дональд Уилер.

В бежевых слаксах, синем блейзере и с шейным платком, Дональд выглядел очень привлекательно. Он был загорелым, веснушчатым, с веселым блеском в глазах.

— Какая приятная неожиданность, — сказала Вера.

— Рад слышать.

— Проходи. — Вера провела его в неубранную гостиную. — У меня здесь беспорядок. Меня не было несколько дней, если бы я знала, что ты придешь...

— Уезжала... Так вот почему я не мог дозвониться. Мне даже показалось, что ты избегаешь меня.

Уилер подошел к Вере и потрепал ее по щеке, рука была холодной.

— Конечно же, нет! Просто я... — Вера снова стянула халат на груди. — Я...я... хочешь, я сварю тебе кофе? Сейчас пойду и... А может, ты хочешь выпить? У меня где-то есть вино.

Вере не хотелось, чтобы он дотрагивался до нее, особенно сейчас, после Сента.

«Господи, — думала она, — это же Дональд Уилер, самый лучший друг на свете, который столько сделал для меня. Ему я обязана всем, а я не хочу, чтобы он до меня дотрагивался».

Вера бросилась на кухню. Она слышала, как Дональд кричал ей вслед:

— Никакого вина. Я и так много выпил за обедом, а мне еще надо возвращаться в Сент-Хелен. Только кофе. Ты что, принимаешь меня за пьяницу?

Вера сделала вид, что не расслышала, и стала неторопливо готовить кофе, намеренно громко стуча посудой.

Вернувшись в гостиную, девушка обнаружила, что Дональд рассматривает альбом с ее новыми рисунками Старфайер.

— Ты делаешь успехи, — заметил он. — Просто чертовски хорошо.

Дональд больше не пытался прикоснуться к ней, и Вера с облегчением вздохнула.

— Спасибо, — поблагодарила она его. — Сахар?

— Две ложечки.

Он посмотрел на нее и рассмеялся.

— Ты выглядишь, как мадам Помпадур, которая только что вылезла из ванны. Иди просуши волосы.

Когда Вера вернулась из ванной с просушенными и расчесанными волосами, Дональд сидел за ее столом и продолжал листать альбом.

— Мы с тобой давно не разговаривали по душам, — сказал он. — Похоже, многое изменилось в твоей жизни. У меня сейчас такое впечатление, что я читаю твой дневник.

— Я тебе о многом рассказывала в своих письмах, — ответила Вера. — Будешь еще кофе?

— Но жизнь идет, и все меняется. И теперь Сёнт на свободе.

— Да. Жив и здоров.

— Значит, план удался?

— Нам помог Виктор Даймонд, кинопродюсер.

— Слышал об этом заправиле, — сухо ответил Дональд, — но сомневаюсь, что он сделал это просто так, из участия.

— Ну... впрочем, да.

Вера рассказала Дональду о планах Арни снять фильм по «Старфайер», о том, что она продала авторскую идею Даймонду, и о том, что Сент уже написал сценарий.

— И?..

— Что «и»?

— И какая здесь выгода?

— Никакой выгоды, за исключением того, что Виктор Даймонд сейчас наш главный партнер по постановке фильма, я продала ему все авторские права на «Старфайер», но это не имеет значения. Главное, что мы вытащили Сента из тюрьмы... К тому же я получила кучу денег.

— Не велика награда.

— Но Сент теперь на свободе.

Широкие рыжие брови Дональда сошлись на переносице.

— Да, да, конечно. Поздравляю.

— Спасибо. А сейчас расскажи мне о себе, — поспешно сказала Вера, не желая продолжать разговор о Сенте, Даймонде и Старфайер. — Хорошо снова появиться дома?

— Даже лучше, чем я ожидал. Сейчас я практикую домашним доктором в одной из клиник Сент-Хелен и рад, что порвал с Британской национальной системой охраны здоровья, хотя приобретенный опыт пойдет мне на пользу. Да, мне нравится снова оказаться дома, особенно в это время года. Я как раз успел к осенней выжимке.

— К чему?

— В это время года у нас давят виноград. В субботу на следующей неделе пройдет ежегодный праздник сбора винограда. Все собираются и начинают давить виноград голыми ногами, изображая из себя итальянских крестьян. Именно по этой причине я и заскочил к тебе. Я хочу, чтобы ты присутствовала на этом празднике, я просто требую, чтобы ты там была.

— Думаю, мне надо обязательно присутствовать. Я смогу давить за десятерых.

— Вот уж не ожидал, что ты так легко согласишься.

— Тебя не потряс мой вид? — смущенно спросила Вера.

— Меня трудно чем-нибудь удивить.

— И ты даже не хочешь ничего сказать?

— Нет, просто ты несчастна. Надо подумать, что здесь можно сделать.

Вера промолчала. Дональд посмотрел на ее покрасневшее от смущения лицо, допил кофе и, поставив чашку на стол, принялся опять листать альбом.

— Прекрасно, Вера. Я же не тупица. Расскажи мне об этих людях. Кто они?

— Это Арни Блейз. Смотрит с террасы своего дома в Беверли-Хиллз на закат солнца.

— Я не узнал его. — Дональд перевернул страницу. — А это Старфайер.

— Не совсем так — это Джи Би. Она разглядывает себя в зеркало, после того как Арни загримировал ее.

— Что ты говоришь? — Дональд вгляделся в рисунок. — Она самая настоящая Старфайер. — Он перевернул страницу. — А это, конечно, Сент.

— Да.

На рисунке был Сент с двухдневной щетиной на лице, бейсбольной кепкой на голове и с биг-маком в руке.

Дальше Вера рисовала Арни на озере Тахо. Он стоял, склонившись над кем-то, держа в руке большое махровое полотенце. Этот кто-то — Сент, но его фигура лишь слабо очерчена. Видны только часть плеча и рука.

Дальше снова Сент, скрестив ноги, сидит на полу, и вокруг него разбросаны страницы сценария.

— Работает над рукописью, — объяснила Вера.

— Теперь я могу догадаться, кто есть кто, — сказал Дональд.

Он перевернул последнюю страницу, и у Веры перехватило дыхание. Она попыталась вырвать альбом, но было уже поздно.

Этот рисунок Вера сделала утром, и на нем снова был Сент.

В темноте девушка почти не видела его тела, ощущая его лишь руками. На рисунке он стоял, согнув колени, перенеся тяжесть тела на руки, как будто готовился к старту. Он выглядел здесь, как живой, глаза полны решимости, рот превратился в жесткую линию. Рисунок отражал все, что произошло ночью.

— Да, — сказал Дональд ничего не выражающим голосом. — Тебе надо заняться анатомией, Вера.

Девушка выхватила у него альбом, готовая умереть от стыда. Ну почему не вырвала эту страницу? Зачем она вообще это нарисовала? И о чем только думала? Этот рисунок был абсолютно личным, он обнажал все ее чувства. Никто не должен видеть его, особенно Дональд.

К счастью, в этот момент за окном послышались топот бегущих ног, крики и ругань.

Дональд подошел к окну.

— Девушка в бюстгальтере из перьев только что вылила свое пиво на голову другой девушке, — сказал он равнодушно. — Такого в Орпингтоне не увидишь, я действительно отвык от дома.

Дональд продолжал смотреть в окно. Вера не видела выражения его лица. Шум затих, и доктор снова повернулся к ней:

— Послушай, Вера, тебе не надо мне ничего объяснять. Для тебя всегда существовал только один Сент. Не забывай, что я знаю тебя с пятнадцати лет.

— Мне жаль...

— Не надо ни о чем жалеть. Я уже взрослый. Ты знаешь, мне сейчас пришла в голову отличная мысль.

Вера очень удивилась, когда он предложил ей пригласить к нему в гости Виктора Даймонда и провести там первую встречу всех участников проекта «Старфайер».

— Если хорошенько подумать, это совсем неплохая идея. На природе вы почувствуете себя более непринужденно. Скажи, что я приглашаю его топтать виноград.

— Но что за причина? Почему ты вдруг решил его пригласить?

— Реклама нам не помешает, как ты считаешь? — спросил он с улыбкой и затем, посерьезнев, добавил: — Мне бы самому хотелось узнать, что к чему. А если уж говорить честно, то я просто сгораю от любопытства. Я хочу увидеть Старфайер во плоти.

Глава 20

На лужайке, где несколько обливавшихся потом поваров жарили туши двух ягнят, медленно вращая их на вертелах, воздух вибрировал от жара, но в тени под дубами, где сидели гости за праздничным столом, было прохладно. Вера, положив альбом на колени, быстро рисовала.

За соседним столом, на котором стояла целая батарея бутылок и стаканов, двое мужчин разливали вино. Одетые в одинаковые пурпурные майки с марками вин и дубовым листом на груди, эмблемой винодельни «Дубовый крест», они давали гостям дегустировать вина. Черноволосый мужчина, лет за тридцать, был Джоном Барделучи, виноделом из «Дубов». Он разливал вино небольшими дозами, приговаривая при этом:

— Это наше шардоннэ, номер восемьдесят шесть, а это каберне, номер восемьдесят два. Прекрасное бархатистое вино, которым мы очень гордимся.

Второй мужчина, чьи рыжие волосы переливались на солнце, разливал вино более щедро, тоже называя марки вин:

— Это наш зинфандель, номер восемьдесят три, густой, как кровь.

Этим вторым мужчиной был кузен Джона, Дональд, доктор, только что вернувшийся из Англии.

На покрытой гравием дорожке стояла металлическая цистерна, полувагон для перевозки фруктов, заполненная свежесобранным виноградом «зинфандель». Около двадцати человек топтали виноград голыми ногами под музыку «Кантри-трио» Билла Шарпа. Все трое были большеусыми стариками, одетыми в широкие штаны и клетчатые рубашки. Двое из них играли на скрипках, третий — на банджо.

С того места, где сидела Вера, она могла видеть только верхние части их туловищ и черноволосые головки мексиканских ребятишек.

Она уже отработала свой лснч и поняла, что, несмотря на намерение давить виноград за десятерых, это ей не удалось — работа оказалась очень трудная. Все время приходилось высоко поднимать колени, затем снова погружать ноги в вязкое виноградное месиво, брызги от которого разлетались до самой головы, а полчища жужжащих пчел заставляли не переставая от них отбиваться.

Она ожидала, что Дональд посмеется над ней и скажет что-нибудь язвительное о ее весе и отсутствии силы, но, когда девушка вернулась к столу, он просто улыбнулся и заметил:

— Труднее, чем ты думала, не так ли? — И продолжал разливать вино.

Он отнесся к ней по-доброму, но скорее всего из жалости. Наверняка доктор вспоминал компрометирующий рисунок Сента и сейчас видел воочию, что Сент избегает ее. Она чувствовала себя омерзительно, но никак не могла понять, что сделала плохого. Вера пыталась успокоиться, напоминая себе, что будет еще обратная дорога домой, когда они смогут с Сентом поговорить и он объяснит ей все, что высказал в записке.

«Ты значишь для меня очень много, Вера. Как только я немного приду в себя и определюсь, я тебе обязательно позвоню, а может быть, и раньше».

Она верила, что так и будет, но Сент все не звонил, и каждое утро Вера просыпалась с надеждой в трепещущем сердце.

Она все время старалась напомнить себе, что он в Нью-Йорке и очень занят. Но, как Вера ни успокаивала себя, беспокойство росло, и когда Сент наконец позвонил, то оказалось, что он уже два дня как на морском побережье.

Их разговор начался с обвинения в ее адрес:

— Ты продала права на «Старфайер». Почему же мне ничего не сказала?

— Я ждала, пока ты...

— Как ты могла так поступить со мной? — прервал он ее.

Вера не поверила своим ушам — она ведь сделала это ради него.

— Захотела и продала, — ответила она грубо.

— Мне это совсем не нравится, Вера.

— Очень жаль. Не сделай я этого, ты бы до сих пор гнил в тюрьме.

— Может, еще не поздно все вернуть назад?

— Нет, ничего нельзя изменить.

— Тебе не следовало этого делать, Старфайер принадлежала тебе, нам.

Вере хотелось сказать, что им уже давно ничего не принадлежит, но не знала, как все ему объяснить, ведь Сент отсутствовал два года, а за это время многое изменилось.

Сент так и не зашел повидаться с ней. Он сказал по телефону, что им не о чем говорить и что, уж если она так хочет, они могут побеседовать по дороге к Дональду. Слава Богу, что хотя бы не отказался подвезти ее.

Они говорили о делах, пока не свернули на шоссе, ведущее к Силверадо-Трейл.

Меняя тему разговора, Сент сказал Вере, что собирается арендовать дом в Сидрифте, на берегу океана.

— Приезжай как-нибудь посмотреть его, — небрежно добавил он.

Эта небрежность больно ранила Веру. Таким тоном можно разговаривать со случайным знакомым, а не с близким другом.

«Ну скажи что-нибудь, — мысленно умоляла Вера. — Пожалуйста, скажи что-нибудь о той ночи, даже если сделаешь мне больно. Ну скажи же, только не молчи».

К концу путешествия, когда они ехали по извилистой горной дороге, Сент окончательно замолк, и его молчание было преднамеренным и даже агрессивным. И тут Вера внезапно все поняла.

«Ты настоящий друг, в лучшем понимании этого слова». Именно так он сказал в своем письме. Она для него не больше чем старый товарищ, удобное плечо, на котором можно поплакаться, и поскольку необходимость в ней отпала, потому что меньше чем через час он встретит Джи Би, Сент намеренно отталкивает ее.

Прибыв на место, Вера, истерзанная душевно, не была готова к встрече с Даймондом. Однако он, словно поняв ее состояние, был весьма любезен и расточал комплименты.

— Мне будет приятно работать с такой талантливой девушкой, как вы, мисс Браун. Этот проект — совершенно новое для меня дело, и мне очень интересно им заняться.

Они сели рядом на скамью, и он параграф за параграфом стал знакомить ее с договором. Вера кивала и улыбалась, но все плыло у нее перед глазами. Она слышала, как за ее спиной Джи Би обратилась к Сенту:

— Мне надо тебе кое-что сказать. Давай отойдем в сторонку.

И они, шагая в ногу, направились к дубу, где их никто не мог услышать, но все видели. Вера наблюдала, как Джи Би взяла Сента за плечи, а он нагнулся и поцеловал ее в лоб. Вера чувствовала, что Даймонд тоже следит за ними, хотя его взгляд скользил по документу и ее лицу.

Она механически отвечала на его вопросы, так как договор стал для нее обычной формальностью. Его составили юридически точно, условия оказались щедрыми, гораздо выше общепринятых стандартов. Вера понимала, что на ее долю выпала большая удача, но это сейчас не радовало. Ей ничего не хотелось.

Вера пыталась сосредоточить свое внимание на документе и Викторе Даймонде, который пристально смотрел на нее, и его лицо было живым и привлекательным. Она понимала, что должна быть благодарна ему за посредничество, должна быть польщена его комплиментами и очарована им как личностью, но ничего этого девушка не чувствовала.

На какое-то мгновение Вера ощутила, что он ей физически неприятен и что она никогда не сможет доверять ему целиком. Она отодвинулась подальше. Нет, Даймонд ей никогда не понравится.

И в этом нет ничего удивительного. Как может понравиться человек, забравший у нее Старфайер в обмен на свободу Сента?

Вера догадывалась, что его щедрость — хорошо продуманный шаг, а лесть — легкий путь проникновения в душу и что он использует свою внешность как хорошее приложение к мозгам, чтобы очаровать человека, а потом им манипулировать.

Вернулись Сент с Джи Би, и Даймонд повел ее топтать виноград. Вера долго задумчиво смотрела им вслед, затем взяла в руки альбом и стала рисовать.

Она изобразила Даймонда с орлиными чертами лица, с гордой посадкой убеленной сединами головы, с широкими черными бровями и проницательными, глубоко сидящими глазами. Результат получился неожиданным: человек на рисунке завораживал, и одновременно чувствовалось что-то омерзительное, отталкивающее. С рисунка на нее смотрело лицо рептилии: тонкие, насмешливо изогнутые губы, тяжелый взгляд, скорее напоминающий взгляд хищника, чем человека.

Нет, он определенно ей не нравился, и Вера чувствовала, что Даймонд догадался об этом.

Несмотря на жару, Веру знобило.

Всю дорогу в машине Сент с нетерпением ждал, что Вера сама начнет разговор о проведенной вместе ночи. Должна же она сказать хоть что-нибудь, потому что сам он не знал, как начать разговор на эту тему.

С момента своего освобождения Сент все время находился во власти различных эмоций. Пока он был в тюрьме, жизнь текла по своим законам, без его участия в ней. Сейчас его собственная жизнь давала сбой, и он был не в силах себя контролировать. Временами Сент испытывал сильный приступ ностальгии по Санта-Пауле, где все было заранее известно.

«Наверное, Вера считает меня подонком, — думал Сент, — и она совершенно права. Сбежать, не сказав ни слова, отделаться короткой запиской».

Но правда состояла в том, что Сент чувствовал себя неловко, был смущен, стыдился себя за то, что воспользовался Верой и сбежал. Он боялся даже позвонить ей. Он оскорбил Джи Би, оскорбил Арни, Флетчер, и вот сейчас наступила очередь Веры.

Как можно так все испоганить? Сент знал, что должен извиниться, должен заставить ее понять, каким несчастным и смущенным он себя чувствует, сказать ей, как хороша она была в постели. Ведь это действительно правда: с ней ему было очень хорошо. Он и сам не ожидал. Сказать кому-нибудь — не поверят. Но не зная, с чего начать разговор, Сент предпочел молчать.

«Я поговорю с ней, когда мы будем возвращаться домой, — думал он. — Мы остановимся в какой-нибудь тихой маленькой гостинице, выпьем по стаканчику вина, закусим, и я скажу ей всю правду».

Они приехали на винный завод. Сент припарковался рядом с большой серебристой машиной, которая, как потом выяснилось, принадлежала Даймонду.

Их радушно встретили мать и сын Уилеры. Дональд обменялся с ним крепким рукопожатием и поцеловал Веру в щеку. Сент механически отвечал на приветствия, думая только о том, о чем мечтал все эти два года: сейчас он увидит Джи Би.

Сент не мог оторвать от нее взгляда.

Она выглядела... выше всяких похвал, других слов и не подберешь. На ней было короткое белое льняное платье, на ногах белые сандалии, на голове серебристый обруч, на груди огнем горел крупный опал.

— Спасибо тебе за все, — произнес он дежурную фразу, мысленно кляня себя за то, что ни разу не поблагодарил Веру за принесенную ею жертву. Она ради него продала свою «Старфайер», а он лишь обругал ее за это.

— Я очень рада, что ты вернулся, — ответила Джи Би, целуя его в щеку. — Мне надо сказать тебе кое-что. Давай отойдем в сторонку.

Они шли по дорожке в тени деревьев, и девушка говорила ему о том, что очень сожалеет, что все так получилось, что она тогда не отдавала себе отчета в том, что говорит, была на него очень сердита. Два года он мечтал услышать эти слова. Сент поцеловал Джи Би в прохладный лоб, и перед глазами его проплывали одна за другой картины: они на пляже в бухте Сэнд-Харбор, на яхте Джейка Планка, стоят на палубе и кормят чаек, танцуют в его доме в горах. Но в воспоминаниях его была совсем другая девушка, непохожая на стоявшую перед ним Джи Би. Он взял ее за руку и слегка пожал, ожидая, что по его телу промчится ток, что охватит прежний трепет, но ничего не произошло. Абсолютно ничего. И не потому, что она сейчас была с Виктором Даймондом и уже никогда не поедет с ним на озеро Тахо. Нет, здесь было что-то другое, а что, Сент пока понять не мог. Вопреки ожиданиям она не вызывала в нем прежних чувств.

Когда Джи Би с Даймондом ушли топтать виноград, Сент подсел к дегустационному столу, и Дональд Уилер налил ему стакан зинфанделя номер восемьдесят шесть.

— Каково твое впечатление от этой голливудской шишки? — спросил Дональд.

— Я не знаю, — сдержанно ответил Сент. — По-моему, он ничего.

По крайней мере Даймонд не носил костюмов из шелка, многочисленных перстней и золотых цепочек, как Сент представлял себе.

— Мне странно, что он согласился приехать сюда. Он как-то не вяжется с этим местом.

— Согласен, — ответил Дональд, — но я настоятельно просил Веру привезти его сюда. Она жертвует многим, и мне хотелось, чтобы их первое знакомство произошло там, где она чувствует себя уютно. И он пошел на это, наверное, решил показать себя с лучшей стороны.

— Вы поступили совершенно правильно, — сказал Сент, хотя в душе немного сомневался.

Джи Би, одетая в большую, не по размеру майку с эмблемой «Дубов» и такие же большие шорты цвета хаки, туго затянутые на талии кожаным ремнем, весело плясала в цистерне с виноградной массой.

— Где это она так вырядилась? — спросил Сент.

— Должно быть, мама так ее одела, — ответил Дональд, который тоже с интересом наблюдал за Джи Би. — Не может же она работать в своей одежде.

К столу вернулся Даймонд. Он вытер с ног пятна виноградного сока и выглядел удивительно аккуратным.

Виктор отказался от предложенного ему Дональдом вина, посмотрел на Сента и сказал:

— Пора нам с тобой поговорить по душам.

Они стали подниматься по горной тропинке, по обеим сторонам которой росли столетние дубы и земляничные деревья. Шум праздника постепенно затихал, по мере того как они забирались все выше.

Даймонд шел бесшумно, как индеец, большими крадущимися шагами. Скоро стало совсем тихо, и эту тишину нарушали лишь стрекот кузнечиков в траве и шуршание опавших дубовых листьев под ногами. Сенту показалось, что именно так звенит жара.

Пройдя с полмили, они наткнулись на гряду поросших мхом камней, за которыми скрывался овраг, заполненный остовами ржавых машин и отработавшей свой срок сельскохозяйственной техники.

— Меня всегда удивляет, как деревенские жители относятся к природе, — заметил Даймонд. — Неужели нельзя придумать что-нибудь получше.

Он сел на камень и жестом пригласил Сента последовать его примеру.

— Должны же они куда-то выбрасывать мусор, — мрачно ответил тот.

— Возможно, — ответил Даймонд, — но мы пришли сюда не за этим. Нам с тобой надо серьезно поговорить. Сейчас мы стали деловыми партнерами, и я хочу получше узнать тебя. Я взял на себя определенный риск, поэтому прости мне мое любопытство.

— Вы хотите, чтобы я доказал вам, что я не торговец наркотиками? — спросил Сент, немного подумав.

— В этом меня убеждали все. Теперь я хочу узнать все из первых уст. Расскажи мне подробно, что случилось в Мексике.

К удивлению Сента, он легко и без утайки выложил Даймонду все: рассказал о своем несчастливом браке с Флетчер, о том, как та подбросила ему наркотик, о своем аресте, о похожем на пародию суде, о своем пребывании в Санта-Пауле и о том, как скрашивала его жизнь в тюрьме работа над сценарием к «Старфайер».

Даймонд слушал очень внимательно, лицо его выражало участие, поэтому Сент рассказал ему даже то, чего не рассказал бы никому другому.

— Я тебе верю, — сказал Даймонд. — А где сейчас твоя жена? Чем она занимается?

311

— Я не знаю.

— Сомневаюсь, чтобы твое освобождение ее обрадовало.

— Возможно.

— Похоже, она очень мстительная, неуправляемая женщина. От нее можно ожидать чего угодно.

— Постараюсь быть осмотрительным, — ответил Сент.

— Не вздумай ничего предпринимать, предоставь все мне.

Сент с удивлением посмотрел на него. Даймонд наблюдал за ящерицей, сидевшей на крыле ржавого автомобиля. Ее горло часто пульсировало от жары. Даймонд поднял с земли камушек и бросил в ящерицу, та исчезла в мгновение ока.

— Держись от нее как можно дальше, — продолжал Даймонд. — Чем меньше она будет о тебе знать, тем лучше.

Сент заерзал на камне. Ему и в голову не приходило, что Флетчер может продолжать мстить ему. Он тоже подобрал камушек и сбросил его вниз, тот с глухим стуком отлетел от металла.

— Вы серьезно считаете, что она так опасна?

— Более опасна, чем ты думаешь.

— Ну тогда... Вы босс, вам и решать.

— Да, — согласился Даймонд. — Я сам с ней управлюсь.

Когда тема Флетчер была исчерпана, Даймонд неожиданно спросил:

— Как продвигаются у Арни дела с постановкой фильма «Выхода нет»? Я слышал, что он запущен в производство, но возникли какие-то сложности.

Сент кивнул.

— У вас финансовые затруднения?

— Да. Инвестор передумал, и весь проект находится под угрозой.

— Очень жаль, этот проект — лакомый кусочек. Я бы рекомендовал продать его нашей студии. Что вы с Арни на это скажете?

— Мне надо сначала поговорить с Арни.

— Я настоятельно рекомендую вам принять мое предложение.

— Вы хотите сказать, что у нас нет выбора?

— Почти никакого, если, конечно, вы не предложите эту пьесу театрам.

— Значит, нам остается только поблагодарить вас. Исчерпали и эту тему.

— Мне кажется, тебе надо как можно скорее перебраться в Лос-Анджелес, — сказал Даймонд, продолжая разговор.

Сент покачал головой:

— Нет, спасибо. В мои планы это не входит. Я хочу купить дом на побережье.

— Я совсем не против того, чтобы ты его купил. Ты сможешь проводить там выходные в то время, когда я не буду в тебе нуждаться на студии.

Сент почувствовал, что у него возникает неприязнь к этому человеку. «Мало того, что он отобрал у меня «Старфайер», — подумал Сент, — сейчас он хочет отобрать у меня и право распоряжаться собственной жизнью. Какого черта он о себе возомнил?»

Сент сидел, слушая потрескивание плавящегося на жаре металла, а Даймонд тем временем, приняв его молчание за согласие, продолжал:

— Ты знаешь, у меня всегда была мечта создать единую рабочую команду, группу талантливых людей, которые с ходу понимают друг друга и совершенно равноправны. С такой командой можно свернуть горы. — Он помолчал и как бы вскользь спросил: — Насколько мне известно, Спринг Кентфилд твоя мать?

Сент кивнул.

— И твои родители в разводе.

— Они развелись через полгода после моего рождения.

— Когда-то я был знаком с твоей матерью, правда, очень давно, примерно лет двадцать пять назад. Затем она познакомилась с твоим отцом. Прости, если скажу что-нибудь не так, но твоя мать пользовалась мужчинами, чтобы сделать карьеру.

— Возможно.

Сент смотрел на ажурные листья дубов, освещенные яркими солнечными лучами, и внезапно в листве на фоне безоблачного голубого неба увидел себя на собственной свадьбе, идущего рядом с матерью, одетой в костюм Скарлетт О'Хара.

Именно тогда он просил ее рассказать ему о его настоящем отце.

— Не притворяйся, что ты не помнишь, — сказал он тогда, и мать долго размышляла, прежде чем дать ответ. Во рту у Сента пересохло.

Даймонд внимательно посмотрел на него, хотел что-то спросить, но, похоже, передумал и лишь невнятно пробормотал:

— Хватит на сегодня, пора возвращаться.

Джи Би страшилась дня, когда вновь увидит Сента.

«Я даже ни разу не написала ему в тюрьму, — думала она, глядя на проплывавшую под крылом самолета горную гряду, переливающуюся различными оттенками от коричневого до серого, — а следовало бы».

«Возможно, но ты этого не сделала, и сейчас в твоей жизни перевернута еще одна страница».

Однако встреча с Сентом прошла на редкость легко. Было видно, что он давно простил ее. Он очень обрадовался встрече, но не волновался и не испытывал обычного напряжения. Девушка почувствовала себя с ним почти уютно.

Вздохнув с облегчением, Джи Би решила, что должна полностью насладиться выпавшим на ее долю прекрасным днем, тем более что Даймонд выпустил ее из-под своего контроля, и она радовалась свободе. Сегодня не надо изображать из себя Старфайер, а можно быть просто одной из тех, кто живет в «Дубах» и так же, как Уилеры, выращивает виноград.

Ей нравилось здесь все. Дом был таким, каким ему и положено быть в таком месте: просторный, прохладный, окруженный широкими террасами. За ухоженными лужайками и садом располагался винный завод, каменное здание, построенное восемьдесят лет назад, увитое плющом, который в это время года переливался оттенками рыжего и ярко-красного цветов, а дальше в идеальном порядке тянулись виноградники.

— Зинфандель, каберне, — перечисляла сорта мать Дональда, — пино-нуар, шардоннэ, — и еще множество названий, которые звучали для Джи Би, как прекрасные стихи.

Джи Би очень хотелось побывать на винном заводе и посмотреть виноградники, но Анна Барделучи Уилер хоть и обрадовалась ее желанию, но не могла покинуть гостей.

— Тебе будет скучно, — заметила она со вздохом. — Попозже Дональд тебе все покажет. А сейчас снимай это глупое платье, надевай майку, шорты и иди зарабатывай свой ленч.

Подняв столб брызг, Джи Би с удовольствием прыгнула в давильню и присоединилась к группе двигавшихся по часовой стрелке людей. Музыка кантри, звучавшая в ритм с шагами ходящих по кругу людей, трогала душу. Девушка с легкостью отрывала ноги от сладкой массы, словно неслась по воздуху. Мексиканские ребятишки стали красными от сока. Они смеялись, визжали и бросали друг в друга виноградной массой. Какая-то матрона из Сан-Франциско отгоняла от себя надоедливых ос и ругалась как извозчик. Толстый мужчина поскользнулся и упал в жидкое месиво, но его вытащила оттуда за ногу жилистая старуха в дырявой фетровой шляпе.

Джи Би слышала, как женщина из отдела по связям с общественностью говорила телеоператору:

— Не жалейте пленки. Снимите как можно больше гостей и детей. Наш праздник должна увидеть вся страна.

Солнце палило нещадно. Столбик термометра перевалил за девяносто* градусов. Горячий ветер вздымал скатерти, сдувал на землю бумажные салфетки и одноразовые стаканчики, и они перекатывались по всему полю. Группа людей в давильне постепенно редела. Даймонд ушел куда-то с Сентом. Джи Би заметила, что к ним присоединился Дональд Уилер. На его голове ловко сидела шляпа австралийского землекопа, с загнутыми с одной стороны полями. Он снял ее с головы и стал отмахиваться от ос. Его рыжие волосы стали мокрыми от пота и прилипли к голове.

— Нравится? — спросил он, улыбаясь Джи Би.

Она улыбнулась в ответ:

— Я никогда не думала, что виноград топчут ногами.

— Только в особых случаях. Большая часть винограда идет в давильную машину.

— Жаль, — сказала Джи Би.

— Вы бы так не думали, если бы вам пришлось перетоптать десять тонн.

В это время «Кантри-трио» Билла Шарпа исполняло мелодию «Индейка в соломе».

— Мне очень нравится такая музыка, — сказала Джи Би, а про себя подумала: «Не то что Рихард Вагнер».

— Вы, наверное, очень взволнованны, получив первую большую роль в фильме? — полюбопытствовал Дональд.

Продолжая топтать виноград, Джи Би неопределенно пожала плечами.

— Полагаю, что да, — ответила она.

Брови Дональда от удивления поползли вверх.

— Полагаю? Послушайте, леди, вы же станете богатой и известной.

Сейчас для Джи Би богатство и слава отошли на второй план. Они стали пустяками по сравнению с тем, что ее окружало. Широким взмахом руки девушка обвела окрестности и ответила:

— Все ерунда по сравнению с этим.

---

* По Фаренгейту; примерно 32° по Цельсию.

Они остались почти одни и все так же весело продолжали танцевать в густом месиве под палящими лучами солнца. Джи Би видела, как Даймонд и Сент, две маленькие фигурки, одна седовласая, вторая черноголовая, уходили все дальше, взбираясь вверх по пыльной горной тропе.

Воздух, горячий и сухой, обжигал легкие.

Дональд снял майку, повесил на край цистерны. Джи Би с улыбкой смотрела на него, он ей очень нравился. Было трудно поверить, что он доктор, а не обыкновенный человек. Не верилось также, что Уилер намного старше ее. Его тело было таким же молодым, как и улыбка. Ей нравились и тело, и улыбка, нравились рыжие волосы у него на груди и рыжевато-коричневые глаза, которые из-под шляпы насмешливо разглядывали ее. Она чувствовала, что тоже нравится ему, и вдруг в голове промелькнула простая и ясная мысль: «Я нравлюсь ему такой, какая есть на самом деле. Он не выдумывает меня».

Дональд протянул к ней руки, и девушка взяла их.

— Я умираю от жары, — сказал он. — Давайте покажу вам наш завод.

— Мне бы этого очень хотелось, — ответила Джи Би со счастливой улыбкой.

Миссис Уилер сидела во главе длинного, стоявшего на козлах стола, слева от нее восседал Даймонд, справа — ее племянник Джон, за ним — Джи Би и Дональд. Вера устроилась рядом с Даймондом. Почтенная матрона расположилась на другом конце стола, а по обе стороны от нее сидели Сент и толстяк, по виду сенатор. Он смотрел на всех осоловевшими глазами, плохо воспринимая происходящее, его состояние можно было назвать коматозным.

Джи Би вся горела от возбуждения. Они с Дональдом только вернулись с завода, где со смотровой галереи наблюдали, как в больших резервуарах бродит вино, а на поверхности плавает набухшая красная кожура винограда, образуя толстую блестящую шапку.

— Мы называем это гребнем, — сказал Дональд.

— Этот гребень выглядит таким плотным, — сказала Джи Би, — что я бы с удовольствием на нем покаталась.

За столом мгновенно наступила тишина. Каждый из мужчин представил себе Джи Би, катающуюся на бродящем винограде.

Официант принес блюдо с дымящимся барашком. Вера взяла себе второй кусок и ела его с ржаным хлебом и большим ломтем сыра.

Обсасывая баранью косточку, Джи Би приговаривала:

— Боже, как я проголодалась. Никогда не пробовала ничего более вкусного.

— Работая в давильне, вы нагуляли волчий аппетит, — заметил, весело смеясь, Дональд Уилер.

— Мне нравится, когда у людей хороший аппетит, — с одобрением отозвалась миссис Уилер. — Надеюсь, мой сын был для вас хорошим гидом.

— В некоторой степени, — ответила Джи Би. — К сожалению, он многого не знает, мне бы очень хотелось послушать вас.

— Ради Бога, Джи Би! — воскликнул Дональд. — Стоит только маме начать, и она заговорит вас до смерти.

— Сомневаюсь, — парировала Джи Би.

— Помолчи, Дональд. Когда еще у меня будет такая аудитория? — сказала миссис Уилер и без церемоний прочла им лекцию по виноделию, рассказав в подробностях о химическом составе почвы, о грунтовых водах, о том, как лучше уберечь виноград от заморозков, о создании особого микроклимата. Джи Би с большим интересом выслушала ее лекцию.

— К великому сожалению, мой единственный сын предпочел стать врачом. — Миссис Уилер сказала это таким тоном, будто профессия врача была несерьезным занятием.

Даймонд с насмешкой в темных глазах наблюдал за Джи Би, потом перевел взгляд на оживленное лицо Дональда Уилера.

Дональд, не замечая, что Даймонд внимательно наблюдает за ним, потянулся к корзине с виноградом, стоявшей в центре стола, оторвал несколько виноградных листьев и сунул их в растрепанные волосы Джи Би.

— Вот так вы похожи на нимфу Бахуса, — произнес он.

— А кто это?

— Бог вина, наш покровитель.

Джи Би сияющими глазами посмотрела на Дональда и весело рассмеялась.

Взгляд Даймонда стал холодным и пустым, как бесконечное пространство.

Солнце село, и быстро похолодало. Праздник закончился, а люди разошлись.

Сент остался за столом один и от нечего делать открыл альбом Веры.

Вот портрет Джи Би, которая сидит за столом чумазая и проказливая, слегка навеселе. Виноградные листья небрежно свисают с ее головы, солнечные лучи отражаются в огромном опале на груди, и он сверкает нестерпимым блеском. Сверкающий опал подарил ей Даймонд, но дорогим подарком так и не сумел вызвать ответного блеска в ее глазах. Сент знал, что эти глаза никогда не засияют и для него.

Дальше портрет Дональда Уилера. Доктор без рубашки, в своей австралийской шляпе. Ну просто Крокодил Данди, танцующий на винограде. Его лицо находится в тени, но из-под полей шляпы видны сияющие глаза, по которым можно прочесть все, как в открытой книге.

«Все возвращается на круги своя, — подумал Сент. — Он любит ее, она любит его, но принадлежит Даймонду. Что же будет дальше?»

Портрет Даймонда. Заостренные черты лица таят в себе силу, тяжелые веки не скрывают взгляда, полного угрозы.

«Змея, поджидающая свою жертву», — подумал Сент.

Дальше шел его портрет Сент посмотрел на себя, и глаза у него чуть не вылезли из орбит. Скулы выпирали, словно два острых ножа, заостренные черты лица кого-то очень напоминали.

Сент перевернул страницу и вернулся к портрету Даймонда, затем снова уставился на себя.

Неужели они так похожи? Этого просто не может быть!

В доме зазвонил телефон.

— Сент, тебя! — позвала миссис Уилер.

Сент поднял трубку. На линии тишина, затем послышалось прерывистое дыхание, и женский голос громко отчеканил:

— Ну ты, скотина, думаешь, что так легко от меня избавился? Не рассчитывай на это, я буду вечно преследовать тебя.

Трубку бросили, и раздались короткие гудки. Сент тупо смотрел на телефон.

— Полагаю, звонила миссис Тредвелл, — проговорил голос за его спиной.

Сент оглянулся. В дверях стоял Даймонд с загадочной улыбкой на губах, позади него — Джи Би в своем прежнем наряде, с серебристым обручем в волосах, настоящая Старфайер, и лишь поникшие виноградные листья в руке связывали девушку с землей.

— Да, — ответил Сент. — Это Флетчер.

Часть четвертая

Глава 21

Двенадцать месяцев спустя, в июне 1988 года, журнал «Верайети» дал на развороте изображение лица на фоне ночного неба, глаза широко распахнуты, в каждом зрачке сияют звезды.

Заголовок гласил: «Джи Би в роли Старфайер».

На ядовито-желтой полосе поперек разворота приводились цифры: «9 931 026 долларов за первые пять дней».

В этот вечер, спустя неделю после начала проката фильма, побившего все рекорды, одна из съемочных площадок студии «Омега» превратилась в лунную поверхность с кратерами, заполненными серебряным песком.

Все, кто работал в киноиндустрии, были здесь, включая высшее руководство ведущих корпораций Нью-Йорка.

Виктор Даймонд снял фильм, уложившись в мизерный бюджет, с никому не известными талантливыми актерами, и фильм стал настоящим супербоевиком.

Одетый в смокинг, который придавал его фигуре особую значительность, Даймонд стоял на сцене, принимая заслуженные поздравления; рядом с ним — Старфайер в платье необычного голографического покроя, в котором девушка казалась бесплотной, и присутствующие видели только ее прекрасное лицо и струящееся серебро волос, подсвеченных светом самых невообразимых оттенков.

Кто такая Старфайер? Откуда взялась? Говорят, что была моделью по имени Джи Би, но откуда пришла сама Джи Би? Она явилась ниоткуда, и никто о ней ничего не знал, хотя ходили упорные слухи, что... Старфайер — осиротевшая дочь богатого южного плантатора... отпрыск некой королевской семьи из Восточной Европы... внучка известного нациста, скрывающегося от правосудия в Аргентине... Но это все домыслы, и лишь несколько человек, ее ближайшие друзья, знали, кто она такая, но предпочитали помалкивать.

— Мы продаем тайну, — объяснил Джи Би Даймонд. — Старфайер должна стать для всех загадкой. Люди должны думать о тебе, как о чужестранке — далекой и недосягаемой. У Старфайер на Земле нет прошлого, нет семьи.

— Но я не хочу быть чужестранкой и недосягаемой, — упорно возражала Джи Би. — У меня есть семья, у меня есть мама и Мелоди Рос. Когда я стану знаменитой, ничто на свете не удержит Мел рассказывать всем, что я ее сестра. Нет такой силы.

— Она будет благоразумной, — возразил Даймонд.

«Готова держать пари, что нет», — подумала тогда Джи Би, но неожиданно Мел пошла на сотрудничество.

Сначала Мелоди яростно возражала против ее переезда в Калифорнию и хотела остаться в Нью-Йорке. «Чтобы тратить твои деньги», — высказался Даймонд.

Однако, злая и оскорбленная, она наконец согласилась лечь в клинику для наркоманов в Пасадене и после шестимесячной реабилитации стала совершенно другой женщиной и даже благодарила Даймонда за то, что он удержал ее на краю роковой пропасти. Сейчас, впервые за долгое время, Мел получила свою долю хорошей жизни, правда, очень маленький кусочек.

Даймонд нашел ей работу старшей официантки в «Ла пергола», известном ресторане в Вествуд-Виллидж, где она под именем Мелроуз с очаровательной улыбкой рассаживала посетителей и даже имела своих поклонников.

Она лихо водила маленький оранжевый «БМВ» и жила в небольшой квартирке в Санта-Монике.

— Смотри, как интересно все обернулось, — говорила Мелоди при редких встречах с сестрой. — Посмотри, кем мы стали. Ты кинозвезда, а у меня прекрасная машина, одежда, и я работаю в отличном месте... Даймонд большая шишка, не так ли?

— Да, — соглашалась Джи Би, — большая.

Какое-то время Джи Би относилась к Даймонду с благоговейным трепетом, как к отцу, которого никогда не знала, как к благодетелю или по крайней мере как к человеку, которому бесконечно доверяла.

— Конечно, ты прямая противоположность Мелоди Рос, — заверил ее Даймонд, когда однажды ночью в порыве самобичевания девушка сказала ему, что, по сути, мало чем отличается от Мелоди Рос, что она такая же потаскушка, как и ее сестра. — Ты говоришь смешные вещи, у тебя есть талант и впереди блестящая карьера. Ты это заслужила.

Каким облегчением для Джи Би было знать, что ее сестра находится в безопасности, что не употребляет наркотики, не пьянствует, не шатается по улицам, а ведет нормальный образ жизни.

— Он сказал мне, — сообщила по секрету Мелоди, — живи тихо, и мы поладим. Если ты подведешь меня, то горько пожалеешь об этом.

— И он сдержит свое обещание, Мел.

— Не сомневаюсь. Виктор сказал, что я буду иметь работу, внешность и все, что захочу, если буду держать рот на замке. Я что, глупая? Конечно же, буду молчать. Ты знаешь, он говорит так вкрадчиво, не повышая голоса... — Мелоди зябко передернула плечами. — Но у него такие глаза, такой голос... Я его боюсь больше Анжело.

Джи Би тогда не придала значения словам сестры. Мелоди всегда все преувеличивала, и в то же время жизнь шла как нельзя лучше.

Сейчас же, спустя много месяцев, когда Джи Би имела все, что хотела, и даже больше того, она вдруг перестала быть хоть в чем-нибудь уверенной. Жизнь превзошла все ее ожидания, но девушка для этого и пальцем не пошевелила. Она думала, что богатство и успех принесут ей независимость, но все оказалось наоборот, и часто ночами Джо-Бет вспоминала странную фразу, сказанную Даймондом Мелоди Рос: «Ты будешь иметь работу, внешность и прочее...» Что он имел в виду под словами «внешность»?

Джи Би совсем перестала спать. Чтобы заснуть, ей приходилось принимать снотворное, чего раньше она никогда не делала.

Проснувшись в три часа ночи, девушка осознавала, что Даймонд манипулировал ею с самого начала, что использовал ее, да и всех их в своих личных интересах, однако при свете дня все тревоги начинали казаться ей напрасными. Они все должны быть просто благодарны ему.

Джи Би внимательно посмотрела на Арни, стоявшего рядом с Верой и разговаривавшего с телекорреспондентом. С его участием сразу один за другим вышли два «хита»: «Выхода нет» и «Старфайер». Он стал очень популярным национальным секс-символом номер один после горячих сцен со Старфайер в пыли черной лавы, которые снимались на острове Ланзерот, у побережья Африки. Арни стал объектом для подражания. Однажды погубив свою репутацию, он сумел остаться незапятнанным, снова взобраться на вершину славы и сейчас был ярким борцом против наркотиков, читая лекции в школах, колледжах, выпуская коммерческие ролики с текстом: «Вы должны сказать наркотикам решительное нет! Однажды я не сумел этого сделать и чуть не умер. Поверьте мне, я знаю, что говорю».

Блейз быстро превратился в национальную икону. Им восхищались дети, обожали родители, он был идолом всех особ женского пола, начиная с восьмилетнего возраста.

Интервьюер, молодая дама азиатской наружности в модном темно-красном платье с большими плечами, говорила:

— Большое спасибо, Арни. Желаю вам удачи.

Камера перешла с Арни на Веру, и в какую-то долю секунды его сияющее лицо постарело и стало жалким.

— Для зрителей, которые только что присоединились к нам, повторяю, что я Венди Морита из «Телеобозрения» и сейчас беседую с Арни Блейзом и Верой Браун на приеме, устроенном в честь «Старфайер», супербоевика, выпущенного студией «Омега». Идея создания «Старфайер» принадлежит Вере Браун. Этот персонаж комиксов завладел умами нации. Для вас, наверно, это незабываемый момент, Вера?

Та согласно кивнула.

— Вера не только переделала анимационные кадры для игрового кино, но в издательстве в Сан-Франциско ежемесячно выходит книга комиксов, хотя партнер Веры Браун и автор текста живет в Лос-Анджелесе. Как вам это удается?

— Все делается с помощью компьютеров. Сент по факсу присылает мне текст, я делаю рисунки и графику, которые по модему передаются на центральный процессор студии «Омега».

— Значит, несмотря на то что вы партнеры, вы почти не встречаетесь?

— Когда под рукой факс и компьютер, в этом нет необходимости.

— Вот что значит отличная техника, анимация шагнула далеко вперед со времен Диснея. И последний вопрос, Вера. Можете вы рассказать нашим телезрителям, с чего все началось? Как родилась идея Старфайер?

Вера, тоненькая как тростиночка, в светло-коричневом атласном платье, с короткой стрижкой, которая ей очень шла, пожала плечами и улыбнулась.

— В те дни Старфайер была моим вторым «я». Я была такой серой и незаметной, а моя жизнь такой скучной, что я придумала для себя Старфайер. Она была прекрасна и обожала всякие приключения и делала то, что я сама никогда бы не отважилась сделать.

— Вот уж действительно поучительная история: мечта воплотилась в жизнь. Спасибо вам за рассказ.

Джи Би кивнула. Женщина права: жизнь для Веры вошла в новое русло.

Она снова похудела, Арни сам подобрал ей прическу и косметику, нашел для нее имиджмейкера, который следил за ее внешностью.

Нарядная и красивая, Вера была к тому же и богата.

Даймонд заплатил ей кучу денег за авторское право на «Старфайер», познакомил с японскими мультипликаторами, которые собирались создать какой-то сногсшибательный анимационный фильм, и сейчас Вера рассматривала их предложение. Если она его примет, то надолго уедет в Японию.

Сейчас жизнь Веры нельзя назвать скучной. Правда, она потеряла «Старфайер», и Даймонд не хотел, чтобы художница крутилась у него под ногами. Он откупился от нее, и Вера это хорошо понимала.

Джи Би посмотрела на Сента, который тоже сделал головокружительную карьеру. Красивый, с каким-то драматическим налетом, в темно-голубом смокинге, черной рубашке и серебряном галстуке, он стоял, облокотившись о кратер вулкана.

После завершения фильма «Выхода нет» при твердой поддержке Даймонда его карьера быстро пошла вверх. Все на «Омеге» считали его преемником Виктора, и он пользовался такой же неограниченной властью, как и его патрон.

К этому времени все личные проблемы Сента растаяли как снег под лучами солнца.

Джи Би вспомнила, как в тот вечер, на празднике винограда, она вслед за Даймондом вошла в комнату, где Сент разговаривал по телефону. С тех пор, казалось, прошла целая вечность.

— Полагаю, что звонила миссис Тредвелл? — спросил Даймонд.

— Да, — ответил Сент. — Это Флетчер.

— Что она хочет?

Выражение лица Сента говорило: «А твое какое дело?» Однако под давлением Виктора он честно признался, что Флетчер ему угрожала, но так, ничего серьезного.

Тем не менее Даймонд воспринял угрозы бывшей жены Сента весьма серьезно и вопреки его сопротивлению потребовал, чтобы тот немедленно вернулся с ними в Лос-Анджелес.

— Я не могу поехать с вами, мне надо отвезти Веру домой.

— Это сделает кто-нибудь другой. — Даймонд даже не позволил ему объяснить Вере, почему он не сможет взять ее в свою машину. — Чем меньше людей будет знать обо всем, тем лучше для тебя. Ведь ты не хочешь напрасно пугать ее?

Даймонд разместил Сента с апартаментах гостиницы «Беверли-Хиллз» и приставил к нему «няню» в лице молодого человека по имени Джефф, который походил на семинариста, но на деле был хорошо натренированным атлетом из бывших «зеленых беретов».

— Я не нуждаюсь в этом парне, — злился Сент. — Я сам справлюсь с Флетчер. Что она мне может сделать, особенно здесь?

И вдруг неожиданно Флетчер перестала быть для него угрозой. Она погибла при каком-то странном инциденте с лошадью. Любимый жеребец ее отца Трубный Звук до смерти забил женщину. Харлан Мак-Гроу, бедняжка, явно сошел с ума после смерти своей горячо любимой дочери. Из подаренного ей «маузера» с перламутровой рукояткой он сначала застрелил жеребца, а потом выпустил мозги себе.

Конечно, ходили всевозможные слухи, но быстро прекратились. Такое вполне могло случиться. Жеребец был настоящим зверем, к тому же вскрытие показало, что в крови Флетчер Мак-Гроу Тредвелл присутствовал алкоголь, а уж какой эксцентричной, если не сказать сумасшедшей, она была, знали все.

Хотя смерть Флетчер и опечалила Сента, он был настолько поглощен успехом, выпавшим на его долю, что у него совсем не осталось времени горевать.

— Сейчас, когда Флетчер нейтрализована, — Даймонд употребил именно это слово, — ты можешь полностью забыть о своем прошлом и вернуться к работе.

Можно подумать, что так легко забыть прошлое, которое составляло значительный период его жизни.

Ничего удивительного, что часто у Сента было выражение лица человека, боровшегося с самим собой. Временами, как подметила Джи Би, он с холодной подозрительностью смотрел на Даймонда, своего ментора. Сент разрывался между благодарностью к нему и явным нежеланием быть чьим-то рабом.

«Хотя, — думала Джи Би, — что я о них знаю?»

И действительно, все это время девушка была вне пределов досягаемости. Каждую минуту заполняла работа. Она трудилась с рассвета до заката.

У нее не было возможности с кем-нибудь поделиться своими тревогами, так как она больше не видела своих друзей. У нее не было возможности поговорить по душам с Верой, Сентом и даже с Арни, а Дональд Уилер и его мать навсегда исчезли из ее жизни, как будто они никогда и не встречались. Джи Би написала им и поблагодарила за чудесный день, проведенный на их празднике, но ответа так и не последовало. Они даже не потрудились позвонить ей.

Сейчас Джо-Бет отлично понимала, что тот день, когда они все дружно топтали виноград, был самым счастливым в ее жизни. Она безумно скучала по Дональду, скучала по всем своим друзьям. Иногда девушка чувствовала себя бесконечно одинокой. И не могла понять, как могло случиться, что все, кем она так дорожила в своей жизни, отвернулись от нее.

Даже ее семья. Правда, Мелоди Рос жила сравнительно близко, но Джи Би редко видела сестру. Живя жизнью «белки в колесе», она часто вообще забывала о существовании Мелоди. Память о маме и Флойде потускнела, как тускнеют старые фотографии.

Когда-то давно на ее имя на студию поступило безграмотное письмо с подписью «папа». Письмо было полно упреков и угроз. Сейчас, когда для Джо-Бет настал звездный час, Флойд счел, что она должна с ним поделиться. «Смотри, как бы тебе не пожалеть», — угрожал он.

— Именно этого я и ожидал, — сказал Даймонд. — Ни о чем не беспокойся, я сам о нем позабочусь. Кстати, и о твоей матери тоже.

Виктор приказал подготовить самолет. Они прилетели в Амарилло, где Даймонд арендовал черный «линкольн-континенталь», чтобы добраться до Корсики.

Джи Би не была в Корсике семь лет и сейчас удивилась, что городок такой маленький и незначительный — след от мухи на карте мира. Городишко угнетал своей скукой, и Джи Би с ужасом ждала встречи с мамой и Флойдом. Единственной радостью казалась предстоящая встреча с Чарлиной.

Закусочная Фила осталась такой же маленькой, как она ее помнила, но, правда, в ее воспоминаниях она не была такой грязной. Чарлина, которой сейчас было слегка за тридцать, выглядела на все сорок, растолстела, поблекла и опухла.

— Джо-Бет, Господи, неужели это ты? — Чарлина оставила автомат для варки кофе и неуверенно шагнула к Джи Би. Она посмотрела на Даймонда, потом снова на Джи Би, на длинную черную машину за окном и робко улыбнулась.

— Я же звонила тебе, Чар, и сказала, что приеду.

— Ах да... но я не была... — мямлила Чарлина, — я не думала... ты застала меня врасплох...

Ее голос сорвался. Джи Би заказала себе чашку кофе и села у бара на потрескавшийся оранжевый пластиковый стул.

— Как Лерой? — спросила она смущенно.

Муж Чарлины, Лерой, работал на стройке в Амарилло. Он купил новый «пикап», дети чувствовали себя неплохо.

На этом разговор иссяк.

— Как мама? — спросила Джи Би.

— Думаю, ничего, — ответила Чарлина. — Сначала я носила ей продукты, как обещала, а потом... Да ты сама все увидишь.

— Как будто меня здесь и не было, — печально заметила Джи Би, усаживаясь в машину. — Можно подумать, что Чарлина меня впервые видит.

— Так оно и есть, — с нежностью в голосе ответил Даймонд, захлопывая дверцу машины и тем самым отгораживаясь от пыльного города. — Тебя здесь не было, эта официантка видит тебя впервые.

— Но Чарлина была моей лучшей подругой.

— Была. Но сейчас она тебе не подруга и прекрасно это понимает.

«Как ужасно, — подумала Джи Би, чувствуя себя несчастной. — Ужасно, что дружба уходит, не оставляя следа».

Но в глубине души чувствовала, что не так уж все и ужасно, потому что Чарлина была безвкусно одета, толста и, если бы приехала в Лос-Анджелес, с ней было бы очень хлопотно...

Джи Би поймала себя на этой отвратительной мысли и со страхом подумала: «Господи, в кого я превратилась? Ведь я была совсем другой».

«А была ли я другой? — подумала девушка в следующий момент. — Не могла же я так сильно измениться».

330

Мама встретила их непричесанной, в засаленном дырявом халате, со сломанными зубами. Большие пальцы ног, выпиравшие из стоптанных тапочек, были грязными. Слегка приоткрыв расшатанную скрипучую дверь, она посмотрела на них и закричала:

— Не смей приближаться ко мне, твоей душой завладел дьявол.

— Мама, я пришла с другом.

— Джозефина-Элизабет, убирайся отсюда! Ты погрязла в грехе. Не смей переступать порог моего дома, ты грязная распутница.

И тут мама заметила Даймонда, тот смотрел на нее с приветливой улыбкой.

— Разрешите нам войти, мэм. Мы задержим вас только на минутку.

Мама разволновалась, захлопала ресницами и распахнула дверь. Скудный свет серого дня падал на серебристо-седую голову Даймонда, и она светилась странным сиянием, образуя нимб.

— Кто этот человек, Джозефина-Элизабет?

Внутри трейлера было грязно и омерзительно пахло. Повсюду валялись банки из-под пива, коробки и религиозные трактаты: «Ты можешь быть избранником», «Унаследуем вечность», «За Армагеддоном вместе с Христом».

— Я все запустила со своей работой, — сказала мама извиняющимся тоном, смахивая рукавом пыль со стула, и уже более решительно добавила: — Разве мы не должны отдавать все свое время служению во славу Господа?

— Конечно, должны, — ответил Даймонд. — И я горжусь вами, мы все вами гордимся.

Мама посмотрела ему в глаза, которые светились, как угли.

— Вы от Них? — спросила она.

Даймонд кивнул.

Потрясенная, мама воздела руки к небу и блаженно улыбнулась.

— Я думала... увидев вас... я сразу решила, что вы один из избранных.

— А теперь и вы, миссис Финей, присоединитесь к их числу, — сказал Даймонд. — Я здесь, чтобы поблагодарить вас за проделанную работу во славу Господа и помочь начать новую жизнь, полную блаженства. Мои эмиссары сегодня заедут за вами, соберите вещи и ждите.

Флойд все еще работал на заправочной станции «Тексако». Он оказался меньше ростом, чем запомнила Джи Би.

— Заполни бак! — приказал Даймонд.

— Будет сделано, сэр.

Флойд устроил целый спектакль с протиранием стекол и осмотром мотора.

— Ты Флойд Финей? — спросил Даймонд, голос его был грубым, тон требовательным. С трудом верилось, что совсем недавно этот человек так нежно разговаривал с ее матерью.

— Это я, сэр.

Флойд указал на карман своего комбинезона, где была вышита фамилия.

— У тебя есть приемная дочь Джо-Бет, не так ли?

— Ну и что с того?

Спокойный холодный голос Даймонда пробирал до костей. Джи Би представила себе, что чувствует сейчас Флойд, глядя на него. Человек с седыми серебристыми волосами, в темных очках, дорогом костюме рядом с роскошной машиной — олицетворение власти.

— Когда-то ты пытался изнасиловать ее.

«Господи, — подумала Джи Би, — все было словно вчера».

Флойд отпрянул от машины, лицо его покраснело, глаза забегали.

— Это наглая ложь, я никогда не трогал ее. Я...

— А потом ты всем рассказывал, что это она приставала к тебе.

Флойд стал бочком отходить от машины, лицо его побагровело.

— Эта сучка нагло врет. Если она когда-нибудь попадется ко мне в руки, я...

— Она никогда не попадется в твои грязные лапы. Я запрещаю тебе требовать у нее денег или угрожать. Если еще раз попытаешься надавить на нее — считай, что ты покойник.

Даймонд проговорил это с такой уверенностью, что Джи Би вздрогнула. Флойд не заметил ее, сидевшую в машине, а если и заметил, то скорее всего не узнал.

Лицо Флойда стало мертвенно-бледным, губы затряслись.

— Ты понял, что я тебе сказал? — потребовал ответа Даймонд.

— Д...д...да, сэр, — ответил Флойд заикаясь.

— Молодец, смотри не забывай об этом.

Даймонд повернул ключ зажигания, и машина мягко тронулась с места.

— Этот вопрос мы тоже отрегулировали, — сказал он Джи Би.

Да, этот вопрос он урегулировал. Флойд был тоже нейтрализован, а мама сейчас жила в очень уютном закрытом учреждении где-то в Далласе и верила, что так как она одна из избранных, то уже не зовется Лурлин Финей. Мама забыла, что у нее когда-то были дочери. Место красивое, обнесенное высоким забором, а то, что верх забора усеян битым стеклом, так это для того, чтобы оградить обитателей от ужасов внешнего мира. Обслуживающий персонал носил белые халаты, и миссис Финей принимала их за ангелов. Она могла молиться Господу утром, в обед и вечером.

Тогда Джи Би была очень благодарна Даймонду за мать. У нее как гора с плеч свалилась, и лишь позднее пришло прозрение.

Даймонд был внимателен к маме, обращался и разговаривал, как с принцессой, но не чувствовал к ней даже жалости. Он глубоко презирал ее, как презирал всех, кто не обладал такой же властью. Даймонд даже не видел в ней человека и совсем не желал ей счастья. Виктор просто отделался от нее, поместив в это закрытое заведение якобы для продолжения ее миссии во славу Господа. Мама вовсе не заслужила такой участи.

Даже Флойд... видеть его таким униженным и оскорбленным, трясущимся от страха было для Джи Би невыносимо горько. Когда-то девушка мечтала отомстить ему, но сейчас его положение не вызывало у нее ничего, кроме стыда и сожаления. Он был маленьким, несчастным человеком, который много пил из-за того, что когда-то рухнули все его мечты, все надежды на будущее.

Итак, мама и Флойд навсегда ушли из ее жизни. Корсика осталась в прошлом. Занавес задернулся, и былое ушло в никуда.

Сейчас, стоя рядом с Даймондом с бокалом шампанского в руке, улыбаясь направо и налево, Джи Би знала, что у нее нет прошлого, а что сулит будущее, об этом известно только Богу.

Она завоевала весь мир и только сейчас начала понимать, как много потеряла.

Глава 22

Старфайер припала к земле, колени у подбородка — она одна в темном, безмолвном пространстве.

Она частичка звездной пыли, парящая во Вселенной, — ни субстанции, ни тела, ни души.

Длинным острым серебряным ногтем Старфайер цаͅрапнула по своему колену, напоминая себе, что она живͅое существо, что у нее есть тело, которое принадлежит

Джи Би, сидящей на корточках на черном ковре в пирамидальной комнате без окон, в таинственном доме в Малибу, и что на дворе сентябрь 1989 года.

Девушка стала заниматься йогой и медитацией, и Даймонд требовал, чтобы она проводила как можно больше времени в темной комнате, пытаясь проникнуть в самые потайные уголки сознания.

— Чем глубже ты проникнешь туда, тем легче тебе будет слиться со Вселенной, — говорил он.

Прошло уже больше года со дня выхода на экраны супербоевика «Старфайер». Подгоняемые ошеломляющим успехом, они сразу же приступили к съемкам нового фильма этой серии, хотя, как считал Даймонд, им будет довольно трудно рассказывать одновременно и о прошлом Старфайер, и продолжать уже начатую историю.

Принимая во внимание успех предыдущей серии, на «Старфайер II» отпустили больше денег и сразу же развернули полномасштабную рекламную кампанию.

Джи Би видела свое лицо с излучающими звезды глазами на страницах журналов, афишах, рекламных щитах на скоростных шоссе и однажды сразу на пятидесяти экранах просмотровой комнаты.

«Джи Би — СТАРФАЙЕР».

Художник-авангардист изобрел стиль «Старфайер», характерной особенностью которого стало изобилие серебряной парчовой ткани, тонкой металлической сетки и кожи; была выпущена новая косметика «Старфайер», и велись переговоры с одной из ведущих фирм по производству игрушек на продажу им лицензии на создание куклы Старфайер, с одеждой для нее и прочими аксессуарами.

Джи Би никуда не выходила без сопровождения — охраны, шофера, специалиста по рекламе и секретаря. Прошли те дни, когда она могла в одиночестве ходить по магазинам, гулять по улицам или бродить по пляжу. Девушка редко сама водила машину, так как ее всюду узнавали, преследовали, просили автограф, а ездила теперь только с шофером в лимузине с затемненными стеклами.

Ее почта тщательно просматривалась — «для твоей же безопасности», говорил Даймонд, — и она не читала ни страстных, полных обожания писем от своих поклонников, ни бессвязных посланий своих ненавистников. Джо-Бет еще долго не будет знать о смертельных угрозах со стороны фанатиков-фундаменталистов, так как охрану усилили настолько, что в дом не проскочила бы и мышь.

Ее появление в обществе строго регламентировалось. Иногда она появлялась на благотворительных приемах, была почетной гостьей на международном съезде фантастов, но ей строго-настрого запрещалось давать интервью, вступать в беседу, так как ее образ загадочной, таинственной, неземной женщины должен сохраняться любой ценой.

В редких случаях Даймонд брал ее с собой на обеды, и то со специальными целями. Как-то вечером в «Спаго» Даймонд наклонился к ее уху и шепнул:

— Видишь того человека в сером пиджаке? Он сидит к тебе спиной.

Джи Би посмотрела в ту сторону, где сидел мужчина.

— Да, вижу, — сказала она.

— Он вице-президент компании, занимающейся разработкой месторождений. Это злой и коррумпированный человек. Ты — Старфайер и должна проникнуть в его сознание, чтобы выяснить, собирается ли он начать разработку шельфа Аляски.

— Я... но...

— Сконцентрируй на нем все свое внимание. Выброси из головы все постороннее и сосредоточься только на нем. Ты должна проникнуть в его мозг и узнать правду.

Джи Би с удивлением посмотрела на Даймонда и увидела, что он совершенно серьезен.

— Постепенно ты привыкнешь к этому. Ты и сейчас отлично справишься, это в твоей власти.

— Ну хорошо, попробую.

Чувствуя себя Старфайер, Джи Би сосредоточила свой взгляд на затылке человека в сером пиджаке. У него были аккуратно зачесанные седые волосы. Девушка вообразила, как поднимает волосы над воротничком, раздвигает мякоть головы и кости черепа и проникает в серое пульсирующее вещество. Положив подбородок на кисть согнутой руки, она прищурила глаза и сосредоточила на нем все свое внимание.

Через несколько минут, к радости Джи Би, человек стал ерзать на стуле.

— Получилось, — тихо произнес Даймонд, затем вдруг распрямил плечи, посмотрел на нее в упор и твердо сказал: — Хорошо сработано, Старфайер. Я был уверен, что все получится.

«Джи Би — СТАРФАЙЕР».

И сейчас девушка почти уверовала, что да, она может проникать в чужой мозг, может контролировать чужие мысли и, даже сидя в этой черной пирамиде, может спроектировать себя в космическом пространстве. Все чаще и чаще она растворялась в своей роли.

Даймонд был очень доволен.

Он утверждал, что все это поможет ей в работе.

Студийные сцены закончились; теперь уже скоро, через какие-то две недели, они уедут на натурные съемки в тропическую часть Мексики, где снимут сцены в непроходимых джунглях и болотных топях. Именно туда уехал сейчас Даймонд со своей второй командой, которая в течение последних шести недель подыскивала натуру с трепещущими на ветру пальмами, с грязными потоками, несущимися вниз по склонам гор, хотя сезон дождей уже закончился.

Где-то вдали запульсировал красный свет: вспыхнет — погаснет, вспыхнет — погаснет. Пульсар, решила Джи Би, свет далекой галактики.

Затем где-то в подсознании Джи Би вспомнила, что ведь таким образом Хамура подает сигнал и до обеда осталось полчаса.

Джи Би встала с ковра. Дверь должна быть ниже мерцающей лампы.

Плохо ориентируясь в темноте и осторожно ступая, девушка нашла панель, легкое прикосновение к которой бесшумно открывало дверь, ведущую в слабо освещенную комнату, служившую декомпрессионной камерой, чтобы восстановить физические и моральные силы. Она постояла там минут пять и пошла в гардеробную, где переоделась в мерцающее платье, сконструированное для нее Миларом.

Хамура сервировал для нее стол на террасе. Он с улыбкой поклонился, налил ей вина из замороженной бутылки и поднял крышку с блюда, на котором лежали моллюски, украшенные овощами, — настоящее произведение искусства. Из спрятанных где-то колонок лилась тихая и прекрасная музыка Дебюсси.

Став снова самой собой и испытав при этом некоторое разочарование, Джи Би выпила вина и посмотрела на океан, вертя машинально в пальцах опал. Есть не хотелось, да и вообще ничего не хотелось. Девушка стала думать о том, как провести время, прежде чем лечь спать. Будь Виктор дома, посмотрели бы какой-нибудь фильм, но ей не разрешалось самой пользоваться проекционной комнатой без хозяина, так как оборудование стоило слишком дорого, а она могла его сломать, поэтому Даймонд, когда отсутствовал, запирал дверь на ключ.

Как ей хотелось, чтобы сейчас кто-нибудь был рядом, с кем можно поболтать, снова почувствовать себя человеком.

В семь часов утра, когда Джи Би уже собиралась приступить к работе над образом, Хамура позвал ее к телефону.

— Мистер Блейз, — сообщил он с поклоном.

Но это был вовсе не Блейз.

— Это Дональд Уилер. Помните меня?

— Дон...

— Не называйте громко мое имя, — прервал он ее.

— Но... Что вы хотите? Почему вы... Я хочу сказать... вас так долго...

— Я знаю. Что вы сегодня делаете?

— Я... я работаю.

— Тогда сделайте перерыв. Я нанял яхту. Вы как-то сказали, что никогда не ходили под парусом.

— Но вы... как... Где вы?

— На заправочной станции, шоссе № 1. Через десять минут я буду у вас.

— Я не могу.

— Почему?

— Даймонд не разрешает мне выходить.

— Он не узнает, Цербер сейчас в Мексике и вернется в лучшем случае завтра.

— Откуда вы это знаете?

— Мне сказала Вера.

— Вы разговаривали с Верой?

— А почему я не могу разговаривать со своими друзьями? Она мне также сказала, что очень о вас беспокоится, и не только она. Так что собирайтесь, да поживее.

Джи Би покачала головой, прежде чем поняла, что доктор ее не видит.

— Я действительно не могу, Дональд. А вдруг он позвонит?

— Ему скажут, что вас нет.

— А что я скажу Хамуре?

— Зачем ему что-то говорить? Ваши дела его не касаются. Он слуга.

— Он больше чем слуга, — ответила Джи Би, а про себя подумала: «шпион».

— Тогда скажите ему, что едете на студию, чтобы встретиться с Арни и обсудить с ним одну из ваших сцен. Так вы поедете со мной или нет?

— Нет... Да, — внезапно выдохнула она и с радостью подтвердила: — Да, поеду.

В чем была, Джи Би сбежала вниз по лестнице и, затаившись, ждала. Как только черный «корвет» подъехал к дому, она нырнула в него и быстро захлопнула дверцу. Мощный мотор взревел, и машина на бешеной скорости выехала за ворота, минуя охрану. Джи Би краем глаза видела, с каким изумлением смотрит ей вслед Хамура.

Но это сейчас ее больше не волновало, она свободна, как ветер.

Дональд Уилер был в джинсах, линялом спортивном свитере и поношенных туфлях. За ночь доктор отмахал пятьсот миль и выглядел уставшим.

— Не понимаю, зачем вы это делаете? — сказала Джи Би.

— Я скучал без вас.

— Но все так неожиданно. Вы мне даже ни разу не позвонили.

— Я звонил и писал письма. Я даже послал вина из того самого винограда. Но вы мне так ни разу и не ответили, и тогда я подумал, что вы теперь кинозвезда и вам нет дела до простых смертных.

Джи Би с удивлением посмотрела на Дональда:

— Вы мне писали? Но я не получала никаких писем.

— Я так и думал.

— Вы хотите сказать, что Даймонд скрывает от меня почту?

— А вы как думаете?

— В общем... да... конечно. Он защищает меня. Я получаю письма от самых разных людей, и среди них немало сумасшедших. Даймонд считает, что я не должна их читать. Он говорит, что актер должен воздействовать на публику, а не она на него. Но что касается моей личной почты...

Джи Би в испуге замолчала.

— Послушайте, — сказал Дональд, — давайте не будем обсуждать это сейчас. Сегодня мы будем веселиться.

Веселиться. Джо-Бет почти забыла это слово. Она стала Старфайер, а Старфайер должна непрерывно трудиться, чтобы спасти Землю, ее леса, океаны, животных, у нее нет времени на веселье.

— Люди могут меня увидеть! — закричала Джи Би, охваченная паникой, и сползла под сиденье.

— Это дело поправимое, — решил Дональд, стягивая с себя свитер. — Надень вот это и накинь на голову капюшон, в ящике есть темные очки.

Джи Би покорно натянула свитер, который еще хранил тепло его тела и от которого исходил слабый запах пота и лошадей. Джо-Бет удивлялась своей смелости. Интересно, что предпримет Даймонд, когда обо всем узнает?

— А ему обязательно надо знать о нашей прогулке? — спросил Дональд.

— Он и без меня узнает, — ответила Джи Би, и ей показалось, что он вот-вот появится, чтобы остановить ее. Она — Старфайер, способная силой своего разума преодолевать космические пространства. Сейчас, думая о нем, девушка могла с помощью телекинеза сделать так, что Виктор окажется рядом с ней.

— Ничего он тебе не сделает, — сказал Дональд. — Ты со мной и ничего не бойся.

Когда Джи Би услышала эти слова, ей стало легче.

— И кроме того, — добавил Уилер, сворачивая с дороги, — там, куда мы едем, будут только море, чайки и рыба. Они никогда не слышали ни о Старфайер, ни о Викторе Даймонде.

В маленькой прибрежной деревушке у причала их встретила женщина средних лет в промасленном оранжевом свитере, широкоплечая и загорелая, с волосами, затянутыми в хвостик.

— Привет! — поздоровалась она. — Я Марджи. Вы выбрали чудесный день для прогулки на яхте.

Она посмотрела на длинные голые ноги Джи Би и серебристые шортики.

— Очень миленький купальный костюм, солнышко, но, боюсь, он не для морской прогулки. Принести тебе брюки?

Джи Би покачала головой.

— Я очень спешила, — ответила она.

Марджи повела их по шаткому причалу к яхтам.

— Вы сегодня первые мои клиенты, — сказала она, — так что за вами право выбора.

— Выбирай, Джи Би, — предложил Дональд.

Джи Би посмотрела на белые яхты, одна из которых будет их домом на сегодняшний день, и наугад ткнула пальцем.

— Вот эта.

— Прекрасный выбор, — смеясь, сказала Марджи и даже зааплодировала Джи Би.

Они поднялись на борт, и Марджи обошла яхту вместе с ними, показывая, где что находится: две койки, рундук с инструментами, сложенный парус, насос для откачивания воды и прочие необходимые вещи. Обход занял не более трех минут, затем Марджи одним рывком запустила подвесной мотор и выбралась на берег, чтобы отдать швартовы.

Дональд прибавил оборотов, и вскоре они вышли из гавани на простор.

— Не могли бы мы прибавить скорость так, чтобы не было видно земли? — робко попросила Джи Би.

— Конечно.

— Мне так хочется быть подальше от нее.

Теперь можно больше не беспокоиться о Даймонде. Джи Би с облегчением вздохнула и откинулась на голубом пластиковом сиденье, размышляя о беззаботной жизни Марджи, которая не носит серебряных платьев, не медитирует, ничего не знает о космосе и ни о чем не заботится. Она сдает в аренду яхты и лодки, продает наживку для рыбы, и ей больше ничего не нужно.

— О чем вы сейчас думаете? — внезапно спросил Дональд.

— Старфайер...

— Надо немедленно выбросить ее из головы. Уже десять часов, становится жарко, и сейчас самое милое дело — выпить пивка.

— Здорово! — закричала Джи Би. — Давайте выпьем прямо сейчас.

Она покопалась в большой бумажной сумке, которую захватил с собой Дональд, и изъяла оттуда две банки пива, затем исследовала провощенный пакет из местной бакалейной лавки и обнаружила там сандвичи с болонской и швейцарской колбасой на белом хлебе, смазанном желтой горчицей, и два крупных огурца.

— Это не совсем то, что едят кинозвезды, но ничего другого у них не было, — заметил с усмешкой Дональд.

— Это как раз то, что надо, — ответила Джи Би. — Можно мне взять один сандвич?

— Ты можешь делать все, что захочешь.

Они вышли в открытые воды, где дул бриз. Джи Би видела, как в нескольких ярдах от них ветер рябит воду, Дональд сбавил ход.

— Пора ставить паруса. Знаешь, как это делается? Джи Би покачала головой.

— Это очень легко. Смотри.

Он перевел мотор на холостой ход, взобрался на палубу и прикрепил основной фал к парусу.

— Сейчас я его натяну, и парус поднимется. Смотри. Парус взвился и захлопал на ветру.

То же самое доктор проделал со вторым парусом.

Джи Би с интересом наблюдала.

Яхту слегка кренило, когда Дональд разворачивал ее против ветра.

— Чудесно, — заключил он. — Теперь мы плывём под парусом.

Он выключил мотор, и сразу наступила тишина, нарушаемая лишь плеском волн за бортом и шумом ветра в ушах.

Следующий час Джи Би провела, лежа на животе в носовой части парусника и глядя на воду.

Свесившись вниз, она водила рукой по воде, и та текла между пальцами, оставляя на них серебристо-зеленые пузырьки.

Они были одни на поверхности океана, воды которого простирались до самого горизонта, как большое стеганое одеяло цвета индиго. Берег давно исчез в туманной дымке. Девушка больше не чувствовала себя Старфайер, она снова была Джи Би и плыла под парусом неизвестно откуда и неизвестно куда. Но самое лучшее из всего — это то, что никто не знает, где она сейчас, даже сам Даймонд.

Солнце поднялось высоко, и стало жарко. Джи Би сняла свитер. Серебристые шорты блестели на солнце, опал горел огнем.

— Вы так блестите, что на вас больно смотреть, — рассмеялся Дональд. — Придется надеть темные очки.

— С моей стороны было глупо вырядиться так, — ответила Джи Би.

— Вы можете раздеться. Здесь вас никто не увидит.

— Кроме вас..

— Я не в счет.

— Потому что вы врач, не так ли?

Джи Би весело рассмеялась, так как она до сих пор не могла поверить, что Дональд врач. В ее представлении врачом должен быть седовласый мужчина в белом халате и со стетоскопом на шее. Она смеялась еще и оттого, что стоял погожий день и ей было хорошо и весело.

Они допили пиво и доели сандвичи. Джи Би ела с явным удовольствием и, покончив с едой, облизала пальцы.

— Тяжело, наверное, жить на одном шампанском и икре, — рассмеялся Дональд, отметив ее аппетит.

— Безусловно, — серьезно ответила Джи Би.

— Мне кажется, что лучшая диета — это сандвичи с болонской колбасой и соленые огурцы, — продолжал Дональд.

Джи Би согласилась.

Дональд снял майку и ботинки и, положив голую ступню на румпель, правил яхтой. Запрокинув голову, он сделал большой глоток пива. Джи Би наблюдала, как сокращались мышцы его горла, когда он глотал. Затем доктор поднялся, потянулся, расправил плечи и с удовольствием зевнул.

— А сейчас я собираюсь научить вас править парусом, чтобы самому немного соснуть.

Все оказалось таким же легким, как дыхание. Джи Би держала румпель, одним глазом поглядывая на парус, другим на компас, чтобы его стрелка не отклонялась от курса 265 градусов на юго-запад, как приказал Дональд.

— Иначе мы собьемся с курса и не найдем дорогу домой, — прибавил он при этом.

Как ей хотелось, чтобы путешествие никогда не кончалось, чтобы они навечно затерялись в океане...

Джи Би радовалась, что доктор заснул, ведь он так устал, отмахав ночью пятьсот миль, и все, чтобы только увидеть ее.

Джи Би склонилась над Дональдом и стала внимательно изучать его лицо, которое сейчас, во сне, расслабилось и было спокойным и безмятежным. Она заметила паутинку морщин вокруг глаз и рта, небольшую щетину на подбородке и верхней губе, его яркие, сверкающие на солнце волосы, которые ей нестерпимо захотелось погладить, и девушка даже чувствовала, какими они будут под рукой: густыми, упругими и рассыпчатыми.

Она задумалась о том, каким Дональд может быть в постели, и внезапно волна страсти охватила ее.

Джи Би замерла, охваченная этим новым, до сих пор незнакомым ей чувством. Потрясение оказалось слишком сильным. Джо-Бет буквально впилась в него взглядом. В конце концов, она Старфайер и в ее власти внушить ему то, что она хочет.

Но Дональд даже не пошевелился, и Джи Би продолжала размышлять. «На что это будет похоже — быть с ним в одной постели, заниматься любовью?» — думала она. Девушка подсознательно чувствовала, что секс с Дональдом Уилером будет совсем другим, непохожим на то, что она знала раньше. Впрочем, много ли она знала? Ее опыт исчерпывался двумя мужчинами.

Сент, для которого она была честной девушкой и который любил и боготворил ее, и Даймонд, разыгрывавший спектакли, бездушные балеты под покровом ночи.

Секс же с Дональдом должен быть таким же простым и грубым, как эти сандвичи с колбасой и огурцами, которые они только что ели, он должен быть безоглядным, не признающим никаких барьеров, без каких-либо сдерживающих начал. Это должна быть борьба двух равных партнеров. Как, наверное, хорошо заниматься любовью с Дональдом, ни о чем не думая, ни на что не рассчитывая, а просто, отдавшись страсти, кричать, может быть, царапаться и кусаться.

«Господи, размечталась». Джи Би в испуге прикрыла рот рукой и с беспокойством посмотрела на Дональда. Неужели тот не чувствует, о чем она думает?

Но нет, его глаза плотно закрыты. А какого они у него цвета? Как она могла забыть?

Склонив голову на плечо, Джи Би вспоминала. Карие? Зеленые? Цвета лесного ореха?

Нет, они красновато-золотистые, скорее терракотовые, и сейчас эти глаза открыты и в упор смотрят на нее.

— Снизу ты выглядишь еще прекраснее, — сказал, позевывая, Дональд и, обхватив ее одной рукой за шею, притянул к себе и нежно поцеловал в губы. Выражение его лица было насмешливым, и у Джи Би зародилось подозрение, что он уже давно проснулся и наблюдал за ней. А может, просто легко читает ее мысли?

— Где мы? — спросил Дональд.

— Где-то, я точно не знаю.

— Плохо. Мы все еще на курсе?

— Более или менее.

— Молодец, ты прирожденная морячка. А что с парусами?

Джи Би посмотрела на главный парус, повисший, как тряпка.

— Наверное, ветер затих, — ответила она.

Дональд приподнялся на локте и посмотрел на спокойный безбрежный океан, простиравшийся до горизонта как зеркало.

— Ты права, ветра нет. Хочешь поплавать?

Джи Би научилась хорошо плавать, так как это требовалось по роли Старфайер. Ее обучали лучшие тренеры по плаванию, и сейчас девушка обрадовалась, что наука не пропала даром.

Дональд спустил на воду надувной круг, затем приспустил паруса.

— Мы же не хотим, чтобы лодка уплыла без нас, — сказал он.

Дональд взял Джи Би за подбородок и поцеловал снова, затем в мгновение ока спустил джинсы, трусы и нырнул.

— Прыгай ко мне, — позвал он. — Вода великолепная.

«Почему бы и нет?» — подумала Джи Би. Она быстро сняла шорты и голая, с опаловым кулоном на шее, нырнула в воду.

С прилипшими к лицу волосами она выплыла на поверхность и сразу оказалась в объятиях Дональда. Доктор поцеловал ее еще раз. Они ныряли, выныривали, поднимая вокруг себя мириады брызг, гонялись друг за другом вокруг лодки. Джи Би схватила Дональда за плечи и погрузила в воду. Он, в свою очередь, поймал ее за лодыжки и утащил за собой. Девушка почувствовала какое-то слабое натяжение на шее, а затем облегчение, но тогда не придала этому значения.

Ухватившись за круг, Джо-Бет плавала по спокойной глади океана, ее волосы струились за ней серебряным ручьем. Какой чудесный день! Хорошо бы он длился вечно!

— Эй, Джи Би, посмотри на меня!

Джи Би повернула голову и посмотрела на Дональда. Он был уже в лодке — темный силуэт на фоне яркого солнца. Послышался щелчок, блеск линзы, и девушка инстинктивно закрыла лицо руками.

— Опоздала, — смеясь, сказал Дональд. — Я уже тебя сфотографировал.

— Послушай, не надо было этого делать.

Джи Би влезла в лодку и, не обращая внимания на свою наготу, потянулась к камере.

— Я не должна позволять людям фотографировать меня.

— Так, значит, для тебя я один из людей?

Дональд отдал ей камеру, и лицо его опечалилось.

— Ты что, считаешь, что я нарочно тебя сфотографировал, чтобы потом шантажировать? Или продавать фотографии бульварным газетенкам?

— Нет, конечно... я так не считаю, но...

— Ты права, Джи Би. Прости меня. Пожалуйста, засвети пленку.

Держа обеими руками камеру, Джи Би смотрела на него, не зная, что сказать, а Дональд тем временем продолжал:

— Я сделал эту фотографию для себя, в память о сегодняшнем чудесном дне, в память о девушке, которую я...

Джи Би продолжала внимательно смотреть на него.

— Девушке, которую ты... что?

— Девушке, которую я люблю.

— Правда? — тихо спросила Джи Би и протянула ему камеру.

Кивком головы он поблагодарил ее.

— Обещаю тебе, что фотографию никто не увидит, кроме меня.

Дональд спрятал камеру и протянул к ней руки. Джи Би упала в его объятия.

Дональд скрутил ее волосы и выжал из них воду, затем намотал их ей на шею.

Они стояли, глядя друг другу в глаза. Яхта тихо покачивалась, над головами едва слышно трепыхались паруса.

— Как долго я о тебе мечтал, — тихо сказал Дональд. — Целых два года, с тех пор как впервые увидел на ранчо. Ты была такой прекрасной, такой таинственной, вся сверкала серебром, и в тебе все светилось, за исключением глаз.

Джи Би слушала затаив дыхание.

— А затем, — тихо продолжал Дональд, — я увидел эту девушку, топчущую виноград, с ногами, красными от сока. Потом она выпила и слегка захмелела, затем сидела за столом с виноградными листьями в волосах, весело смеялась, и ее глаза сияли. С тех пор я мечтаю сделать так, чтобы эти глаза сияли всегда.

Продолжая держать Джи Би за волосы, Дональд склонился к ней и попросил:

— Поцелуй меня.

Джо-Бет даже не представляла себе, что поцелуй может быть таким сладким. Это был всепоглощающий поцелуй — поцелуй изголодавшихся друг по другу людей.

Они упали на скамью, руки Дональда легли ей на груди, которые стали горячими и твердыми, Джо-Бет сомкнула ноги у него на спине, и тут началось такое, чего она раньше и вообразить не могла. Нет, не балет, поставленный хорошим хореографом, а дикий танец, безудержный и страстный. Никогда прежде девушка не испытывала такого удовольствия, такого доверия к партнеру, такого облегчения души и тела. Ей не нужно делать вид, что она испытывает удовольствие, притворяться, что достигла оргазма. Все получалось само собой. Дональд хотел ее, а Джо-Бет хотела его. Они оба жаждали друг друга, хотели снова и снова, и все было естественно и просто. Он вошел в нее последний раз, и ее унесла волна блаженства, такая сильная и прекрасная, что все поплыло перед глазами, а с губ сорвался стон.

Дональд крепко прижал Джи Би к груди и поцеловал в закрытые глаза.

— Теперь мои глаза сияют, — прошептала она.

— Я мечтаю спать с тобой всю ночь, держа в объятиях, — сказал Дональд.

— У нас нет такой возможности.

— Но она непременно представится, и очень скоро. Джи Би хотелось верить ему.

— Когда я увижу тебя снова? — спросил Дональд по дороге в Малибу.

— Я не знаю.

— Ты должна уйти от него.

— Это непросто.

— Люди всегда уходят друг от друга. Это в порядке вещей.

— Но с Даймондом этот номер не пройдет.

— Что держит тебя рядом с ним? Старфайер?

— Нет, — ответила Джи Би, и девушка говорила правду. Старфайер уже утратила для нее всякое значение.

— Тогда что же? Ведь ты не любишь его.

— Не люблю, но пока не могу оставить. Пожалуйста, не заставляй меня рассказывать то, что я не хочу.

— Ты не его собственность.

«Но так оно и есть, — подумала Джи Би. — Я попала в ловушку, из которой мне никогда не выбраться. Он владеет не только мной, но и моей матерью и сестрой».

Джи Би чувствовала, что Дональд внимательно наблюдает за ней, и опустила глаза.

— Ты боишься его? — спросил он и, не дожидаясь ответа, заметил: — Ты не должна его бояться. Что он может сделать?

Перед глазами Джи Би всплыла картина: мертвая Флетчер лежит на траве. Девушка видела жеребца и его железные подковы, и холодок пробежал у нее по спине. И внезапно Джо-Бет поняла, что смерть Флетчер не была несчастным случаем.

Если она уйдет от него... Джи Би вспомнила мать, которая находилась где-то в Далласе и полностью зависела от Виктора, вспомнила Мелоди Рос... «У меня будет и моя работа, и внешность, и прочее...» Теперь она знала, чего можно ожидать от Даймонда.

У него длинная рука, которая легко может дотянуться и до «Дубов».

— Не приезжай больше ко мне, — взмолилась Джи Би. — И даже не звони. Обещай мне.

— Нет. Я тебя люблю.

— Если любишь, то сделай то, о чем я прошу. — Джи Би чувствовала, как стучат ее зубы. — Ты должен мне обещать.

Они миновали здание охраны, ворота бесшумно открылись, Джи Би почувствовала, что кто-то наблюдает за ней.

— Я буду ждать, когда ты вернешься из Мексики, и ни минуты больше, потом начну действовать. Если ты боишься Даймонда, то я его не боюсь.

— Поживем — увидим, а сейчас уезжай. Прошу тебя... Уезжай поскорее.

Джи Би наблюдала, как скрылась из виду черная машина, затем, сжавшись и опустив плечи, направилась к

351

дому, дверь которого была широко открыта. Освещенная светом изнутри, на пороге стояла высокая фигура.

Джи Би нисколько не удивилась, увидев Даймонда.

— Где ты была? — последовал вопрос. Он внимательно посмотрел на ее загорелые лицо и плечи. — А где твой опал?

Еще долго этот опал будет видеться ей в кошмарных снах: цепочка обрывается, и он медленно падает, блестя на солнце, в темные глубины океана. Его огненный блеск невыносимо режет глаза.

Глава 23

В начале октября Даймонд и Старфайер прибыли в Ла-Плаиту на гидросамолете, который подрулил к новому «с иголочки» причалу, где их уже встречали представители влиятельных местных семей. Впереди стояли владельцы кантины, бакалейной лавки, винного магазина, за ними фермеры, торговцы рыбой и старый-престарый отец Игнасио. За спинами мужчин толпились женщины, а сзади них с криками и визгом в пыли возились ребятишки. В сторонке сидела на желтых пятках странная фигура с кинжалом на боку и из-под полей грязной шляпы с интересом наблюдала за происходящим.

Первым на причал вышел Даймонд. Старый священник сделал в воздухе неопределенный жест рукой, который в равной степени мог означать и благословение, и что-нибудь другое. Даймонд кивком головы поприветствовал присутствующих, затем повернулся к Старфайер и протянул ей руку.

Она сошла на причал в сиянии золота и серебра, такая высокая, такая бледная, похожая на лунный свет, что вокруг мгновенно наступила тишина. Кто-то из женщин тихо присвистнул, чем нарушил затянувшееся безмолвие. Отец Игнасио потянулся к тряпичному мешочку с травами, который вместе с крестом висел у него на шее и оберегал от дурного глаза.

Неловкость момента сгладил Сальвадор Очоа, владелец кантины, который был слишком искушенным в житейских делах человеком, чтобы поддаваться суеверию, и который надеялся, что эта экзотическая пара за хорошие деньги арендует у него дом. Дом такой красивый, заверял он, такой простой и удобный, расположенный высоко на холме, откуда открывается потрясающий вид на океан, и хорошо проветриваемый всеми дующими с него ветрами.

На самом деле шесть человек трудились весь день, пытаясь сделать его пригодным для жилья, тем более таких знаменитых гостей, но это уже детали, которые можно опустить. Женщины отмывали кафельный пол, выбивали из циновок скорпионов и тарантулов, в то время как мужчины ремонтировали туалет, удаляли сорную траву и посыпали золотистым песком внутренний дворик, чинили развалившуюся от старости мебель.

Сальвадор прижал к груди видавшую виды соломенную шляпу и низко поклонился сначала Даймонду, потом Старфайер. Он махнул рукой, и двое парнишек подвели к ним пару упирающихся пони.

Даймонд и Старфайер, окруженные толпой деревенских жителей, каждый из которых норовил быть к ним поближе и даже пытался до них дотронуться, двинулись по направлению к дому: через деревню, мимо кантины, церкви, винного магазина, бакалейной лавки, горсти жалких лачуг; по мосту через Рио-Верде, где копыта лошадей гулко стучали по новому настилу, затем стали взбираться по горной тропе, прошли через ветхие, скрипучие ворота и, наконец, увидели дом. Белый, сверкающий в лучах солнца, с яркими коврами на чистом кафельном полу, с вазами, полными живых цветов.

— Очень красиво, — сказала Старфайер, улыбаясь тепло и приветливо, а про себя подумала: «Совсем неплохо для тюрьмы».

Сент и Вера, заместитель директора, агенты по рекламе и еще несколько сотрудников разместились на «Десперадо», мощной моторной яхте с компьютерным центром, просмотровым залом и маленькими, но удобными спальными каютами.

Арни Блейз не захотел жить на яхте и поселился в одном из трейлеров с кондиционером, в каких жили операторы, техники, актеры второго плана, костюмерша, осветители, снабженцы и где находился медицинский пункт.

Виктор Даймонд мало общался с теми, кто жил на яхте или в трейлерах, предпочитая держать дистанцию, и строго следил за тем, чтобы такую же дистанцию соблюдала и Старфайер.

Когда Джо-Бет не была занята в съемках, то сидела под домашним арестом. Деревенские принимали ее заточение как само собой разумеющееся, полагая, что именно так и должна жить богиня.

Вечером третьего дня их пребывания в Ла-Плаита Джи Би сидела на крыльце дома и наблюдала, как ночь спускается на землю. В траве стрекотали невидимые насекомые, над деревьями кружили летучие мыши. У ее ног устроилась ящерица и, раздувая зоб до невероятных размеров, издавала звуки, похожие на удары гонга.

Джо-Бет ждала, когда вернется Даймонд, проводивший собрание с кинооператорами. У нее почти не было свободного времени, чтобы вот так просто посидеть и подумать, вспомнить тот день, полный солнечного света, помечтать, как это сделала бы Джи Би, а не Старфайер, для которой мечтать и думать было опасно.

Сколько раз она уговаривала себя, что это ерунда, что Даймонд не может знать, о чем думает Старфайер, что нечего его бояться, но неуверенность не покидала ее. По настоянию Даймонда она провела две последние недели одна, в темноте медитационной комнаты. Виктор без конца твердил, что не следует расценивать это как наказание, что просто он считает нужным, чтобы девушка очистилась от мыслей, внушенных ей Дональдом. И результатом медитации стало то, что Джо-Бет теперь ощущала себя Старфайер больше, чем раньше.

Он не вспоминал о ее проступке, не упрекал за потерянный опал, что, по ее мнению, служило плохим предзнаменованием, не говоря уже о том, что потерять подарок Даймонда значило навлечь на себя большую беду.

Поэтому она все время улыбалась Даймонду, вела себя очень послушно, старалась не думать о Дональде Уилере ради его же пользы, чтобы Даймонд не смог догадаться, что они делали в тот солнечный день, который провели вместе, и только ночью в страшных снах девушка видела вставшего на дыбы огромного жеребца с его железными копытами, а под ним на траве окровавленное тело, только на этот раз это было не тело Флетчер Мак-Гроу, а ее собственное.

И хотя Даймонд больше не вспоминал о ее бегстве, он явно перестал доверять ей. Джо-Бет запрещалось входить в комнату для связистов и никогда не представлялась возможность перекинуться хотя бы словом с Верой, Сентом или Арни. Когда Даймонда не было дома, она находилась под наблюдением охранника, одного из деревенских жителей. «Это для твоей безопасности», — говорил Даймонд, но Джи Би отлично понимала, для чего его наняли. Сейчас охранник сидел у ворот, и Старфайер хорошо его видела, как видела и другие бродившие вдоль забора тени, а одну даже совсем рядом, недалеко от дома.

Положив подбородок на скрещенные кисти рук, девушка выбросила из головы все ненужное и попыталась сосредоточиться на одной мысли.

На какую-то долю секунды ей показалось, что она мысленно проникла в чужую черепную коробку и сумела дотронуться до мозга другого человека.

За ней следило множество глаз, и Джо-Бет уже привыкла, что, где бы она ни появлялась, сразу же устанавливалась враждебная тишина, особенно со стороны женщин, и сотни пар глаз внимательно наблюдали за ней. Что же здесь странного, говорил Даймонд, при такой необычной наружности. Естественно, она вызывает восхищение мужчин и зависть женщин. Поэтому Джи Би привыкла, хотя и не смирилась с тем, что взгляды повсюду преследуют ее, но кто был этот единственный, проявлявший к ней повышенный интерес не из простого любопытства? Один из слуг Даймонда? Или второй невидимый охранник?

Кто он такой? Что ему от нее надо?

Пока Джи Би сидела на крыльце, погруженная в тяжелые раздумья, Сент, обходя валуны и перепрыгивая через рытвины, направлялся к кантине.

Это было небольшое здание с бетонным полом, покрытое рифленым железом. Крыша хорошо выдерживала натиск дождя во время бурь. Внутри стояли восемь металлических столиков и несколько разномастных стульев. С потолка свисали гирлянды разноцветных лампочек, которые горели только по субботам, когда работал генератор и вся деревня собиралась в кантине, чтобы выпить вина и потанцевать, веселье затягивалось далеко за полночь.

Сейчас здесь было почти пусто, если не считать Томаса Очоа, шестнадцатилетнего подростка, сидевшего возле стойки бара и тихо листавшего книгу комиксов «Бэтмен», Боррачо Пита, бывшего американского эмигранта, живущего в Ла-Плаите с 1968 года, да еще спрятавшейся под стулом тощей курицы, которая время от времени нарушала тишину заведения своим громким кудахтаньем.

Сент заказал себе банку пива, маленький стаканчик текилы, лимонный сок и положил перед Томасом купюру в двадцать тысяч песо, который тут же сообщил, что у него нет сдачи.

— Хорошо, — сказал Сент по-испански, — останется за тобой.

Он сел за угловой столик лицом к гавани. Пахло тиной, нечистотами и протухшей рыбой. Посреди залива, мягко покачиваясь на волнах, дремала яхта «Десперадо».

Сент смотрел на светящиеся иллюминаторы, пытаясь вычислить, где находится каюта Веры. Знать, что она рядом, было приятно и действовало успокаивающе, хотя в голове у него роились тревожные мысли.

— Он хочет сделать из нее робота, — сказал по телефону взволнованный Дональд Уилер. — Даймонд пытается завладеть и ее душой, и телом.

— Почему Джо-Бет не уйдет от него? — спросил тогда Сент. — Раньше она легко расставалась с людьми.

— Она его боится, он чем-то привязал ее к себе.

— Но чем?

— Если бы я знал, мне было бы легче действовать. Послушай, Сент, ты все время будешь на съемках. Ты и Вера. Присмотрите за ней. В случае чего сразу звони мне, но только не из деревни. Лучше поехать в Пуэрто-Валларта и позвонить из какого-нибудь большого отеля. Этот телефон, по которому мы сейчас говорим, прослушивается. Господи, мне кажется, что у меня началась паранойя.

Вот почему Сент наблюдал, выжидал и задавался вопросами, на которые не мог найти ответа.

Может, действительно у Дональда паранойя и он все придумал? А может, доктор все-таки в чем-то прав? Скорее всего так оно и есть. Сенту было неприятно узнать, что почта Джи Би просматривается, что Даймонд заставляет ее часами сидеть в темноте медитационной комнаты, и, возвращаясь мыслями назад, он вспомнил, что ни он, ни Вера, ни даже Арни никогда не оставались с Джи Би наедине, что ни одна их встреча не обходилась без присутствия Даймонда. Продюсер всегда был рядом и никогда не выпускал ее из виду.

Сент пришел к неутешительному выводу, что Джи Би стала заключенной.

Личность Даймонда всегда окружали неопределенные слухи, и сейчас после звонка Дональда в голове Сента начали всплывать некоторые факты. Он вспомнил, что официальная версия смерти Флетчер показалась ему очень сомнительной. Конечно, она всегда была немного ненормальной, но не настолько, чтобы лезть под копыта жеребца, даже если была при этом пьяна. Сейчас Сент нутром чувствовал, что Даймонд каким-то образом подстроил это убийство. Возможно, он воспользовался услугами Джефа, бывшего «зеленого берета».

Вера тоже никогда не верила в несчастный случай. «Уж слишком все гладко получилось», — говорила она.

Сент знал, что Вера с самого начала невзлюбила Даймонда и никогда не доверяла ему. «Виктор абсолютно безжалостный, но тщательно скрывает это. Кажется, что он делает все правильно, но при этом руководствуется своими низменными желаниями. Даймонд никогда ничего не сделает без выгоды для себя».

«Если Даймонд кого и боится, — думал Сент, — так это Веру. Она его насквозь видит, и тот хорошо это понимает».

Вера была единственным человеком, который не обманывался на его счет, и Сент подозревал, что Даймонд в душе ненавидит ее, хотя, будучи человеком умным, открыто свою ненависть не проявляет. Он всегда ей приветливо улыбается, расточает комплименты, но девушка раздражает его, и именно поэтому Виктор решил отделаться от нее, отослав в другую страну, по ту сторону Тихого океана.

Сент с грустью смотрел на ярко освещенный иллюминатор, за которым, по его подсчетам, была ее каюта, и ему нестерпимо захотелось оказаться там, захотелось упасть в ее объятия, такие уютные и надежные, захотелось положить голову ей на грудь и выплакать все, что накопилось в душе. Хотелось сказать: «Он страшный человек, Вера. Страшный и опасный. Он сам дьявол, но я многим ему обязан... и мне кажется, что он мой отец. Скажи, что мне делать?»

Но Сент никогда не решится пойти к ней. Вера из тех людей, которые отдают себя другим, а он умеет только брать. Пора дать ей немного отдохнуть от него.

Каюта Веры — маленькая, но удобная, со всеми жизненно необходимыми вещами: койкой, компактной ванной комнатой с раковиной, зеркалом, душем и туалетом; шкафом с вешалками и ящиками для размещения белья, прикрепленным к стене выдвижным пластмассовым столиком.

Это помещение ей не предназначалось, так как Даймонд не хотел брать ее на съемки. Конечно же, она давно догадывалась, что Виктор преднамеренно держит ее подальше от себя. И главное, все делалось с доброжелательными улыбками, комплиментами, так что «комар носа не подточит». Все считали, что художнице крупно повезло, когда Даймонд предложил ей поработать в Японии, но Вера отлично знала, какую цель он при этом преследовал.

Она вовсе не планировала приезжать сюда. От одной мысли, что придется провести рядом с Сентом целый месяц, Вере становилось невыносимо плохо. Но потом в ее квартире объявился Дональд Уилер, сильно изменившийся за последнее время, взволнованный и испуганный, и дрожащим голосом сказал:

— Вера, мне нужна твоя помощь. Он держит ее в темной комнате... Он просматривает ее почту... Он сумасшедший, Вера. Она в опасности...

Вера решила действовать. Она поехала к Даймонду на студию и, игнорируя возражения Ясона Брилла, который, словно Цербер, охранял вход в кабинет, ворвалась к нему.

— Я изменила свое решение, — сказала девушка. — Мне надо лично посмотреть место, где будут проходить съемки фильма.

— Ты все это сможешь увидеть из отснятого материала, — возразил Даймонд.

— Этого недостаточно, я должна проникнуться самой атмосферой места, сделать определенные зарисовки.

— Я хочу, чтобы Вера поехала, — поддержал ее Арни. — Мне необходима ее помощь.

Даймонду пришлось капитулировать с улыбкой на лице, чему Вера совершенно не доверяла.

Девушка решила не давать ему ни малейшего повода отослать ее обратно. Она будет вести себя очень тихо, послушно, постарается ни во что не вмешиваться, но она не бросит Джи Би на произвол судьбы. Ей пришлось продать «Старфайер», но она ни за что не оставит Джи Би в беде.

Через открытый иллюминатор Вера смотрела на мерцающий в хижинах свет, на более ярко освещенную кантину, на жирный дым костров, на которых сжигали мусор. При иных обстоятельствах она, возможно, полюбила бы это место. Оно нравилось ей своей экстравагантностью, контрастами красоты и убогости, ей нравились лица людей, особенно детей, и, конечно же, нравился хаос, царивший на съемках.

Стараясь держаться в тени и не попадаться Даймонду на глаза, Вера много и охотно рисовала. Она начала перелистывать свой новый альбом с рисунками последних дней.

Первый день: прибытие. Встречать вышли местные жители: торговцы, священник, женщины с детьми, и все не спускают удивленных взглядов с Джи Би, которую принимают за богиню. Тогда Вера рисовала всех подряд, и ее карандаш так и порхал над листом бумаги.

Сейчас же ей бросилась в глаза одна-единственная, хорошо выписанная фигура маленького человека, сидевшего в сторонке; надвинутая на лоб шляпа скрывала его лицо.

Вера с удивлением рассматривала рисунок и не могла понять, чем именно он так заинтересовал ее?

Вот рисунок Даймонда и Джи Би, путешествующих на пони. Их длинные ноги свисают до самой земли, деревенские жители следуют за ними по пятам. Маленький человечек плетется в хвосте процессии.

Кто это?

«Ла-Плаита — маленькое местечко, — подумала Вера, — и через несколько дней все само собой разъяснится».

На следующем рисунке — Сент. Прислонившись к перевернутому каноэ, он разговаривает с местным рыбаком. Вера не сразу узнала его и несколько раз вглядывалась в рисунок, прежде чем убедилась, что на нем действительно изображен он. В белой с голубой полосочкой рубашке и потертых джинсах, непринужденно разговаривающий с рыбаком, Тредвелл-младший был самым настоящим Сентом и в то же время в нем появилось что-то новое. Он выглядел как местный житель, и, только в очередной раз всмотревшись в рисунок, Вера поняла почему: Слоун бегло изъяснялся по-испански, отчего лицо его приобрело новое выражение.

Он не хотел ехать в Мексику, боясь, что его снова схватят или появятся неприятные воспоминания, но все обошлось, и Сент даже радовался, что приехал сюда.

— Вот что значит настоящая свобода, — повторял он. — Самое худшее осталось позади, и ты можешь ничего не бояться.

Вера еще раз внимательно посмотрела на этого нового, совсем незнакомого ей Сента, потом, тяжело вздохнув, вырвала рисунок из альбома и принялась писать на обратной стороне:

«Дорогой Сент!

Мы все приехали в Мексику, и одному Богу известно, что здесь с нами может случиться, но я не могу думать ни о чем другом, а только о тебе.

Я люблю тебя. Сколько раз уговаривала себя не быть дурой, что ты меня не любишь, что я для тебя просто хороший товарищ, но, увы, ничего не могу с собой поделать. И все время вспоминаю ночь, когда мы с тобой были вместе и любили друг друга, а сейчас мне невыносимо думать, что ты спишь где-то рядом со мной. Я так сильно желаю тебя и так скучаю, что хочется плакать.

Не могу передать тебе, как ужасно я чувствовала себя последние два года, пытаясь справиться с любовью к тебе, боясь отпугнуть тебя и тем самым потерять окончательно. Мне казалось, я все выдержу, лишь бы видеть тебя.

Сейчас все изменилось. Я больше не могу выносить эту боль, поэтому решила принять предложение «Ониши корпорейшн» и уехать в Японию. Думаю, что поступаю правильно.

Мне давно пора повзрослеть. Я вспоминаю и буду вспоминать те чудесные времена, когда мы много времени проводили вместе, работая над «Старфайер». Когда мы с полуслова понимали друг друга.

Теперь наше партнерство закончилось, и «Старфайер» принадлежит Даймонду и тебе. И я даже рада этому, потому что знаю, что давно лишилась ее. Старфайер трансформировалась в Джи Би, стала ее жизнью.

Я пыталась напомнить себе, как мне крупно повезло в жизни, что теперь я ни в ком не нуждаюсь.

Но от себя не уйти. Я полюбила тебя, как только увидела, и все еще продолжаю любить и буду любить вечно.

С меня довольно. Я должна положить этому конец.

Я рада, что ты никогда не прочтешь этого письма».

В то время когда Старфайер пыталась проникнуть в подсознание своего неизвестного стража, когда Сент уже

362

выпил свой первый стаканчик текилы, а Вера плакала над письмом к нему, в «Вествуд-Вилледж» Мелоди Рос Финей, ставшая Мелроуз, усаживала за лучший столик симпатичного молодого человека.

Он заказал фирменное блюдо, жаренное на рашпиле мясо, и полбутылки шабли. Молодой человек привлек внимание Мелроуз не только потому, что был хорош собой и модно одет, но еще и оттого, что прибыл совершенно один и не носил обручального кольца.

Когда молодой человек почти справился с едой, Мелроуз подошла к его столику, чтобы узнать, хорошо ли его обслужили. Он ответил, что все прекрасно, но было бы еще лучше, если бы она после смены составила ему компанию и они где-нибудь выпили.

Мел улыбнулась ему одной из своих самых очаровательных улыбок и сказала, что с радостью принимает предложение и что смена заканчивается в одиннадцать.

Молодого человека звали Уитни Дэвидсон, что, по мнению Мелроуз, звучало аристократично, вот только жаль, что он не из их города. Он приехал из Флориды и завтра уезжал обратно. «Такое уж мое везение», — подумала Мелроуз, но все равно осталась довольна, потому что ко всему прочему он говорил очень приятные вещи:

— Как случилось, что такая девушка, как вы, работает в ресторане? Мне кажется, вам надо быть моделью или хотя бы актрисой.

Такие речи звучали музыкой в ушах Мелроуз. Она заказала себе бренди, которое подавали с большим количеством крема и вишенкой посередине. Мелроуз любила сладкие напитки. Длинной пластмассовой соломинкой с шишечкой на конце она размешала коктейль и горестно покачала головой:

— Стать моделью — моя самая заветная мечта, но, увы, меня никуда не взяли. Все говорили, что я недостаточно высока для этого.

— Очень жаль, — сказал Уитни. — Лично я предпочитаю небольших женщин, они более женственны и привлекательны.

— Я одерживала победу на нескольких конкурсах красоты.

— Не сомневаюсь.

— Я была королевой «Родео» и мисс Тамблвид на сельском празднике. Правда, в Нью-Йорке я некоторое время работала моделью, но не для высокой моды.

Перед Мелроуз появился новый стакан ее любимого коктейля. Она перемешала его, отпила и закусила вишенкой.

— Я рекламировала дамское белье, — призналась она, — и снималась для календарей.

Однако Уитни, казалось, не заинтересовался ее нью-йоркским периодом жизни — что, конечно, было обидно, потому что дальше последовал вопрос:

— Вы одна в семье?

— У меня есть сестра.

— Она такая же красавица?

Мелроуз поджала губы.

— Вовсе нет.

— Вот и чудесно. Одной такой красавицы, как вы, хватит на несколько семей. — Уитни протянул руку и намотал на палец ее локон. — Готов спорить, что у нее нет таких роскошных волос, как у тебя.

Такой комплимент пришелся Мелроуз по душе. Сейчас ее волосы выглядели великолепно и отливали бронзой благодаря хорошему парикмахеру, услуги которого оплачивал Даймонд.

— Вы часто видитесь с сестрой?

— Нет, мы не дружим, — сухо ответила Мелроуз, надеясь, что разговор о Джо-Бет на этом иссякнет. Ей больше нравилось, когда говорили о ней самой.

Уитни заказал еще по стаканчику.

— Наверное, она завидует тебе. Ты такая красавица, а она нет.

Мелроуз через соломинку посасывала коктейль, и внезапно в ней возникло горячее желание поговорить о Джо-Бет. Мел отлично помнила, что ей запрещается говорить на эту тему, но после трех порций спиртного все показалось не таким страшным. Она уже не боялась Вика Даймонда, его угрозы отошли на задний план, да и сам он сейчас далеко, в Мексике. В конце концов должен же кто-то знать, сколько она сделала для сестры.

— Завидует? — Мелоди зло рассмеялась. — Уж кому завидовать, только не ей.

Собеседник удивленно приподнял брови.

— Что ты хочешь этим сказать? — спросил он.

— Она из тех людей, кому счастье плывет в руки. Она имеет все, хотя для этого даже пальцем не пошевелила.

В своем возмущении и все нарастающем раздражении Мелроуз забыла о хороших манерах, и язык ее стал заплетаться, но сейчас ей было на все наплевать.

— Это... это несправедливо... Сначала она стала известной моделью, а сейчас кинозвезда, и ее портреты развешаны повсюду. А я... я просто обслуживаю столики.

— Это должно быть очень обидно, — сочувственно заметил Уитни.

— Еще бы... Мне жутко не везет.

Перед ней возник новый стакан, а она даже не заметила, откуда он взялся. Мелроуз уже давно чувствовала, что ей на сегодня достаточно, но дело в том, что та Мелроуз, которая поначалу изображала из себя леди, сейчас превратилась в Мелоди Рос Финей, которая доставала крем из стакана пальцами, шумно облизывала их и не понимала, о чем идет речь.

— Почему-то одним во всем везет, а другим нет.

Уитни понимающе кивнул.

— Ты бы посмотрел на нее сейчас... Вся из себя чистенькая, такая недотрога, но послушай, парень, я бы такого могла порассказать про нее, если бы захотела.

— Если тебе неприятно говорить об этом, то и не надо, — заметил Уитни, лениво откидываясь на сиденье.

— Неприятно? Черта с два!

Мелоди Рос отбросила соломинку, открыла рот, и слова полились из нее потоком, словно прорвалась плотина:

— Догадайся, кто она? Она Старфайер. Спасает окружающую среду, чудотворка, явившаяся из космического пространства, чтобы спасти тюленей и прочую дрянь. Господи, вот бы мне так повезло! И это после всего, что я для нее сделала. Я пригрела ее, когда она приехала в Нью-Йорк после того, как пыталась убить Флойда.

— Кто такой... — начал Уитни.

— Отчим, он пытался изнасиловать ее, и Джи Би ударила его. Ей показалось, что она убила его, и девчонка сбежала. Она прикатила ко мне в Нью-Йорк, и я приютила ее, хотя мне это было совсем ни к чему, да и Анжело возражал... вернее, поначалу возражал...

— Анжело?

— Ну да. У него было агентство, в котором я работала моделью. Он был моим дружком. Лучше было оставить ее на автобусной станции, эта дрянь ворвалась в мою жизнь, и из-за нее я все потеряла. Она все у меня отобрала, даже Анжело, а ведь он любил меня. — Мелоди Рос отпила из стакана и глупо захихикала. — Она воспользовалась тем, что осталась девственницей и сделалась кинозвездой.

— Значит, она обошла тебя? — спросил Уитни.

— Что... значит обошла? — Мелоди с шумом поставила на стол стакан. — Что ты тут городишь? За кого ты меня принимаешь? Ты хочешь сказать, что я проститутка?

— У меня этого и в мыслях не было, — обиделся Уитни. — Ты классная девочка, Мелроуз, это может каждый подтвердить.

Мелоди слегка успокоилась и, нагнувшись вперед, к самому носу Уитни, заикаясь, сказала:

— Слушай сюда, я расскажу тебе такое...

Уитни Дэвидсон проводил Мелоди Рос домой, поднялся с ней в квартиру и уложил пьяную женщину в постель, где та моментально захрапела.

Вернувшись в гостиницу, он позвонил в свой офис во Флориде. Было четыре часа утра, но трубку мгновенно сняли.

— Ты был прав, — сказал Уитни. — Этот маленький вонючий мешок тянет на хороший кусок золота. Лучше сядь, чтобы не упасть, ушам своим не поверишь...

Уитни старался говорить спокойно, но ему было трудно справиться с волнением, и голос дрожал от возбуждения, так как Мелоди Рос рассказала ему такое, чего уж он никак не ожидал услышать.

«Всем известно, что это она пыталась соблазнить Флойда, а когда ей это не удалось, стала говорить, что отчим пытался изнасиловать ее. От этой девчонки одни неприятности. А как жестоко она со мной поступила, и это после того, что я для нее сделала. И теперь она кинозвезда, живет в Малибу в большом доме, ездит на «мерседесе», а я служу официанткой в какой-то паршивой забегаловке, и... — Мелоди сделала паузу для большего эффекта. — Это она самая настоящая проститутка».

Глава 24

Старфайер стояла на замусоренном мозаичном полу посреди некогда необыкновенно красивой ванной комнаты, где дорогая мраморная раковина покосилась на один бок, хромированная арматура стала зеленой, в углу валялась груда банок из-под пива, а в золотой ванне ацтеков поселились мыши.

Для сегодняшней сцены, в которой Старфайер неожиданно сталкивается с Арни, ее одели в нечто похожее на сбрую: набедренную повязку из металлической сетки и широкий с многочисленными заклепками кожаный пояс, с которого свисало не имеющее названия футуристическое оружие. В руках девушка держала арбалет.

Время перевалило за полдень, стояла жара, и воздух был пропитан влагой. На небе сгущались грозовые тучи, приближалась буря.

Пот градом катился по спине Старфайер, и гример тщательно стирал его губкой.

— Всем приготовиться, — буркнул Даймонд.

Наступила абсолютная тишина. От жары все живое попряталось в норы, даже насекомые смолкли.

— Хлопушка!

Мальчик быстро изобразил девятый дубль.

— Мотор!

Склонив голову набок, Старфайер вся напряглась, прислушиваясь, и крадучись направилась к оконному проему.

В девятый раз Старфайер, откинувшись назад, подняла вверх арбалет, вставила стрелу и натянула тетиву. Она уже устала, руки ее дрожали, мышцы спины сводило.

Кусты на склоне зашевелились, затем раздвинулись, и из них вышел Арни, одетый в джинсы «Леви», фуфайку-безрукавку цвета хаки и высокие ботинки — этакий бродяга двадцатого века, затерявшийся во времени. Сцена должна быть долгой и выразительной — Старфайер размышляет, убивать ей Арни или нет. Даймонд хотел дать все крупным планом.

«Арни смотрит на нее, он потрясен, понимая, что девушка собирается его убить, на лице появляется выражение страха, которое затем сменяется смирением, покорностью судьбе. Он знает, что должен умереть, но молчит, поднимает вверх руки, показывая, что в них ничего нет, затем разводит их в стороны.

Крупный план.

Старфайер (глаза оценивающе сужены). Кто он, друг или враг? Может, ей стоит подружиться с ним или лучше не рисковать и сразу убить?

Тело Старфайер напрягается, когда она, откинувшись, прицеливается из арбалета. Это самый настоящий арбалет с хорошим натяжением тетивы и настоящей стрелой с металлическим наконечником.

Где-то слева раздается шуршание сухих листьев. Еще секунда — и она выпустит стрелу.

Затем медленно, мучительно медленно Старфайер опускает оружие.

Арни стоит перед ней, бледное лицо покрыто крупными каплями пота. Он проводит рукой по лбу. Рука дрожит».

— Стоп! — приказывает Даймонд. — Снято. — Он смотрит на небо, где сгущаются тучи. — На сегодня хватит.

По пляжу разбросаны небольшие ресторанчики всевозможных конструкций, где предлагают свежую рыбу, домашние обеды и плоские маисовые лепешки. Вера предпочитает съедать свой ленч здесь, а не вместе со всеми.

Ее бледную английскую кожу защищало от солнца широкополое сомбреро, перед ней стояли пиво, лимонный сок, креветки под чесночным соусом и порция жареной рыбы. Обычно, покончив с завтраком, она час-другой рисовала.

Сегодня, как всегда, вокруг нее собрались дети всех возрастов: от трех до пятнадцати лет.

— Как тебя зовут? — спросила она самого старшего мальчика.

— Рауль, — с гордостью ответил тот.

Быстрыми, решительными штрихами Вера нарисовала его. Дети сгрудились вокруг нее, криками выражая свой восторг.

— Вот твой портрет, — сказала Вера. — Бери, если хочешь.

Рауль посмотрел на рисунок, на Веру и нерешительно протянул руку. Другие дети запрыгали от восторга, и все стали просить нарисовать и их. Вера изобразила Сюзанну, Мартина и начала рисовать портрет Пако, очаровательного шестилетнего карапуза с огромными бархатными глазами. Она приделала ему уши Бемби.

В горах блеснула молния. Вера, которая не знала ни слова по-испански, медленно, с расстановкой сказала, что на сегодня сеанс окончен, что скоро пойдет дождь и ей пора возвращаться на яхту. Дети, казалось, ее поняли, но все равно просили сделать хоть один рисунок. Вера решительно покачала головой.

— Завтра, — пообещала она.

Когда дети убежали, Вера, глядя им вслед, подумала: «Как было здорово провести здесь отпуск, рисовать в свое удовольствие и не думать о Даймонде, который хотя и не проявляет открытой враждебности, но старается держать меня на расстоянии».

Даймонд запрещал ей появляться на съемочной площадке. Сегодня утром она забежала туда, сделала несколько зарисовок Старфайер-воительницы и быстро ушла.

Хотя она сама ее и выдумала, Вера, как и все остальные, словно забыла о существовании Джо-Бет и думала о ней только как о Старфайер.

На сегодняшних рисунках глаза девушки были странными и свирепыми, Вера решительно захлопнула альбом. В голове мелькнула мысль, что для нее предпочтительнее рисовать красивых ребятишек.

Сент сидел на складном металлическом стуле, вытянув ноги. Жара, обычная в это время дня, окутывала его, как мокрое одеяло. В кантине, как всегда, было пусто, если не считать Боррачо Пита, костлявой женщины, поставлявшей в Ла-Холла предметы индейского народного промысла, и присоединившегося сегодня к ним крестьянина, выращивающего марихуану, который приехал в город по делу.

Через открытую за баром Томаса дверь Сент видел его родителей, храпящих в гамаке. Сеньор Очоа без рубашки, с поросшей густыми волосами грудью, сеньора разделась до нижнего белья, и ее пышные груди, вздымаясь, распирали корсаж на китовом усе, затканный розовато-лиловыми кружевами.

Томас сразу принес ему банку пива и стаканчик текилы, хотя Сент его об этом не просил. Он залпом выпил текилу, чувствуя, что надо снять напряжение сегодняшнего утра.

Арни был очень встревожен.

— Происходит что-то странное, — сказал он после первого дубля. — Просто дикость какая-то. У меня такое впечатление, что она... — Он украдкой посмотрел на Старфайер, — что она не узнает меня.

— Разбей эту сцену на две, — предложил Сент Даймонду. — Сними их отдельно.

Но Даймонд даже слушать его не хотел. Он добивался реализма, и поэтому даже оружие было настоящим.

Арни, несомненно, получит награду за эту роль, потому что все было настолько реалистично, что нарочно не придумаешь. Он не играл, он действительно боялся, особенно в конце, когда на его лице был написан настоящий ужас.

— Никакой опасности нет, — уверял Даймонд. — Она тебя боится больше, чем ты ее. Старфайер не знает, кто ты и зачем здесь оказался, она угрожает тебе, но ни за что не выстрелит.

У Сента тотчас мелькнула мысль: «Может, сегодня и не выстрелит, а что будет завтра?»

— Возможно, Джи Би так вошла в роль Старфайер, что уже не понимает, что делает, — сказал он.

Даймонд только отмахнулся:

— Я ей приказал не стрелять, внимательно слежу за ней и в дальнейшем не спущу с нее глаз.

В кантину незаметно прошмыгнул светловолосый юноша по имени Вильям и сел за один столик с торговцем марихуаной. Сент с интересом наблюдал за их сделкой.

Уходя, Вильям помахал ему рукой:

— Привет, мужик...

Сент в ответ поднял руку. Он с иронией относился к тому, что новость о его заключении в тюрьму по подозрению в продаже наркотиков со скоростью света достигла деревни, об этом знали теперь все, включая съемочную группу. Этот факт и еще то, что он бегло говорил на местном диалекте, которому научился в тюрьме, сделали из него чуть ли не национального героя. Все стали его потенциальными друзьями и поклонниками.

В то время как Сент раздумывал, где бы достать лодку, чтобы поехать в Пуэрто-Валларта и позвонить Дональду Уилеру, очертания гор за рекой скрылись за сплошной пеленой дождя. Сент пока еще ни разу и не позвонил ему.

Он решил посоветоваться с Верой и узнать, что та обо всем этом думает. Ее головка хорошо работала, и девушка могла дать дельный совет. Господи, как хорошо, что есть Вера!

Женщина, торгующая индейскими изделиями, ушла. И сразу же к нему направился Боррачо Пит.

— Привет, мужик. Как поживаешь?

Не ожидая приглашения, Боррачо уселся за столик Сента и придвинулся к нему вплотную. От него несло козлом, и Сент невольно отпрянул.

— Хочешь хорошей травки?

— Не сегодня, — ответил Сент.

Американец кивнул головой в сторону человека с мачете:

— Это Ройал Гутиеррес, что значит «королевский».

— Догадываюсь.

— Он выращивает лучшую в долине травку.

— Я об этом слышал.

— Въедливый, как клоп. Люди боятся его и обходят стороной. — Боррачо Пит многозначительно посмотрел на Сента и поскреб у себя под мышкой. — Хочешь я кое-что расскажу тебе? — Он посмотрел на пустой стакан Сента. — Не желаешь меня угостить?

Сент вздохнул и взмахом руки подозвал к себе Томаса, который тотчас же налил в стакан Боррачо какую-то мутную жидкость из большой бутыли без наклейки.

— Что это? — спросил Сент.

— Кактусовая водка.

Американец сделал большой глоток и лениво откинулся на стуле.

— Крепкая, зараза, но к ней надо привыкнуть. Она дешевле пива, а с ног сшибает — будь здоров. Это настоящая огненная вода, мужик... Так вот, в тот раз Гутиеррес пил именно ее...

И он пустился в длинный путаный рассказ, который, по его мнению, должен был компенсировать бесплатную выпивку.

Ройал Гутиеррес, как обычно, пришел в город, чтобы продать свой товар.

— Он сидел тогда на этом же месте, он всегда там садится, как будто оно принадлежит лично ему. Улавливаешь? А собака вошла и начала брехать...

В кантину вошел один из звукооператоров. Он лег на стойку бара и вытащил из холодильника банку пива, бросив на прилавок какую-то мелочь. Сквозь бормотание Боррачо Пита Сент слышал, как в унисон храпели родители Томаса в своем гамаке. Звукооператор подсел к Гутиерресу и низко наклонился к нему. Они стали шептаться, Гутиеррес покачал головой, отказывая в чем-то собеседнику.

— ...он отшвырнул ее ногой, а она продолжала тявкать. Тогда Ройал взял свое мачете и...

Боррачо Пит впился взглядом в лицо Сента, желая узнать, какое впечатление произвел на него рассказ. Сент молчал.

— Ты, наверное, думаешь, что он отсек ей голову? Ведь так думаешь?

— Наверное, — неохотно согласился Сент.

— Как бы не так. — Американец выразительно покачал головой и, растягивая слова для усиления впечатления, продолжал: — Нет, мужик, вовсе не голову, ноги! И выбросил их одну за другой в воду.

До Сента не сразу дошел смысл сказанного. Он некоторое время молчал, потом спросил:

— Это правда?

Боррачо Пит даже обиделся.

— Конечно, правда. Я сидел тогда вот на этом самом месте и видел все своими глазами.

— Потрясающе.

Звукооператор спрятал что-то в полиэтиленовый пакет, а Гутиеррес сунул что-то за пазуху. Почувствовав на себе взгляд Сента, он поднял голову и посмотрел ему прямо в лицо. Из-под полей потертой шляпы на Сента смотрели желтые, полные злобы глаза.

Сент невольно вздрогнул и отвернулся.

Боррачо Пит склонился к нему еще ниже и зашептал:

— Он приходит в город раз в месяц, когда на небе полная луна. Люди говорят, что Ройал живет в развалинах. О нем ходят разные слухи. Одни говорят, что он оборотень, другие называют его сущим дьяволом, и все его боятся. Иногда люди поднимаются вверх по реке и назад уже не возвращаются. Говорят, что он к тому же каннибал... — Американец кивком головы показал на банку пива, стоявшую перед Сентом. — Может, я заслужил еще и пивка? — спросил Пит.

Даймонд раскачался в гамаке и дотянулся до бутылочки с лосьоном для тела.

А что, если бы он сказал: «Старфайер, перед тобой враг»?

Вне всякого сомнения, она тотчас бы убила Арни. Довольный, Даймонд потер руки.

Он повернул голову и посмотрел туда, где она в крохотном серебристом бикини стояла у окна, смотрела на дождь и ела банан. Ее красивая головка склонилась на-бок, как будто девушка все еще прислушивалась к ша-гам невидимого врага.

Виктор наблюдал, как Джи Би доела банан и отбро-сила кожуру в кусты, где, как он знал, ее моментально растащат на мелкие кусочки термиты.

Даймонд вылез из гамака и, пройдя через комнату, встал у нее за спиной. Он посмотрел на залив, где слов-но яркая надувная игрушка качалась на волнах «Дес-перадо».

Скоро наступит время спускаться вниз. Они все со-берутся, чтобы посмотреть отснятые кадры, где Стар-файер целится в грудь Арни стрелой с металлическим наконечником. На лице Арни написан неподдельный ужас, который зафиксировали камеры с разных точек.

Дождь внезапно прекратился, из-за серых туч выгля-нуло заходящее солнце, и омытая дождем долина засия-ла в его лучах.

Из-за прибрежных скал появилась надувная резино-вая лодка, бесшумно скользящая по воде. По гибким движениям взбирающегося на палубу человека Даймонд узнал Сента. Он обязательно должен поговорить с ним о будущем в самое ближайшее время.

Старфайер сидела в темноте, прислушиваясь к зву-кам ночи. Сквозь жужжание и стрекот насекомых, ква-канье лягушек и шуршание летучих мышей она различила приближающиеся шаги Даймонда, осторожно ступавшего по плитам дорожки, а вскоре увидела и его самого, ос-вещавшего себе путь фонариком.

За прошедший час она слышала и другие странные звуки, при приближении которых голоса всех лесных жителей моментально смолкали, словно почуяв грозя-щую им опасность.

— Ты должна заснуть, — сказал Даймонд. — В четы-ре утра у тебя грим.

375

Завтра на рассвете начнутся съемки в верховье реки на песчаной отмели, которую обтекает желто-зеленая вода, а вокруг растут гигантские папоротники, высокая трава и дикие ирисы. Чтобы придать местности большую достоверность доисторического периода, часть флоры выполнена из резины и пластика.

Здесь Старфайер, одинокая, испуганная, обнаженная, впервые попадает на Землю.

— Я не хочу сниматься голой, — сказала Джи Би. — Нельзя ли мне одеться?

— Не смеши меня, — ответил с улыбкой Даймонд. — Ты летишь через всю Вселенную, как сгусток энергии, и не можешь материализоваться на Земле в одежде.

— Тогда давай возьмем дублершу.

— Ты прекрасно знаешь, что в случае со Старфайер это невозможно.

И вот теперь он ей напоминает, что скоро утро.

— Я не могу уснуть в такую жару.

Даймонд пошел за дом, туда, где находилась ванная комната на открытом воздухе. Девушка слышала шум воды.

Вернувшись, он лег в постель и накинул москитную сетку.

— Уж коли ты не спишь... — проворчал он, разворачивая ее поперек кровати и приподнимая ей ягодицы.

— Здесь кто-то есть, — сказала она. — Кто-то следит за нами.

— Здесь никого нет, — прошептал Даймонд. — Ни единой души. Давай, действуй.

Было уже поздно.

Арни сидел на пляже на складном стуле, сидел скособочившись, так как одна ножка глубоко завязла в песке.

Еще несколько минут — и он уйдет в свой трейлер, включит музыку, кондиционер, потушит свет, хотя прекрасно знает, что не заснет до рассвета. Его до сих пор

376

не покидал страх. Сегодня утром, на съемках, в его голове все время крутилась одна и та же мысль: «Она непременно меня убьет, и Даймонд об этом знает».

Арни зябко передернул плечами и посмотрел туда, где на жирной поверхности воды мягко покачивалась на волнах «Десперадо», на ее темные, словно пустые глазницы, иллюминаторы и подумал о том, который из них принадлежит Сенту.

Сент сейчас тоже лежит в темноте на своей узкой койке и, наверное, не спит. Арни стало грустно, как ему хотелось, чтобы рядом был хороший друг или просто человеческое существо, лишь бы не мучиться от одиночества.

К нему приблизилась какая-то фигура и села на песок неподалеку от него. Это был один из деревенских мальчиков. Арни посмотрел на него и заметил, что парнишка внимательно его рассматривает. Арни видел его улыбку и белый блеск зубов в темноте. Он улыбнулся в ответ.

Сейчас Арни хорошо вспомнил этого мальчика: тот был выше среднего роста, со светлыми, выгоревшими на солнце волосами. Он однажды предстал перед ним, держа в руках конверт и шариковую ручку с набалдашником в форме головы Микки Мауса, чтобы Арни, известная голливудская звезда, дал ему автограф. Он вспомнил его длинные гладкие ноги, запачканные песком.

Арни снова подумал о коже мальчика, о бархатистости его щек, и ему нестерпимо захотелось ощутить ее под рукой.

Арни осторожно спросил:

— Как тебя зовут?

Он пытался определить, сколько мальчику лет и нужно ли обращаться к нему как к взрослому человеку, или его можно называть на ты. Ведь если неверно обратиться, мальчик может и обидеться.

— Рауль, — ответил парнишка.

— Сколько тебе лет?

— Четырнадцать...

Внезапно у Арни возникло сильное желание схватить этого мальчика, прижать к груди, почувствовать его юное тело, биение сердца, его улыбку, испачканные песком ноги; выплакать ему все свои страхи и найти у него понимание и любовь, любовь человека, который не только восхищается им, но и хорошо его понимает, так как тоже одинок и жаждет участия... и потом, на песке, они могли бы...

Арни решительно поднялся и с силой отбросил стул

— Спокойной ночи, — попрощался он сухо и решительным шагом направился к своему трейлеру, слыша за спиной вежливое:

— До свидания, сеньор.

Арни уходил, зная, что мальчик с удивлением смотрит ему вслед.

Глава 25

В эти предрассветные часы на улице было сыро и прохладно, над заливом висел густой туман.

Старфайер вместе с Даймондом отправились в путь с первой партией джипов. Сначала они тряслись по неровной дороге вдоль реки, затем свернули на недавно построенную, вымощенную камнем дорогу, проехали три мили по извилистой горной тропе, резко свернули налево и стали спускаться вниз, пока не оказались на прорубленной в джунглях дороге, которая привела их к реке и дальше к песчаной отмели, окруженной зеленой водой и дикой искусственной растительностью.

Сцена держалась в строгом секрете; никто, кроме Даймонда и нескольких обязательных участников, н знал, что Старфайер будет сниматься обнаженной. Такие меры предосторожности приняли, чтобы в деревне не узнали об этой сцене, но все оказалось напрасным, ибо в деревнях всегда все знают.

И хотя Джи Би волновалась по поводу своей наготы, в душе же она понимала, что такое волнение недопустимо для Старфайер, поэтому безропотно предоставила свое тело в чужие руки, которые сбрили с него все до единой волосинки и нанесли серебристо-зеленый грим. Она ехала сейчас с закрытыми глазами и представляла себе, как Старфайер летит во Вселенной, приближаясь все ближе к огромной бело-голубой планете, на которой ее единственное спасение.

Джип двигался по крутому спуску, а Старфайер со свистом ракеты врезалась в первый слой атмосферы Земли.

«Она сразу замечает, что со времени ее первого прилета на планете произошли коренные изменения, но пока не знает какие. Она, затерявшись во времени, вернулась в очень отдаленное прошлое, во время, когда одна могущественная цивилизация уже перестала существовать, а эра человека еще не наступила. Не знает она и о том, что враждебная сила распорядилась земными ресурсами по-своему.

Она летит, и воздух свистит у нее в ушах, джунгли приближаются с бешеной скоростью, с обеих сторон мелькают руины, ее ударная волна расходится концентрическими кругами по тропической растительности, и та пригибается к земле».

Полумрак рассеялся, и появились очертания гор, вершины которых сначала порозовели, а затем стали алыми. Наступил рассвет. Все живое просыпается. На деревьях запели птицы, насекомые завели свою бесконечную песню. Все гудело, жужжало, квакало. Люди же, наоборот, замолчали и напряглись.

— Всем по местам, — приказал Даймонд.

Старфайер сбросила с плеч халат и спустилась на берег реки. Она легла ничком в жидкую грязь. Девушка могла слышать звук голосов, журчание воды и тихое шуршание, словно кто-то осторожно крался.

Последовала команда:

— Свет.

Яркая вспышка упала на её серебристое плечо.

— Мотор!

Новые звуки, отдаленные, похожие на мужские голоса, но Старфайер уже не обращала на них внимания.

«Последнее крещендо звука, кружение калейдоскопа цвета и тишина, в которой слышны тяжелое дыхание и стук сердца, сначала слабый, затем все сильнее и сильнее. Медленно появляются человеческие руки Старфайер, кости обрастают плотью, сначала прозрачной, постепенно она темнеет и уплотняется. Мы видим ее, лежащую в жидкой слизистой массе, в недоумении рассматривающую свои руки. Ошеломленная, Старфайер пытается подняться. У планеты более сильное гравитационное поле, чем то, которое она помнит. Девушка с трудом встает на колени, медленно откидывается назад и садится на пятки. Потрясенная, она осматривает заросли диких цветов, густую листву, покрытую каплями утренней росы. Старфайер подносит руки к лицу и внимательно изучает пальцы, трогает колени, бедра, стирает зеленую слизь с груди. Сцена проходит в обертонах зарождающейся жизни».

Сент все время задавался вопросом, что почувствует, увидев Джи Би обнаженной. Он ждал этих утренних съемок со смешанными чувствами, но сейчас не испытывал к Джи Би никакой страсти, а просто беспокоился за Старфайер. «Бедняжка, — думал Сент с острой болью в сердце, — такая испуганная, одинокая. Но это же Джи Би, — пытался напомнить он себе. — Ты видишь игру Джи Би».

Из джунглей за происходящим следила дюжина пар внимательных глаз, и голоса шептали друг другу по-испански, стараясь казаться смелыми и нахальными:

— Теперь ты видишь? Это просто девчонка, я же говорил тебе.

— Но у нее внизу живота нет волос.

— И она зеленая.

— Осел, она их сбрила, а зеленое — это грим.

— Эль Локо говорит, что она Чириуатетл.

— Эль Локо с приветом, и тебе это прекрасно известно.

— Я просто думаю, что она...

— Не хочешь ее пощупать? Может, ты хочешь попробовать ее?

— Пробуй сам. Это у тебя инструмент, как у коня, ты только о том и думаешь.

Конечно, Джи Би не была Чириуатетл, и они прекрасно это видели, ведь не слепые же они, но вдруг... всякое возможно...

Вот о чем шептались и что рассматривали мальчики и юноши деревни. Одиннадцать пар глаз и еще (об этом не знали даже наблюдатели) одна пара желтых глаз.

В ногу Старфайер впилась пиявка длиной в три дюйма и начала медленно высасывать кровь, разбухая на глазах. Этого в сценарии не было, Старфайер с любопытством рассматривала пиявку. Она попробовала оторвать ее от себя, но та крепко присосалась к телу. Тогда Старфайер потянула пиявку, но лишь разорвала ту пополам. Она с удивлением глядела на оставшийся в ее руках кусок, камеры работали. Но внутри Старфайер жила Джи Би, которая хорошо знала, что такое пиявки, и девушка с отвращением содрогнулась.

— Кто-нибудь наконец поможет мне избавиться от этой гадости? — закричала Джи Би.

— Стоп!

Джи Би стремительно вскочила на ноги, словно стремясь выпрыгнуть из собственного тела.

— Да уберите же ее!

Один из техников зажег сигарету и приложил зажженным концом к оставшемуся куску пиявки, который тотчас же отвалился и шлепнулся в воду.

Лицо Джи Би побелело.

— Как все омерзительно, — сказала она и упала на колени. Ее тут же стошнило.

В ближайших кустах раздался шепот:

— Откуда ты знаешь, что ведьм не тошнит?

— Знаю.

— Ну и ладно. Как бы я хотел попробовать эту ведьму!

— Готов поспорить, что ей от этого не станет хуже.

Одиннадцать пар черных глаз вожделенно разглядывали измазанную грязью грудь Джи Би.

Смотрела на нее и пара желтых глаз.

Остаток дня Джи Би чувствовала себя плохо, а на следующий день ей стало еще хуже, она жаловалась на головную боль и тошноту.

Предполагалось, что Старфайер и должна чувствовать себя плохо, так как в ее организм проникли вирусы; все это было в сценарии, но никому и голову не приходило, что Джи Би заболеет на самом деле и пропустит несколько дней съемок.

Поначалу Даймонд волновался за бюджет, но когда состояние Старфайер ухудшилось, стал волноваться за ее здоровье. Он считал, что во всем виновата грязная вода Рио-Верде, в которую ей приходилось погружаться снова и снова.

Доктор Шиффрин из студийной клиники, у которого голова шла кругом от нескончаемого потока пациентов, страдавших лихорадкой, поносом, ушибами и небольшими порезами, которые нагнаивались в местном климате из-за сырости и из-за несвоевременного обращения к врачу, осмотрел Старфайер и спросил Даймонда:

— Она сделала все прививки, перед тем как ехать сюда?

— Конечно. Мы все их сделали, и вы это прекрасно знаете.

— Во всем виновата грязная вода, — мрачно заключил доктор, — и кроме того, в деревне гепатит.

— Нет у меня никакого гепатита, — возразила Старфайер. — Просто мой организм еще не приспособился к земным условиям. В этом все дело.

Ее анализы крови и мочи направили на исследование в больницу Сан-Диего, но результаты оказались нормальными, между тем здоровье Старфайер ухудшалось с каждым днем.

Сент арендовал у сеньора Очоа моторку и помчался в Пуэрто-Валларта, где из холла гостиницы «Эль камино реал» позвонил Дональду Уилеру.

— У нее спазмы в желудке, и она плохо чувствует себя, но анализы показывают, что у нее все в норме, и никто не может сказать, в чем дело. Возможно, это покажется странным, но по сценарию она и должна чувствовать себя плохо. Может, она себе все внушила? Во всяком случае, дела обстоят не лучшим образом, и мы не знаем, что делать.

— Я хотел бы приехать поскорее, но пока не могу. Мне нужно довести до конца одно дело. Я тут немного покопал, и, как выяснилось, Даймонд — мерзавец, каких свет не видел. Еще неделька-другая, и у меня на руках будет материал, который позволит мне покончить с ним раз и навсегда.

— А как же быть с Джи Би?

— Если ей будет совсем худо, позвони мне, я немедленно прилечу.

Однако на следующее утро Старфайер почувствовала себя значительно лучше. Она объясняла это тем, что достаточно долго пробыла на Земле и ее организм привык к окружающей среде. Даймонд решил воспользоваться тем, что она значительно потеряла в весе и щеки ее ввалились, и снять вне очереди сцены болезни.

В конце следующей недели, выходя из графика и за несколько дней до окончания съемок, они опять приехали на рассвете на песчаную отмель Рио-Верде, чтобы снять ключевую сцену фильма — знакомство Старфайер с Арни.

В окончательном варианте этой сцене должна предшествовать сцена купания Старфайер, которую уже отсняли в бассейне в Голливуде. Это была сцена радости. Свет, пропускаемый через фильтры, пятнами ложился на ее тело; груди, ягодицы и длинные, раскинутые, словно ножницы, ноги покрывали полосы золотистого и изумрудного цветов. Она кувыркалась в воде, ныряла, извивалась, испытывая радость от своего невесомого тела.

Сейчас серебристое сияние ее тела подчеркивалось утренними лучами солнца, что вместе с золотистым гримом делало Старфайер более реальной, живой и прекрасной.

«Она бредет через реку по колено в воде туда, где ее ждет мужчина. Они соприкасаются телами. Мужчина вздрагивает, как от удара электрическим током. Он снова дотрагивается до нее, и Старфайер милостиво позволяет ему трогать свои плечи, груди, лицо, и наконец мужчина ее целует. Камера медленно наползает на их лица. Для Старфайер это первый поцелуй в жизни. Ее глаза загораются от любопытства, затем подергиваются дымкой. Лицо выражает смятение чувств, ей жалко этого мужчину за его слабость. Она сострадает всему человеческому роду за то, что тот не научился управлять своими чувствами, но внезапно ее охватывает радость: она способна разделить его эмоции. Мужчина снова целует ее в губы, его руки впиваются в ее плечи. Она запрокидывает голову назад, его пальцы погружаются в ее волосы, он целует ее шею, груди; они падают на мягкое ложе из речного ила, вода струится по их телам; они перекатываются со спины на спину, резвясь и играя, словно молодые животные, пока движения мужчины не становятся более грубыми, и, наконец, он распинает ее на земле. Их конвульсивные движения полускрыты исходящим от земли паром, темнотой неба, начавшимся дождем... Старфайер внезапно испускает дикий, звериный крик...»

В этот вечер Арни и Вера обедали при свечах в саду гостиницы «Хойя эскондида». В соответствии со своим названием она действительно считалась местной жемчужиной. Укрывшись за отвесными скалами, она находилась в часе езды на лодке по пути в Пуэрто-Валларта. Гостиницу частично вырезали в скале, и номера располагались на разных уровнях под углом друг к другу, что обеспечивало полную интимность для проживающих. Каждый номер имел свою собственную террасу с видом на океан.

После того как Даймонд объявил съемки законченными, Арни выглядел совершенно разбитым, что очень беспокоило Веру.

— Мне нужно побыстрее уехать отсюда, — говорил он. — Я не могу оставаться здесь больше ни минуты.

— Но, Арни, ты же не можешь вот так вот взять и уехать.

— Плевать мне на все. Я должен исчезнуть, хотя бы на один вечер.

— Но твоя страховка...

— К черту страховку, к черту Даймонда. Если я останусь здесь еще хоть на минуту, то просто сойду с ума.

Однако сейчас Арни выглядел вполне успокоившимся и чувствовал себя прекрасно в тени пальмовых деревьев, где воздух пропитался запахом цветов и моря.

— Прости меня, Вера. Не знаю, что на меня нашло. Я тебе бесконечно благодарен, что ты согласилась поехать со мной. Ты настоящий друг. Кстати, ты сегодня потрясающе выглядишь.

Вера надела свое лучшее платье. Она купила его три месяца назад в бутике Джорджо Армани. Оно было сделано в виде мешка из черного шелка, и уже за одно это Вере никогда бы и в голову не пришло купить его. Когда Арни стал настаивать, чтобы она его примерила, Вера искренне удивилась, однако, надев его, поняла, что платье очень элегантно. Она не хотела брать его с собой, но сейчас радовалась, что в последнюю минуту изменила свое решение.

«Кто бы мог себе представить, — думала она сейчас, — что я, Вера Браун, буду сидеть в элегантнейшем платье в одном из самых красивых мест на земле, с самым сексуальным мужчиной на свете. Миллионы женщин растерзали бы меня на месте, а для меня это просто обед со старым другом».

Пока они пили вино и шампанское, Арни совещался с метрдотелем по поводу выбора блюд и подходящих к ним вин, в результате чего они заказали паштет из грибов, салат цикория с чесночной заправкой, а на горячее — жареного ягненка с розмарином.

Когда подали кофе, лицо Арни порозовело, и глаза засветились веселым блеском.

— Здесь, как в Париже, — сказала Вера.

— Самое лучшее место на земле, — согласился Арни. — Оно как будто специально создано для влюбленных.

— Кто-нибудь знает, что мы здесь? Если узнают, то урежут наши проездные. Ах как жалко, что нет фотографа. Можно было бы сфотографироваться.

— Ну это легко организовать.

Вера подняла свой бокал:

— За лучшую в моей жизни еду. Буду надеяться, что не растолстею опять. И за тебя, Арни.

— За нас, ты сегодня очень красива, Вера, и тебе идет это чудесное платье.

— Это твой выбор. Неужели забыл?

— Забыл. Неужели действительно забыл?

После обеда они долго бродили по пляжу. В небе стояла полная луна, ярко светили огромные звезды. Песок приятно холодил ступни, волны с тихим шелестом накатывались на берег. Арни взял Веру за руку.

— Спасибо, что поехала со мной. Без тебя я бы просто свихнулся.

Они вернулись в гостиницу.

— Я хочу попросить тебя кое о чем, Вера, об одном одолжении. Если ты не согласишься, я пойму.

— Почему я не соглашусь? — рассмеялась Вера.

— Ты не могла бы сегодня лечь со мной в постель? Мне просто необходимо, чтобы кто-нибудь был рядом. Мы просто полежим, и все.

— Хорошо, — после минутного колебания согласилась Вера, — но только полежим.

Это было самое неожиданное, что она могла сделать для друга.

Арни не стал зажигать свет. Вера надела белую ночную рубашку, которую Джи Би подарила ей на день рождения, и легла с ним рядом. Снаружи трещали цикады, и поднявшийся ветер шелестел разлапистыми листьями пальм.

Арни повернулся к Вере, заключил ее в объятия и поцеловал в губы. Его руки все крепче обнимали ее, и девушке стало трудно дышать.

— Поцелуй меня как следует, Вера, — прошептал Арни.

Слишком неожиданная просьба, но Вера была не в силах отказать ему. Но не успела она приоткрыть рот, как Арни ввел туда язык. Вера отдернула голову.

— Что ты делаешь, Арни? Пожалуйста, не надо.

— Прошу тебя, Вера. Разреши мне любить тебя.

— Арни, нет... я...

Но его губы уже прильнули к ее губам, пальцы больно защемили соски. На какое-то мгновение Веру захлестнула ответная страсть, но очень скоро она поняла, что Арни не испытывает к ней никакой нежности, просто он, как хороший актер, разыгрывает ее, исполняет роль страстного любовника.

— Потрогай меня. — Арни опустил руку Веры в свой пах, его плоть была вялой. — Пожалуйста, Вера, — умолял Арни, — сделай так, чтобы все наладилось. Ну сделай же что-нибудь.

Вера начала осторожно гладить его, и вскоре плоть шевельнулась под ее пальцами. Арни застонал и спрятал лицо у нее на шее.

— Пожалуйста, поцелуй его, — услышала она сдавленный шепот.

— Арни, я не могу...

— Ну пожалуйста.

Без всякого желания Вера нагнулась и стала водить языком, чувствуя, как с каждой секундой символ мужественности становится тверже. Арни лежал на спине, раскинув руки и откинув голову. Широко открытыми глазами он смотрел в потолок, где бесшумно крутился вентилятор. И умом, и сердцем он был где-то далеко, с кем-то другим, но только не с ней. Вера посмотрела на ночное небо, где ярко светили ночные звезды.

Чуть позже она лежала на нем, заключив его в свои объятия, и пыталась успокоить. Арни плакал.

— Прости меня, Вера. Мне казалось, что я...

— Успокойся, Арни. Это не имеет никакого значения.

Постепенно он успокоился, его дыхание стало ровным, и Вера уже решила, что он заснул, как вдруг Арни совершенно бодрым голосом сказал:

— Это все стресс, Вера. Завтра я буду в порядке.

— Арни, нашел о чем волноваться.

— Я люблю тебя, Вера.

— Я тоже люблю тебя.

— Мне кажется, что я всегда любил только тебя.

Арни сел и посмотрел на Веру. В темноте его лицо выглядело расплывчатым белым пятном. Он долго молчал, потом неуверенно спросил:

— Ты выйдешь за меня замуж, Вера?

— Нет, Арни, — ни минуты не раздумывая, ответила она.

— Почему нет? — спросил он голосом обиженного ребенка. — Мы ведь любим друг друга, и нам будет хорошо жить вместе.

— Не сомневаюсь, но...

— Я дам тебе все, что ты захочешь.

Арни начал перечислять, что он может ей дать: роскошные дома, одежду, машины, драгоценности, всевозможные путешествия и даже игрушки.

— Мне не нужна вся эта дребедень, — резко оборвала его Вера. — В жизни это не самое главное.

— Другие женщины считают это главным.

Вера медленно покачала в темноте головой.

— Я не другая женщина, — ответила она, мысленно представив себе, что сказала бы маме: «Между прочим, тут одна кинозвезда просит меня выйти за него замуж. Что ты думаешь по этому поводу?»

— Но ты нужна мне, Вера. Мне с тобой легко общаться, а мне так необходимо иногда с кем-нибудь поговорить.

Вера почувствовала, что тело Арни содрогается от подступивших к горлу рыданий.

— Сегодняшние съемки доконали меня. Люди увидят в кино, как мы с Джи Би занимаемся любовью, и опять будут считать меня секс-символом. Но ведь это не я! Неужели ты не понимаешь? Я просто не могу быть таким!

Вера молча обняла Арни, давая ему возможность выговориться.

— Так может продолжаться до бесконечности. Я так и слышу шепот у себя за спиной: «Кто его последняя подружка?»... А кто будет со мной рядом во время вручения «Оскара»?.. А если рядом со мной не будет девушки, все начнут спрашивать себя — почему? Всем будет казаться, что я чесоточный или, того хуже, что у меня

СПИД. Уверен, студия подберет мне кого-нибудь и позаботится о том, чтобы повсюду появились наши фотографии. Мне придется целоваться с ней в публичных местах... дети будут таскать с собой ее фотографии... все будут говорить, что у меня новый роман, а что толку? Через неделю или даже раньше все закончится. И так будет повторяться снова и снова. Пожалуйста, Вера. Ты нужна мне.

— Ты собираешься жениться на мне для отвода глаз. Нет, Арни, так дело не пойдет. Это совсем не то, что необходимо нам обоим.

Арни спрыгнул с кровати и подбежал к окну. Он молча стоял там: обнаженный силуэт на фоне звездного неба.

— Ты права, Вера, — сказал он наконец. — Прости, что давил на тебя.

— Ничего страшного, для этого и существуют друзья.

— Ты знаешь, Вера, ведь я девственник, — сказал Арни с ироническим смешком. — Я секс-символ, который никогда не занимался сексом. Интересно, правда? Мне казалось, что я стану увереннее, если займусь любовью с той, которую хорошо знаю, но даже с тобой у меня ничего не получилось. Прости меня, Вера.

— Но ведь где-то существует человек, который тебе подходит, — сказала Вера и, глубоко вздохнув, выпалила: — Ты встретишь его, и в самое ближайшее время.

Наступила пауза, затем Арни медленно повернулся к Вере и попросил:

— Повтори, что ты сказала.

— Я сказала «его». Не надо больше притворяться и терзать себя.

— Что значит «притворяться»?

— Арни, — решительно произнесла Вера, — ты не единственный мужчина на свете, который вдруг открывает для себя, что он гей.

Ну, наконец она все ему сказала, пусть теперь сам решает. Вера видела, что Арни весь напрягся.

— Тебе об этом рассказал Сент?

— Не совсем так, я сама сопоставила некоторые факты. Догадаться было нетрудно.

Арни вздохнул и снова посмотрел на звезды.

— С тех пор я не могу смотреть Сенту в глаза, — сказал он. — Мы с ним едва разговариваем.

— Дай ему прийти в себя, — успокоила его Вера. — Ты прекрасно знаешь, как трогательно Сент относится к людям. Ты мне об этом сам говорил не раз. Его не волнует их внешность, богаты они или бедны и кого любят.

Ей послышалось, будто Арни шепотом согласился с ней.

— Он много раз пытался сказать тебе, что вы остались друзьями.

— Я старался избегать его.

— Тогда нечего делать из этого проблему. Просто скажи ему, что вы по-прежнему друзья.

— Что ты делаешь во время своих путешествий в Пуэрто-Валларта? — спросил Даймонд.

Сент давно ждал этого вопроса, поэтому с готовностью ответил:

— Сдаю воду на анализы, потом гуляю по городу, разбираясь в своих ощущениях.

— Разве этого нельзя делать здесь?

— Здесь не город с вооруженными полицейскими.

— Что верно, то верно, — согласился Даймонд, удовлетворенный его ответом.

Он выключил мотор «Зодиака». Их лодка стояла у входа в залив, покачиваясь на воде, в небе висела яркая луна.

— Ну и каковы твои ощущения?

— Лучше, чем я ожидал.

— Я рад это слышать. — Даймонд посмотрел на небо. — Скоро полнолуние.

— Ты для того привез меня сюда, чтобы узнать, что я делаю в Пуэрто-Валларта? — спросил Сент.

— Нет. Мне надо поговорить с тобой.

— О чем? — Сент нагнулся и по локоть погрузил руку в воду, а когда вытащил ее, она фосфоресцировала. — Посмотри-ка, — показал он.

— Красиво, — согласился Даймонд. — Я хотел поговорить с тобой о моих планах. Но прежде всего мне бы хотелось рассказать о себе. Я хочу, чтобы между нами была полная ясность.

— Хорошо, — согласился Сент.

— Начну с самого начала. Ты знаешь, я никогда не видел своих родителей. Меня нашли завернутым в мешок в одной из аллей Бруклина. Я воспитывался в католическом приюте для сирот.

Сент сочувственно кивнул.

— Монахини невзлюбили меня. Я всегда был гордым ребенком, а для них гордыня — это грех. Они хотели выбить из меня эту гордость и сделать смиренным. Монахини без конца твердили, что их не удивляет тот факт, что меня выбросили на улицу, как мусор: кому охота иметь дело с таким чудовищным ребенком, от которого одни только неприятности? Они придумывали для меня бесконечные испытания, от которых я наотрез отказывался. Когда мне было шесть, я убежал, но вскоре меня поймали и поместили в воспитательный дом, затем в исправительную колонию. Уже не помню сейчас, сколько их было. Я был злым, но гордым, а такого ребенка трудно любить. Я убегал — меня ловили, и так без конца, так я научился искусству выживать.

Сент молча слушал, водил рукой по воде и смотрел, как она фосфоресцирует. Он прекрасно понимал, что Даймонду не нужна его жалость, и потому не проронил ни слова.

— Одним из слагаемых была ложь. Я возвел ее в степень искусства. К четырнадцати годам я пришел к заключению, что бесполезно бороться с системой и что я уже сам могу тем или иным способом заставлять людей делать то, что хочу. К шестнадцати годам я уже основательно подрос, стал высоким и в меру симпатичным. Я поменял имя и подался в актеры. Я был уверен, что сделаю хорошую карьеру, но вскоре понял, что актер мало чем отличается от простого служащего. У него нет власти, нет связей, а я уже понял, что власть — это все, я пришел к выводу, что должен сам контролировать свою жизнь и жизнь других людей.

Сент выпрямился на сиденье и посмотрел на сверкающее кольцо Ориона.

— Что же ты для этого сделал? — спросил Сент.

— Я обосновался в Голливуде и стал вести свою игру. Все шло хорошо... Затем я встретил Вэнджи Селлорс.

— Твою жену?

— Не только жену. Она мое творение. До встречи со мной она была ничем, просто хорошенькая девушка из Техаса, которая получила приз на конкурсе красоты.

— Я слышал, что Вэнджи была самой красивой женщиной в мире.

— Возможно. Для нее я был богом. Со мной, сделавшим ей карьеру, она могла бы стать великой звездой, возможно, одной из величайших актрис в мире. У меня тогда была мечта, превратившаяся затем в навязчивую идею: я, Джо Смит, которого когда-то выбросили на улицу, как мусор, создам правящую династию в кинобизнесе, а потом мы с Вэнджи — самый могущественный мужчина и самая прекрасная женщина — нарожаем красивых, одаренных детей, которые унаследуют нашу империю.

— Но этой мечте не суждено было сбыться, — устало продолжал Даймонд. — Я потерял ее. Ты уже знаешь эту историю. Династия умерла, так и не родившись, а я похоронил свою мечту, потому что знал, что второй такой Вэнджи не встречу. Я постарался убедить себя, что дети мне не нужны. Я был тогда еще молод, а когда ты молод, то тебе кажется, что жить будешь вечно. Но я ошибался, — добавил Даймонд с горькой усмешкой.

393

— Какое все это имеет отношение ко мне? — спокойно спросил Сент.

— Я старею, и, как это ни странно, я тоже смертный. Я стал бесплодным, и у меня никогда не будет детей.

Со своего места на носу лодки Даймонд посмотрел на Сента. В темноте его глаза напоминали две черные дыры, а голос, когда он говорил, оставался спокойным и ровным, как если бы речь шла о предстоящей работе.

— Сейчас я подхожу к главному, Сент. Ты мой единственный ребенок и должен стать отцом моих детей.

Лодку несло на скалы, и Сент автоматически взял весла из уключин и отогнал «Зодиак» в открытое море. Он никогда не спрашивал Даймонда об отцовстве, а тот до сегодняшнего дня не заводил об этом разговора.

— Ты действительно думаешь, что я твой сын? — спросил Сент.

— Зачем бы мне тогда понадобилось освобождать тебя из Санта-Паулы? — с раздражением спросил Даймонд. — И зачем мне тогда было заботиться о твоей карьере? Конечно, ты мой сын.

Сент со стороны услышал свой равнодушный голос:
— Тебе об этом сказала мать?

— Она сказала мне, что скорее всего отцовство принадлежит мне, и, учитывая ряд обстоятельств, я ей верю. А сейчас послушай меня внимательно. — Голос Даймонда вновь стал холодным, размеренным: — Я хочу, чтобы ты стал отцом моего сына. После этого я завладею «Омегой». Это не займет много времени, потому что уже сейчас студия фактически принадлежит мне. Циммерман и его окружение стали историей. А теперь представь себе, что́ мы вместе можем сделать, я и ты. Мы заработаем все деньги на свете, отберем самых талантливых, самых лучших актеров, будем выпускать товар высшего качества, и все это будет принадлежать мне, а со временем и тебе, а потом твоему сыну, моему внуку. Я предлагаю тебе весь мир на тарелочке, а с ним и бессмертие.

«Господи!» — мысленно воскликнул Сент, ощущая нереальность происходящего.

— Я не уверен, что сумею справиться с такой властью, — сказал он, воспользовавшись молчанием Даймонда. — И потом, в мои ближайшие планы женитьба совсем не входит.

— Это к делу не относится. К тому же она уже будет замужем.

— Кто она? — спросил Сент затаив дыхание.

— Моя новая Вэнджи. Да, Сент, я снова повстречал ее. Я же говорил тебе, что часто ошибался в своих прогнозах.

Лодку покачивало на волнах, они с тихим шуршанием бились о борт, а Сент сидел и слушал и не мог поверить своим ушам.

— Ты и она родите мне ребенка, в глазах всего мира я буду его отцом. Никто никогда ничего не узнает.

— Ты хочешь сказать...

— Старфайер и я поженимся сразу, как только вернемся в Соединенные Штаты. А твоя задача поскорее сделать ей ребенка.

На следующее утро Старфайер снова заболела. Даймонд со страхом смотрел на ее искаженное лицо.

Он заявил доктору Шиффрину, что в лаборатории сделали неправильные анализы, что они упустили что-то самое главное.

— Мне нужно мнение другого специалиста, — сказал он, — такого, кто хорошо знает свое дело. Происходит что-то странное.

Вечером того же дня на самолете студии «Омега» прилетел доктор Ринальдо Суарес из Калифорнийского медицинского центра, расположенного в Сан-Франциско. Доктор был всемирно известным специалистом в области тропических болезней, особенно тех, которые присущи западной Мексике, где он родился.

Он был невысокого роста, хрупкого телосложения и выглядел слишком молодо для такого известного врача. Старфайер с надеждой посмотрела на него.

— Не забывайте, что я инопланетянка, — сказала она. — Мой организм еще не выработал иммунитета против болезней землян.

— Сейчас мы разберемся, не так ли? — Доктор Суарес склонился над кроватью, вглядываясь в изможденное лицо, которое было белее подушки. — Мне надо осмотреть ее, — обратился он к Даймонду. — Прошу вас оставить нас наедине.

Когда Даймонд с явной неохотой вышел из палаты, доктор стал задавать Старфайер привычные в таких случаях вопросы относительно ее здоровья, на которые она отвечала с заметным раздражением. Он посмотрел ее глаза, уши и горло, прощупал груди, постучал по спине и прослушал легкие, измерил давление и, наконец, подстелив ей простынку, прощупал брюшную полость и область таза.

Проделав все необходимое, он взял стул, подсел к кровати и взял ее руку в свою.

— Мы сделаем дополнительные анализы, — сказал он, — но я уверен, что все они будут отрицательными.

Старфайер согласно кивнула.

— Все за исключением одного, — продолжал доктор Суарес. — Люди иногда бывают настолько глупы, что за деревьями не видят леса. Ответ лежит на поверхности, а они просмотрели его.

— Какой ответ? — удивилась Старфайер.

— Вы молоды, красивы, и у вас есть мужчина, который в вас влюблен.

— Какое это имеет отношение к моей болезни?

— Самое прямое, у вас нет ничего страшного. Налицо все признаки беременности, а она, как вам известно, не болезнь. — Доктор выпустил ее руку и поднялся. — Примите мои поздравления, дорогая. Я рекомендую вам отдых, хорошее питание и поскорее вернуться домой. А пока лежите в этом трейлере. Ребенок гораздо важнее всех фильмов на земле, вместе взятых.

Она быстро села в кровати и с удивлением посмотрела на доктора.

— Беременна? Но это невозможно. Старфайер не может быть беременной.

— Почему нет?

— Потому что я... Боже мой, — сказала уже Джи Би. — Я никогда не думала... Пожалуйста, доктор Суарес, задержитесь на минуту.

Доктор остановился в дверях.

— Могу я попросить вас об одном одолжении? Пожалуйста, не говорите ничего Даймонду.

Доктор понимающе кивнул:

— Конечно, обещаю. Я отлично понимаю, что вы сами хотите преподнести ему эту радостную новость.

Доктор ушел, а Джи Би, глядя ему вслед, думала: «Да, для него это будет большим сюрпризом».

Глава 26

Вера вытирала пот со лба и желала только одного: чтобы Сент ехал быстрее. Воздух был неподвижен, небо ослепительно ярким, и море далеко на западе сливалось с ним в одну мерцающую линию. Ехать обратно в моторной лодке из «Хойя эскондиды» было гораздо приятнее, так как чувствовалось хоть какое-то дуновение ветерка, но когда лодка останавливалась, жара наваливалась на нее, словно девушка сидела у раскаленной печки.

Время близилось к полудню. Пляж, хижины и джунгли дрожали, как мираж, но Сент, казалось, ничего не замечал или на него совсем не действовала жара. Он медленно греб вдоль мелководья с прибитым к нему мусором и не видел, что рядом с ним Вера просто умирает от жары.

— У него мания величия: его династия должна править Голливудом, как королевская. Он решил, что я вполне могу подменить его. Виктор, видите ли, не может иметь детей и считает, что именно я должен сделать Джи Би ребенка и обеспечить его наследником. — Сент с яростью отшвырнул в сторону плавающую на воде пластиковую чашку. — Я, понимаешь ли, его сын, так что с преемственностью все будет в полном порядке. Он долго распространялся о том, как все расчудесно сложится, что у нас будет все: власть, положение, слава, и все это говорилось таким само собой разумеющимся тоном, как будто это обычные вещи.

— Ну и что ты ответил? — спросила Вера, стараясь казаться спокойной.

— А как ты думаешь, что я мог ответить? Конечно, отказался, но его это мало волнует. Даймонд считает, что я обязан так сделать.

— А как же Джи Би? Я уверена, что она никогда...

— Он сказал, что еще не говорил с ней, но у него нет никаких сомнений на ее счет. Все это делается в наших общих интересах.

— Боже! Ну и что же дальше?

— Затем мы вернулись назад. Я высадил его у причала, и Виктор сказал напоследок, что у меня нет выбора, так как от моего решения зависит судьба многих людей. Я был для него пробным камнем. Сейчас по крайней мере ничего не надо делать... Вот вернемся в Нью-Йорк, и они поженятся, а что будет потом? Господи, Вера! — Сент засунул в карманы шорт сжатые в кулаки руки и с ненавистью посмотрел туда, где на высоких, отливающих нефтью волнах покачивалась «Десперадо». — Он считает, что я должен оплодотворить ее, как жеребец кобылу. Это какое-то сумасшествие.

— Это больше, чем сумасшествие, — ответила Вера. — Это чистейшей воды безумие, это возмутительно и в то же время смешно. А что он имел в виду, говоря о судьбах других людей?

— Не знаю.

— Мне это совсем не нравится. Он как будто угрожает тебе или, может... кому-то еще.

Они дошли до сгоревшего ресторана. Их ноги ступали по горячему песку, поднимая в воздух пыль и пепел.

— У меня какое-то нехорошее чувство в отношении него, — начал медленно Сент. — Он напоминает мне огромного паука с восемью глазами, который спрятался в темноте и поджидает очередную жертву. А когда я думаю о Флетчер...

Сент повернул обратно к деревне. Его босые ноги, казалось, не чувствовали обжигающего действия песка.

— Я все время думаю о Флетчер. — Сент перевел дыхание. — Я бы мог послать Даймонда ко всем чертям, сказать ему, что ничего подобного никогда не сделаю, но я боюсь его, Вера. Боюсь не за себя, а за Джи Би. Иногда думаю: «Господи, он же мой отец, и я стольким ему обязан!» Даймонд все для меня сделал. Я уважаю его талант, его ум, и иногда мне бывает его жалко. Просто не знаю, что делать. Послушай, Вера... — Сент нетерпеливо провел рукой по лицу, как бы отгоняя дурные мысли. — Ты знаешь, мне совсем не хочется быть его сыном.

Ноги Веры горели, кофта прилипла к спине, перед глазами плыли черные круги. Одним рывком девушка догнала Сента, схватила его за локоть и потащила в воду. Вода пенилась и кружилась вокруг лодыжек.

— А Даймонд абсолютно уверен, что ты его сын? — спросила она.

— Он говорит, что все проверил еще после того, как впервые поговорил с Арни. К тому же Виктор сам звонил Спринг.

— А что, если Спринг снова врет? Если это так, то все его разговоры о создании династии просто не имеют смысла.

— По словам Даймонда, только он может быть моим отцом, и я ему верю. Моя мать слов на ветер не бросает. Она делает все только с большой выгодой для себя.

— Но, может, на этот раз у нее и была какая-то выгода. Возможно, был кто-то еще, о ком никто не знает, даже Даймонд.

— Неужели ты думаешь, что она мне скажет?

— Естественно, не скажет, если ты не спросишь, — разумно заметила Вера.

Тем же голосом, каким он произносил свою излюбленную фразу «есть желающие поиграть в теннис», Арни спросил:

— Это место свободно?

Арни сел, налил пива в запотевший стакан и выжал туда сок лимона.

— Я хочу поговорить с тобой, Сент, — сказал он. — Вера говорила... — Голос Арни звучал ужасно виновато. — Вера говорила, что ты не будешь возражать.

Сент издал звук, похожий на одобрение.

— Она правильно говорила, — сказал он, видя нерешительность Арни.

Арни вздохнул и понуро опустил плечи.

— Вчера вечером мы ездили в «Эскондиду». Знаешь это место?

Сент кивнул.

— Мне надо было уехать отсюда. Я не мог здесь больше оставаться ни на минуту.

— Мне знакомо это чувство.

— Сомневаюсь, — ответил Арни. Его пальцы, сжимавшие стакан, побелели. Арни выглядел совсем растерянным. — Откуда ты можешь знать, что я чувствую?

— Прости. — Сент с трудом оторвался от мыслей о Даймонде, Спринг и Джи Би. — Я не хотел тебя обидеть.

— Я привык всегда во всем советоваться с тобой.

— Ты можешь это сделать и сейчас.

— Правда могу?

— Прекрати, Арни, конечно, можешь. Если тебя все еще беспокоит та ночь в Тахо, то напрасно.

— Просто не знаю, что и сказать.

— Ты что, перестал доверять мне? Тогда о чем разговор?

— Прости.

— Прощаю. Как говорится: доверяй, но проверяй. А сейчас шутки в сторону. Допивай пиво и выкладывай, что там у тебя.

Арни положил ладони тыльной стороной на стол и принялся внимательно рассматривать свои пальцы. Немного выждав, он решительно начал:

— Эту ночь мы с Верой провели в одной постели. Я надеялся, что Вера — та самая женщина, с которой я смогу понять, что такое любовь. Она красивая и очень мне нравится. Вот черт, я ведь люблю ее. Но у меня ничего не получилось и не получится, если я не представлю...

— Что она — это кто-то другой?

— Да. Мне сейчас так плохо, Сент. Я чувствую себя предателем по отношению к ней, все вышло так отвратительно, так ужасно, что я сейчас чувствую себя еще хуже оттого, что она с таким пониманием отнеслась ко мне.

— Да, — согласился Сент. — Это она умеет.

— Я врал ей, врал себе. — Голос Арни срывался. — Вся моя жизнь — сплошная ложь, мне с каждым днем все труднее притворяться и разыгрывать из себя того, кем я не являюсь на самом деле.

— Значит, тебе нужно принять решение, не так ли?

— Тебе легко говорить, а я...

— Привет, парни!

Они разом повернули головы. Около их столика остановился Томас с торжественной улыбкой на лице.

— Посмотри, Санто. Иносенсио взял это напрокат в Пуэрто-Валларта. — Мальчик повертел под носом у Сента видеокассетой в красочной пластмассовой упаковке. Его лицо горело от возбуждения. — Это Майкл Джексон, триллер...

— Успокойся, — сказал Сент. — Можно подумать, что у тебя есть телевизор.

— И видеоприставка, — добавил Арни.

Томас вытащил стул и плюхнулся на него.

— Сент, сделай мне одолжение.

Он объяснил, какое одолжение должен сделать Сент, на таком быстром испанском языке, что Арни его речь показалась бессвязной. Фильм нужно показать в конце недели, в субботу, когда в кантине проводится дискотека. Томас был хорошо осведомлен о телевизионном оборудовании, размещенном в трейлерах. Он видел его собственными глазами и хотел, чтобы кто-нибудь из техников установил в кантине проекционный аппарат. Томас объяснил, что им для этого еще потребуется электропроводка.

— У нас никогда ничего подобного не было, — продолжал Томас. — Это лучше всякого видео. Вы сами представить не можете, парни: на стене самое настоящее большое кино. — Томас, как крылья, раскинул руки, чтобы показать, каким большим оно будет. — И два парня сражаются в церкви на лошадях.

Если бы все желания исполнялись так просто, а все проблемы решались так легко!

— Конечно, — согласился Сент. — Нет ничего проще. Я думаю, они протянут сюда кабель и передвинут киноустановку, я прослежу за этим.

— Ну, мужики! — закричал Томас, отшвыривая стул. — С кинопроектором и Майклом Джексоном я вам устрою такой вечер, что закачаетесь.

Томас перепрыгнул через стойку бара и стал с возбуждением пересказывать все своему брату Иносенсио.

— О чем речь? — спросил Арни. — Я с самого начала потерял нить разговора.

Сент объяснил.

— Прощальный вечер, — сказал Арни, смущенно улыбаясь, — да еще с Майклом Джексоном. Нам всем казалось, что мы никогда не уедем отсюда, и вот все кончено. А мне придется начинать все сначала.

— Я уже сказал, Арни, тебе решать.

— Я это знаю.

— Если тебе трудно оставаться Арнольдом Блейзером, тогда ты должен покончить с этим раз и навсегда.

— Я не могу.

— Уверен, что можешь. — Мысленно Сент представил себе одинокого толстого мальчика, который мужественно выдерживал все издевательства своих одноклассников, и добавил: — У тебя есть сила воли.

— Тогда это было легко, — ответил Арни. — Я просто изменил свою внешность, и все пошло как по маслу.

— Я говорю о школьных годах, когда ты еще не изменял внешность.

Арни тупо уставился на грязную столешницу.

— Могу себе представить, что со мной будет, — сказал он. — С моей карьерой сразу будет покончено. Все пойдет псу под хвост.

— А ты не представляй, — посоветовал Сент. — Просто скажи им все, как есть, и пусть сами решают, оставлять тебя или нет. Неужели твоя интуиция не подсказывает тебе, что лучше вообще отказаться от карьеры?

Арни закрыл глаза.

— Ты можешь себе представить, что тогда будет? На меня выльют столько грязи. Представляю, какими заголовками запестрят газеты. Сколько будет разных сплетен, люди возненавидят меня.

— Возможно, некоторые и возненавидят, но пройдет немного времени, и все успокоятся. А подумай о людях, которые восхищаются тобой, но у них кишка тонка сделать то, что сделаешь ты.

— Это сразит его наповал.

— Кого?

— Даймонда. Я задействован у него на три года. По два фильма в год.

— Сбеги. Ты потеряешь только деньги, но зато спасешь свою душу.

— Я не могу этого сделать, я ему многим обязан.

— Чем именно?

— Всем. Тем, что он выслушал меня, что заинтересовался проектом «Старфайер». И потом, мне кажется, он прекрасно знает, что у меня нет девушки, и старается защитить меня от прессы, подбрасывая им маленькие истории о моих «похождениях». Ему бы, конечно, не следовало этого делать.

— Он защищает свои капиталовложения, а не тебя.

— Как-то Виктор спросил меня, нет ли у меня чего-то такого, что я скрываю от него, что со временем может выплыть наружу и доставить всем большие неприятности. Он ненавидит сюрпризы. «Скажи мне лучше сейчас, — предложил он, — и мы все уладим». Но я сказал, что ничего от него не скрыл, что выложил все как на духу. Тогда я действительно говорил чистую правду. — На лице Арни было написано отчаяние. — А сейчас «Омега» собирается продать лицензию на выпуск куклы Арни, которую начнут продавать вместе с куклой Старфайер. Ты можешь это себе представить? Кукла Арни-гей? «Омега» и лично Даймонд должны заработать на этом большие деньги.

— Это их проблемы.

— Тебе легко так говорить, ты можешь противостоять ему, а я нет.

— Ты тоже делал это прекрасно, когда преследовал его с проектом «Старфайер».

— Да, — согласился Арни, — но тогда я просил не за себя.

Сент поставил лодку на якорь и, взяв такси, отправился в гостиницу аэропорта, интуитивно он каждый раз звонил из разных гостиниц. Так, на всякий случай.

404

Потребовалось много времени и денег, прежде чем он дозвонился до Спринг Кентфилд. Сент уже подумывал о том, чтобы послать все к черту, когда трубку наконец сняли. Когда он услышал ее голос, немного раздраженный, перекрываемый звоном бокалов, приглушенным смехом и музыкой, то сразу без обиняков спросил:

— Мама, зачем ты сказала Виктору Даймонду, что я его сын? Ты же прекрасно знаешь, что это неправда.

Он услышал ее прерывистое дыхание, полное возмущения и негодования:

— Слоун, что за смешную игру ты затеял?

— Это не игра, мама. Зачем ты соврала ему?

— У меня нет возможности говорить с тобой сейчас. У меня обедают очень важные люди.

— Мне все равно, с кем ты обедаешь, будь то Стивен Спилберг, Джордж Лукас или Френсис Форд Коппола. Послушай меня, если ты сейчас повесишь трубку, то горько пожалеешь об этом.

Снова возмущенное пыхтение.

— Я не боюсь твоих угроз, Слоун. Даю тебе на разговор пять минут. Подожди, пока я возьму другую трубку.

До Сента доносились отрывки разговоров, взрывы смеха, музыка. Наконец мать взяла другую трубку, наверное, в столовой, а может, где-то еще, и все сразу стихло.

— Ну что? — спросил он. — Теперь мы можем поговорить?

— Надеюсь, ты не забыл, что, если бы не я, ты все еще сидел бы в тюрьме? — произнесла Спринг тоном холодным, как воздух Арктики. — Ты должен быть мне благодарен, а не обвинять мать во лжи. Уж поверь мне, только Даймонд мог вытащить тебя из дерьма, в которое ты угодил по собственной глупости.

— Мне непонятно только, почему ты так долго выкидала?

— Я не понимаю тебя, Слоун.

— Ты все прекрасно понимаешь. Я пробыл в Санта-Пауле почти два года, прежде чем ты посоветовала Арни обратиться к Даймонду и сослаться на тебя. Если ты знала, что он мой отец и такой всемогущий, почему же сразу не обратилась к нему?

— Я не хотела просить его, пока не будут исчерпаны все возможности.

— Ты не обратилась к нему, потому что поначалу тебе это даже в голову не пришло.

— Слоун, это неправда. Я ждала подходящего момента.

— Нет, это не так. Ты не думала о нем, потому что он не мой отец, но потом, возможно, ты решила, а почему бы не попробовать. Ты знаешь Даймонда достаточно хорошо, знаешь, что тот всегда хотел иметь сына, и решила подсунуть ему готового, правда, сидевшего в Санта-Пауле.

— Ну а если и так? Я сделала только то, что на моем месте сделала бы любая мать. Я за тебя очень переживала и готова была пойти на все.

— Все это прекрасно, мама, но я не верю тебе. Я тебя хорошо знаю. Главное для тебя — твоя карьера, которая пошла на убыль, и ты решила поправить ее с помощью Даймонда, дав ему то, что он так сильно желает.

— Слоун, твои инсинуации просто отвратительны.

— Послушай меня, мама. Взамен ты от него ничего не получишь. У него свои планы на будущее, и там тебе нет места.

— Это просто смешно...

— Неужели ты не понимаешь, что он сумасшедший? У него мания величия. И потом, сейчас он нашел себе новую Вэнджи.

На другом конце провода долго молчали.

— Слоун, повтори, что ты сказал, — раздался задыхающийся голос матери.

— Он считает Джи Би своим творением, как это было в случае с Вэнджи.

— О Господи! — Голос Спринг сорвался. — Это должна была быть я, — хрипло прошептала она. — Какой мерзавец! Ведь это должна была быть я.

— Что ты хочешь этим сказать, мама?

— Это должна была быть я, я, я... Если бы я только осталась с ним тогда...

— Но ты же не осталась, ты продалась другому. По крайней мере так он утверждает.

— Господи, Слоун, это неправда. Он встретил Вэнджи, и все было кончено для меня.

— Ты ему сказала о своей беременности?

— Конечно.

— И что он сделал?

— Виктор дал мне деньги на аборт.

— Я счастлив, что остался жить, — скептически заметил Сент. — Оба отца хотели меня убить.

— Слоун, сейчас не время для шуток.

— Это не шутка, мама. — Сент вздохнул. — Значит, когда я был в тюрьме, ты сказала ему, что не сделала аборта.

— Да.

— И он сразу поверил, что я его сын?

— Виктор знал, что у меня больше никого не было. Если бы тогда он думал иначе, то не откупился от меня такими большими деньгами.

— Разве ты не знаешь, что сейчас по анализу крови можно установить отцовство? Если хочешь, я это сделаю.

Спринг молчала.

— Значит, у тебя был еще кто-то, мама? Не стесняйся, расскажи мне.

— Нет, ради Бога, нет. Если он узнает...

— Это нужно знать только мне, мама. Я обещаю, что никогда не расскажу Виктору Даймонду, что у тебя был еще любовник.

— Ну хорошо. — Спринг тяжело вздохнула. — Только боюсь, что тебе не понравится то, что ты услышишь.

— Позволь мне самому решать.

— Как хочешь... — Спринг перешла на шепот: — По правде говоря, Виктор Даймонд просто не мог быть твоим отцом, на это есть причины, чисто физические. Я не хочу сейчас вдаваться в детали. В то время я работала как проклятая. Ты даже не можешь себе представить, что мне приходилось делать. У меня не было ни минуты свободного времени... и все же это случилось. Я сказала Даймонду, что беременна от него, и он поверил. Ему хотелось быть полноценным мужчиной, и Виктор поверил мне. Ему так хотелось иметь ребенка.

— Скажи, кто мой отец.

— Я никогда никому этого не рассказывала. Никто ничего не знает. Твоим отцом стал шофер со студии «Парамаунт». Впервые в своей жизни я допустила такую оплошность. Я никогда не ложилась в постель с мужчиной исключительно ради секса. — По голосу Спринг чувствовалось, что она до сих пор не понимает, как такое могло произойти. — Он был шофером высшего класса, говорили, будто он водит машину как дьявол. Возможно. Я этого не видела. Я никогда не встречалась с подобными людьми, вся эта грязь не для меня. Он был мексиканцем из Тихуаны, с глазами такими же проницательными, как и у тебя. Вот почему я всегда старалась быть от тебя подальше. С тобой у меня связаны самые унизительные воспоминания.

Сент стоически перенес это обвинение.

— Но как тебе удалось скрыть все это, особенно от Даймонда?

— Нас никто и никогда не видел вместе. Мы не бывали на людях и никогда не заговаривали друг с другом. Мы вообще почти не разговаривали.

— Тогда где же...

— Он приходил в мой трейлер между съемками. Все было очень странно: пять минут здесь, две минуты там. Мы занимались любовью на полу, на столе... Господи... это было отвратительно...

— Где он сейчас?

— Он мертв. Убит во время какой-то глупой разборки с пальбой и погоней. Я тогда обрадовалась этому, надеясь, что Даймонд так ничего и не узнает. — Спринг горько рассмеялась. — Но к тому времени он уже встретил Вэнджи, и ему стали не нужны ни я, ни мой ребенок. Сейчас, конечно, ты ему очень нужен. И я подумала, что, может, он наконец даст мне то, чего когда-то лишил.

— Не рассчитывай на это, мама, — сказал Сент с нежностью в голосе. — Ты опоздала. Сейчас у него есть все, чего он когда-либо хотел, твоя карта бита.

В семь часов вечера, проследив, как Даймонд поднялся на борт «Десперадо» и скрылся внизу, Сент и Вера незаметно проникли в трейлер Джи Би. Та полулежала на кровати и пила холодную содовую воду. Лицо ее оставалось бледным, но выглядела она гораздо лучше.

— Как ты себя чувствуешь? — спросила Вера.

— Прекрасно. Я уже сказала Даймонду, что завтра могу приступить к работе. Мне осталась всего одна сцена.

— Мы хотели поговорить с тобой, — сказал Сент, — но нам это раньше никак не удавалось, он все время рядом с тобой.

— Он сказал тебе... — начала Вера. — Он говорил о том, что...

Джи Би спокойно кивнула:

— Конечно. Мы с ним поженимся, как только вернемся в Калифорнию, а потом Сент сделает мне ребенка.

— И ты можешь рассуждать об этом так спокойно! — возмутилась Вера. — Джи Би, да он же сумасшедший.

Возмущению Веры не было предела. Сейчас все происходящее предстало перед ней в новом свете. Сенту приказали сделать Джи Би ребенка, и тот побоится отказаться.

Джи Би равнодушно пожала хрупкими плечами.

— Этого не произойдет, — заметила она спокойно.

— Конечно же, нет, — согласился Сент. — Я никогда не пойду на это. К тому же все это бессмысленно. Я даже не сын Даймонда. Послушай, я вчера разговаривал с матерью по телефону.

Сент пересказал Джи Би все, что узнал от Спринг.

— Я пока не знаю, что человек должен чувствовать, узнав, что он сын шофера-мексиканца, да и какая теперь разница...

Сент замолчал, потому что Джи Би громко засмеялась. Она хохотала и хохотала, и смех ее был на грани истерики. Вера встревожилась.

— Прекрати! — закричала она. — Все будет хорошо. Ты можешь уйти от Даймонда, как только мы вернемся домой. Прекрати сейчас же. Прошу тебя.

— Я не могу, я ничего не могу с собой поделать.

Захлебываясь, Джи Би сделала несколько глотков воды, чуть не подавившись, и засмеялась снова.

— Это ужасно смешно, — проговорила она сквозь слезы.

— Смешно?! — в один голос спросили Сент и Вера, с удивлением глядя на нее.

— Дело в том, что он опоздал, — сказала Джи Би.

— Что значит опоздал? — спросила, нахмурившись, Вера.

— Я уже беременна, об этом мне вчера сказал доктор Суарес. Я совершенно здорова, просто у меня... «налицо все признаки беременности», — процитировала она.

— Почему же ты не сказала об этом Даймонду? — с удивлением спросила Вера.

— Потому что это не его ребенок.

— Не его? Ты в этом уверена?

— Абсолютно. — Джи Би отпила воды и дрожащей рукой поставила стакан на ночной столик. — Мы никогда не делали того, что может привести к беременности, он на это просто не способен. Виктор не может иметь детей, он импотент. Теперь вы понимаете меня. Даймонд импотент и всегда им был.

410

Сенту моментально стало жаль Даймонда. Вот уж действительно трагедия... или скорее трагикомедия.

— Тогда чей же это ребенок? — спросила Вера, как будто сама не могла догадаться.

— Дональда Уилера. — На какой-то момент глаза Джи Би просияли, потом сделались такими же холодными, как и вода в ее стакане. — Я вам передать не могу, какое странное чувство меня охватило, когда доктор Суарес, сидя вот здесь, на твоем месте, сказал мне об этом. Я словно очнулась от сна, скорее от кошмара. Вы даже представить себе не можете, как приятно снова быть нормальным человеком. Я существую в действительности, а не в фантазиях. Я — это я. — Джи Би погладила себя по плоскому животу. — Здесь ребенок, живой ребенок, мой ребенок.

— Ты представляешь, что Даймонд с тобой сделает, когда все узнает? — в испуге спросила Вера.

— Ты должна бежать, — предложил Сент. — Прямо сейчас.

— Побег не спасет меня, — ответила Джи Би с печальной улыбкой. — Те, кто хоть раз ранил самолюбие Даймонда, не ушли от его наказания. Этого еще никому не удавалось. Но во мне мой ребенок, и я сделаю все возможное, чтобы защитить его. Смешно, но раньше я считала, что женщина во время беременности становится слабой, оказывается, это не так. Я чувствую себя сильной, как никогда, и готова сражаться за себя и своего малыша до конца.

Сент вернулся из Пуэрто-Валларта далеко за полночь.

— Она ждет ребенка, — сказал он по телефону Дональду Уилеру. — Твоего ребенка.

Дональда совсем не удивило это известие.

— Я прилечу завтра, — спокойно ответил он. — До моего приезда ничего не предпринимайте, чтобы не вызвать подозрений. Ведите себя как обычно. Делай так, как я сказал, Сент. Никаких действий, все будет хорошо. Я тебе обещаю.

Под дверью каюты Веры виднелась полоска света. Сент тихо постучался:

— Я дозвонился ему, он обещал приехать завтра.

В ответ ни звука.

Сент вошел в пустую комнату. Койка была тщательно застелена, Вера даже не ложилась.

Сент удивленно застыл. Он ожидал увидеть ее нетерпеливо расхаживающей по каюте.

Внезапно он вспомнил, что Вера собиралась пойти в кантину, чтобы помочь Томасу подготовиться к вечеру. «Я сойду с ума, если буду сидеть здесь и ждать тебя», — сказала она.

Сент повернулся, чтобы уйти, но тут взгляд его привлекло лежащее на столе изображение Даймонда, и он не смог удержаться и не посмотреть на него. Сент взял рисунок в руки. Сейчас с Даймондом произошла окончательная метаморфоза, он превратился в змею с чешуйчатой кожей и раздвоенным жалом. Сент печально улыбнулся: под портретом Даймонда лежал его собственный. Он сидел на пляже, облокотившись на перевернутую лодку. Сейчас у него было совершенно другое лицо и даже глаза стали другими. Сент взял рисунок в руки, внимательно исследовал его и сразу понял, в чем отличие. Он походил на шофера-мексиканца, водившего машину как дьявол.

Он заметил, что на обратной стороне что-то написано, и стал читать.

«Дорогой Сент!

Мы все приехали в Мексику, и одному Богу известно, что здесь с нами может случиться, но я не могу думать ни о чем другом, только о тебе».

Сент внимательно до самого конца прочитал письмо Веры.

«Я полюбила тебя, как только увидела, и все еще продолжаю любить и буду любить вечно.

Но теперь с меня довольно. Я должна положить этому конец.

Я рада, что ты никогда не прочтешь этого письма».

Сент решил не искать Веру.

Он вышел на палубу и сел на носу лодки, один в полной темноте.

Из-за грозовых туч робко выглядывала луна. Огромная волна накренила яхту, и якорная цепь жалобно заскрипела. Уже сейчас было видно, что надвигается буря.

На берегу светилась желтыми огнями кантина, и оттуда доносилась музыка. Сент положил подбородок на руки и задумался.

Какое-то время его голова была совершенно пуста, словно последнее потрясение парализовало мозг и он сам защищал себя от эмоциональной перегрузки.

Постепенно на сердце потеплело, и это тепло разлилось по всему телу.

Вера любит его.

А он об этом никогда не догадывался. Затем Сент понял, что где-то в глубине души он знал об этом, но для него на первом месте всегда была Джи Би, заслонившая собой все, сделавшая его слепым. Сент не успел понять, что именно Вера поднимала его, когда он падал, к ней он прибегал в минуты отчаяния, и девушка, не задавая лишних вопросов, всегда принимала его и даже, жалея, легла с ним в постель. Именно к ней он прибежал после ужасного обеда в Нью-Йорке и сделал это подсознательно; это Вера навещала его в тюрьме, приносила кучу подарков и снабдила пишущей машинкой. Его ум работал в унисон с умом Веры, они без слов понимали друг друга.

Господи, Вера!

Если он сейчас быстро что-то не предпримет, он навсегда потеряет ее. Она уедет в Японию, и он останется один и этого не переживет.

Нет, решил Сент, они должны начать все сначала. Теперь он знает, как себя вести.

413

Глава 27

В полдень стало жарко и тихо, однако с юго-запада ползли черные грозовые тучи.

Томас Очоа с самого утра смотрел на небо, умоляя, чтобы свершилось чудо и дождь прошел стороной, а уж если и польет, то хоть не проливной, как обещало зловещее небо, когда потоки воды с грохотом обрушиваются на крышу из оцинкованного железа, проникая во все дыры и щели. Если такое случится, то может произойти короткое замыкание, да и вообще весь вечер, обещавший быть таким чудесным, будет загублен.

— Господи, помоги, — умолял Томас. — Не допусти, чтобы пошел дождь.

Сент оставил на койке Веры записку: «Дональд уже в пути. Постарайся вести себя с Даймондом как обычно». Он хотел добавить, что им нужно как можно быстрее поговорить, но не решился, так как сейчас, когда настал решительный момент, Сент испугался: а вдруг Вера ему откажет и будет, впрочем, совершенно права.

Во всяком случае, утром он ее не видел. Вера не пришла на заключительные съемки, где взволнованная Старфайер снова и снова сбегала вниз по полуразрушенной лестнице, пока Даймонд не остался доволен отснятой сценой.

Сент нашел Веру на пляже в окружении ребятишек, которые с собачьей преданностью смотрели ей в глаза и просили нарисовать их портреты.

— Когда же приедет Дональд? — спросила она. — Времени уже много.

— Он сказал, что ему надо выудить еще одну крупную улику.

— Что значит «выудить крупную улику»?

— Думаю, об этом мы узнаем от него. Сколько еще ты собираешься рисовать ребятишек?

— Сколько смогу, столько и нарисую, так быстрее бежит время.

— Вера...

— Да? — сказала она, на поднимая глаз от портрета, где тщательно оттеняла складки белого платья Челестины, купленного ко дню первого причастия и надетого ради такого случая.

— Я хотел... А, пустяки, не обращай внимания.

В то самое время, когда Сент, оставив Веру на пляже, уходил, так и не набравшись мужества поговорить с ней, доктор Дональд Уилер втискивал арендованную им машину между «Мерседесом-320» и черным «бьюиком» на парковочной площадке рядом с домом Дэвида Циммермана на Бель-Эр.

Дворецкий открыл ему дверь и на хорошем английском языке сказал:

— Мне ужасно жаль, сэр, но, боюсь, мистер Циммерман не сможет принять вас сегодня.

Из дома слышались телефонные звонки, громкие разговоры, хлопанье дверей, в воздухе пахло беспокойством.

Дональд напустил на себя важность и на таком же хорошем английском языке ответил:

— У меня назначена встреча, мистер Циммерман ждет меня. Ему обязательно нужно со мной увидеться.

— Видите ли, в доме царит паника, — ответил дворецкий. — Он сказал мне: никого, ни единой души... Вам лучше позвонить ему на следующей неделе.

— Нет, не лучше, — возразил Дональд. — На следующей неделе будет поздно. Скажите ему, что я хочу поговорить с ним о Викторе Даймонде, Флетчер Мак-Гроу и Вэнджи Селлорс.

Дональд написал все эти имена на своей визитной карточке.

Правый глаз дворецкого задергался, он в нерешительности топтался на месте.

— Я вам ничего не обещаю, — ответил он наконец. — Вы выбрали не лучший день.

Но взял визитку и скрылся за дверью.

Через несколько минут Дональда провели в просторную комнату, выходящую окнами на зеленые лужайки с подстриженными в виде скульптур кустарниками. За широким столом сидели два человека и о чем-то горячо спорили. Один из них — высокий, с круглой загорелой лысиной, окруженной венчиком жестких, похожих на щетину волос; второй — маленький, грушеобразный, в черном шелковом костюме, он ожесточенно размахивал какой-то бульварной газетенкой. На первой полосе красовалась фотография обнаженной девицы, а заголовок, набранный большими черными буквами, которые Дональд мог прочитать даже с порога, гласил: «СТАРФАЙЕР БЫЛА ПРОСТИТУТКОЙ»

— Черт возьми! — кричал лысый. — Тебе надо ехать туда сию же минуту! Входите, доктор Уилер, — сказал он, завидев Дональда. — Что бы у вас там ни было, хуже уже не будет.

Дональд посмотрел на фотографию и узнал в обнаженной девице Джи Би.

— Будет, — пообещал он.

Экраном Томасу служила простыня, прикрепленная двумя концами к потолку, а двумя другими прибитая с помощью колышек к полу. За стеной мирно урчала генераторная установка, снабжая током телевизионный проектор, звукосниматель и прожекторы для подсветки, которые при включении вспыхнут — и разноцветные огни запляшут в радостном танце. Томас нарадоваться не мог: все должно пройти не хуже, чем в лучшем диско-клубе Пуэрто-Валларты. Одетый в обтягивающие джинсы и ярко-красную рубаху, с напомаженными до блеска волосами, он летал, словно яркая веселая птичка, между баром и времянкой, где солидный техник проверял качество звука и света.

Люди начали стекаться в кантину с шести часов: деревенские, местные американцы, вся съемочная группа студии «Омега», за исключением тех, что уже улетели на рейсовом самолете или уехали с грузовиками, увозящими оборудование. Пришел даже отец Игнасио и, взобравшись на высокий стул у стойки бара, сидел, нахохлившись, словно старый гриф с взъерошенными пыльными перьями. Послышались глухие раскаты грома. Томас подбежал к отцу Игнасио и заломил руки.

— Молитесь, отец, молитесь, чтобы не было дождя.

Иерархическая верхушка студии «Омега» сидела за столом, расположенным между звуковой кабиной и баром, и была предметом высочайшего внимания, сплетен и пересудов.

Виктор Даймонд сидел в центре весь в белом: белые с хорошо отутюженными стрелками брюки, белая туго накрахмаленная рубашка, которая, как ни странно, совершенно не промокла от пота, если учитывать изнуряющую жару. По мнению многих, ему бы корону на голову и муаровую ленту с орденами на грудь — и вот вам самый что ни на есть настоящий император. Слева от него сидел Сент, загорелый до черноты, в черных джинсах и черной майке, с цветным красно-белым платком вокруг головы, ну просто пай-мальчик из Лос-Анджелеса. Напротив него устроилась Вера в малиновой блузке, короткой черной юбке, с вызывающе яркой помадой на губах и алым экзотическим цветком в волосах. Рядом с ней расположился Арни в бело-голубой клетчатой рубашке, голубых джинсах, с небрежно повязанным вокруг шеи сине-белым платком. И хотя он был одет почти так же, как и Сент, на окружающих он производил совершенно другое впечатление: его воспринимали как пышущего здоровьем, непорочного и красивого ковбоя из Оклахомы.

Ну и, конечно, гвоздем программы была сама Старфайер, сидевшая справа от Даймонда. На ней было короткое платье из материала, напоминавшего фольгу. Роскошные волосы собраны на макушке и прикрыты серебряным филигранным беретом. Она была далекой и не по-земному прекрасной, самая настоящая Чириуатетл, о чем продолжали шептаться жители деревни.

Томас поставил на стол один кувшин с пивом, другой с вином, а перед Старфайер, которая отказалась от спиртного, стакан грейпфрутового сока. Боррачо Пит, подсевший к Сенту в надежде на бесплатную выпивку, встретил недобрый взгляд Даймонда и быстро ретировался.

Звукооператор начал прокручивать пленки, тщательно отобранные Томасом, которые на прекрасной технике звучали просто ужасающе.

Мексиканские парни пили и рассматривали Джи Би.

— Хочешь потанцевать с ней, старик?

— Смеешься? Танцевать с богиней? Или, может, с ведьмой?

— Боишься, что она тебя околдует?

— Я бы не возражал против ее колдовства.

— Хватит, мужики, никакая она не ведьма. Ты что, дурак, не видишь?

— Тогда иди и пригласи ее.

Они продолжали пить, шептаться, строить планы. Вот она перед ними, впервые такая доступная. Ее можно потрогать, можно поговорить с ней, потанцевать, не страшась никакого возмездия, ибо сегодня фиеста, играет музыка и все веселятся.

Да к тому же это их последняя возможность, завтра киношники уедут, и все кончится.

— Почему она должна танцевать с нами? Пусть она не ведьма, не богиня, а все же кинозвезда.

— И к тому же он с ней.

Парни замолчали и украдкой поглядывали на Даймонда, которого все без исключения очень боялись.

— Не дрейфь, пригласи ее. Не видишь разве, что она только и ждет твоего приглашения.

— Больно надо, она холодна как лед, даже ни разу не улыбнулась.

— Заладил, девчонка сейчас быстренько разогреется.

— С чего ты взял?

— Иносенсио добавил в ее сок кактусовой водки. Я видел это собственными глазами.

— Шутишь?

Затаив дыхание все посмотрели на Иносенсио, четырнадцатилетнего парня, разливавшего напитки.

— Хлебни еще немного, — посоветовал один из заводил, — и лед растает в твоих руках.

Даймонд встал и поднял руку, требуя внимания. В зале наступила гробовая тишина.

Словно дождавшись именно этого мгновения, в небе долго и раскатисто прогремел гром. Сейчас Даймонд выглядел не как император, а как самый настоящий колдун, призывающий к себе на помощь стихию. Отец Игнасио перекрестился и дотронулся рукой до заветного мешочка с травами.

— Завтра мы уезжаем, — начал Даймонд, — и я хочу сказать несколько слов. — Его тяжелый взгляд остановился сначала на Старфайер, затем на Сенте и Арни. — Мы здесь сотворили чудо, мы сотворили его своим талантом и трудом. Мы великая команда и создали великий фильм. Вместе мы можем свернуть даже горы. Мы построили новую империю, и все вы, — он широко распахнул руки, охватывая присутствующих, — стали ее частью. Частью нас самих, студии «Омега» и, конечно, «Старфайер». Мы вписали себя в историю.

Собравшиеся зааплодировали, Даймонд дождался, когда смолкнут овации, и торжественно продолжал:

— У меня хорошие новости, но я ждал подходящего случая, чтобы сообщить их, и вот момент настал. — Он набрал в легкие побольше воздуха и еще более торжественно провозгласил: — Мы не остановимся на достигнутом! Мы устремимся к новой цели! В следующем году мы начнем снимать еще один фильм. Я провозглашаю тост за «Старфайер III»!

Даймонд схватил руку Джи Би и высоко ее поднял.

Мало кто из присутствующих, кроме, конечно, американцев, понял смысл его речи, но ее торжественность не оставляла сомнений, поэтому все одобрительно загудели, застучали по столам кулаками и банками из-под пива.

— А сейчас, — произнес Даймонд с торжественностью короля, открывающего бал для своих придворных, — давайте танцевать!

Звукооператор с радостью отбросил в сторону пленки, отобранные Томасом, поставил другие. Многие вышли на танцевальную площадку, цветные пятна света закружились в бешеном ритме, и диско-вечер, который навсегда останется в памяти жителей Ла-Плаиты, начался.

— Идем, Вера, — сказал Сент, предлагая ей руку.

На танцплощадке уже было тесно от желающих танцевать, и Сент прижал Веру к себе. Откладывать дальше было невозможно. Сейчас или никогда. Он целый день твердил, что скажет ей, и выучил свою речь наизусть.

— Так этот танец не танцуют, — прошептала Вера, пытаясь отстраниться от него.

— Ерунда.

Сент забыл о музыке и лишь чувствовал тепло ее тела под шелковой блузкой и тонкие пальцы в своей руке. Даже то, что Дональд так и не приехал, отошло для него на задний план. Он еще сильнее прижал Веру к своей груди, она была сейчас такой худенькой, такой хрупкой. Он знал ее толстой, похудевшей, снова растолстевшей и опять севшей на диету. Словом, видел ее всякую, но что за черт? Он растерял все слова, которые хотел сказать, а ведь какие умные были. Но надо же что-то говорить. Сейчас или никогда, и Сент скороговоркой начал:

— Вера, я не хочу, чтобы ты уезжала в Японию. Я хочу, чтобы ты осталась со мной, вышла за меня замуж, потому что мы с тобой отличные партнеры в работе. Я не хочу терять тебя и... — Господи, зачем он это говорит? — Я люблю тебя, черт возьми.

Сент с облегчением вздохнул и выжидательно посмотрел на Веру.

Вера молчала, ее тело ослабло в его объятиях, девушка боялась поднять на него глаза.

— Вера, можешь ты сказать хоть что-нибудь?

«Может, она не слышала меня? — подумал Сент, и его охватила паника. — А что, если Вера ответит мне отказом? Господи, что я знаю о ее жизни? Меня никогда не интересовало, что с ней происходит. Я всегда принимал ее как нечто само собой разумеющееся и почему-то решил, что, стоит мне сказать «выходи за меня», она сразу же бросится в мои объятия».

— Я дурак, каких свет не видывал, — сказал Сент. — И понял это только вчера вечером, когда пришел к тебе в каюту и прочел письмо.

— Ты видел мое письмо? — жалобно спросила Вера.

— Я знаю, что не должен был делать этого, но тем не менее сделал. Вера, я люблю тебя. Поверь мне, это правда. Я всегда тебя любил, просто раньше не осознавал этого. Мне пришлось пройти через многие испытания, чтобы понять это. Какой же я дурак! Ты выйдешь замуж за дурака и бывшего заключенного? Пожалуйста, Вера, скажи «да».

Ему показалось, что девушка ответила, но музыка заглушила ее слова.

— Что ты сказала? — спросил он.

Сент потряс ее за плечи, стараясь добиться ответа, но она только произнесла:

— Сент, давай вернемся на место.

— Вик, — сказал Арни, когда Сент и Вера ушли танцевать. — Мне нужно с тобой поговорить.

— Конечно, Арни, — охотно согласился Даймонд. — Я весь внимание.

— Я знаю, что сейчас неподходящее время, но лучше выложить все сразу, я больше не могу ждать. Так вот относительно нашей команды и прочего. Я выхожу из нее.

Наступило молчание. Улыбка на миг исчезла с лица Даймонда, затем заиграла снова.

— Ты прав, сейчас не время для таких разговоров. Ты опустошен и вымотался, как и все мы. Я это прекрасно понимаю. Вот почему я не забил тревогу, когда ты провел ночь с Верой. Мы поговорим обо всем, когда вернемся в Лос-Анджелес.

— Я не могу ждать так долго. Я знаю, что это звучит глупо... Уж если так долго ждал, то могу подождать и еще немного.

— Ты прав, это глупо. Я не хочу слушать тебя, Арни.

— Но тебе придется, я говорю вполне серьезно, это конец. Я не буду принимать участие в «Старфайер III».

Даймонд продолжал улыбаться:

— Не глупи, Арни. Ты заработаешь столько денег, сколько тебе и не снилось. Может, ты получил более выгодное предложение?

— Меня не интересуют эти чертовы деньги и никогда не интересовали.

— В чем же тогда дело?

— Я не считаю себя достаточно хорошим актером...

— А кого бы тебе хотелось играть? Гамлета? Послушай, Арни, может, ты и не Лоуренс Оливье, но как-никак звезда крупной величины. Я кое-что придумал, тебе это должно понравиться.

— Ты меня совсем не понимаешь. Если бы я был просто актером, это еще куда ни шло, но мне противно быть секс-символом. Я этого больше не выдержу.

Даймонд задумчиво посмотрел на Арни:

— Теперь вижу, что ты говоришь серьезно.

Выражение лица Даймонда быстро менялось, и через минуту перед Арни сидел совершенно другой человек.

— Понимаю, — сказал он. — Ты хочешь сказать, что меняешь пол.

От удивления Арни захлопал ресницами.

— Ты все знаешь? — спросил он.

— Конечно, знаю.

— Но откуда?

— С самого того дня, когда ты рассказывал мне о Сенте. Глаза выдали тебя, Арни, тебе надо быть осторожнее. Все твои мысли можно прочесть по глазам.

Арни на мгновение смутился, но быстро взял себя в руки.

— Ну что ж, я рад, что ты меня понимаешь. Да, я гей и не стыжусь этого. Во всяком случае, сейчас, — сказал он и более решительно добавил: — И не собираюсь делать из этого секрета.

Лицо Арни просияло: все оказалось намного проще, чем он думал, но, взглянув на Даймонда, увидел, что тот смотрит на него как на отвратительного уродца, помещенного в колбу с формальдегидом.

— Ты испытываешь к Сенту физическое влечение, не так ли? — продолжал Даймонд, будто вообще не слышал, о чем говорил Арни. — Возможно, по ночам мечтаешь о близости с ним. Должно быть, это очень трудно: мечтать о мужчине, а на экране заниматься любовью с женщиной и делать вид, что ты страстно ее желаешь.

Лицо Арни сразу осунулось, в голове зашумело.

— Нет, — продолжал тем временем Даймонд. — Ты нужен мне, Арни. Ты не можешь вот так просто взять и уйти. У нас с тобой контракт. Если ты уйдешь от меня, то твоей карьере конец. Я покончу с тобой раз и навсегда.

— Меня это больше не волнует, — ответил Арни, чувствуя, как неестественно звучит его голос.

— Тогда подумай о всех здешних мальчиках и их родителях, для которых ты самый настоящий герой, сумевший покончить с наркотиками и призывающий к этому других.

— Я...

Даймонд улыбнулся, по мнению Арни, улыбкой паука, наблюдающего за мухой, попавшей в расставленные им сети.

— Ты думаешь, им понравится, если они прочтут в утренних газетах о том, что ты уволен со студии «Омега» за то, что заманивал их детей на пляж и совращал там? Я вчера вечером видел тебя с одним из них.

Лицо Арни стало мертвенно-бледным.

— Что ты мог видеть? Мы просто разговаривали. Господи, Даймонд...

— Эти люди очень бедны, Арни. Дай этому мальчику сто баксов, и он скажет что угодно. Как его зовут? Рауль?

— Ты не можешь так поступить со мной. Как можно...

— Можно пустить слух, что у тебя СПИД и ты заразил всю деревню.

Потрясенный Арни молча смотрел на Даймонда, а тот, в свою очередь, разглядывал его. Глаза Виктора были пусты и напоминали глазницы мертвеца.

— Я не люблю, когда мне предъявляют ультиматум. Еще никто и никогда не покидал меня. Я сам решаю, кому уйти, а кому остаться, Арни. Запомни это.

Джи Би жадно пила. Сок имел странный привкус, но был прохладным и бодрящим, а ей стало жарко. «Мне бы только пережить сегодняшний вечер и завтрашнее утро, — думала она, — и если доктор Суарес ничего не рассказал Даймонду, я благополучно вернусь в Калифорнию, а там все образуется. Там мне ничто не страшно».

Поднявшийся ветер продувал кантину и раскачивал гирлянды электролампочек. Пятна света с головокружительной скоростью плясали по стенам, в такт им гремела музыка. Она выпила сок, и тотчас же перед ней появился Томас со вторым стаканом. Джи Би снова стала жадно пить, одновременно поглаживая живот и думая о ребенке, таком маленьком, но упорно растущем, минута за минутой, клетка за клеткой.

Она прекрасно сознавала, что любой ценой должна расстаться с Даймондом. У нее больше не было никаких иллюзий на его счет, так же, как и у Арни.

Если он узнает о ребенке, то непременно убьет его (пока Джо-Бет думала о нем в третьем лице, не осмеливаясь называть «он» или «она»), а ее задача защитить его, даже если ей придется для этого пожертвовать Мелоди Рос или мамой.

Она отпила еще немного сока и попробовала сосредоточиться, но мысли путались в ее голове. К столу подошел молодой человек, скорее мальчик лет семнадцати, не больше, и, улыбаясь, протянул руку.

Она повернулась к Даймонду, но тот о чем-то горячо спорил с Арни и не смотрел на нее.

Джо-Бет прекрасно знала, что Виктор не позволит ей танцевать. «Так буду танцевать назло ему, — решила она, — это будет моей маленькой местью». В голове мелькнула мысль: как было бы хорошо закружиться в вихре танца, выскользнуть через открытую дверь и, не останавливаясь, танцевать на пляже, затем по поверхности океана, а дальше взлететь в небо и улететь туда, где будут только они с Дональдом и их ребенок. Джи Би поднялась, улыбнулась мальчику и последовала за ним в толпу танцующих, которая сейчас казалась ей островком безопасности. Она закрыла глаза, и моментально ее кавалер превратился в Дональда Уилера, который приехал, чтобы увезти ее...

Танцующие пятна света падали ей на платье, вспыхивая на нем разноцветными огнями. Она, должно быть, потеряла свой берет, так как ее волосы густым потоком внезапно хлынули на плечи.

Джо-Бет открыла глаза и засмеялась, и в этом смехе было что-то дикое и страстное, потому что перед ней был Дональд Уилер, стройный, загорелый, с напомаженными, блестящими волосами, в ярко-голубой шелковой рубахе. К тому же он был прекрасным танцором.

Сейчас танцевали почти все. Несколько индейцев в белых, украшенных чудесной вышивкой рубашках стояли у стены и с любопытством наблюдали за танцующими. Рядом с ними в дверном проеме притулился маленький человечек в сомбреро. На боку у него висел большой серпообразный нож. Его сумрачный взгляд неотступно следовал за Джи Би. На миг ей показалось, что она уже где-то видела его.

Мальчик крепко прижимал ее к себе, пожалуй, даже слишком крепко. Джо-Бет чувствовала отвратительный запах его смазанных маслом волос, и от этого запаха к горлу подступала тошнота. Свет слепил ее, музыка неприятно резала уши, в затылке нестерпимо болело.

— Давай выйдем на улицу, — предложил мальчик.

Джи Би казалось, что пол уплывает у нее из-под ног. Она и ног-то даже не чувствовала, ее шатало, и мальчик почти волок девушку на улицу. Если бы она не помнила, что пила только сок, то могла бы сказать, что совершенно пьяна. Они вышли на темную улицу, где жалобно завывал ветер, взметая в воздух пыль и песок; волны грохотом бились о берег, в небе сверкали молнии. Ничего не видя в темноте, она скорее почувствовала, что мимо нее в кантину проскользнули две темные фигуры. Над их головами раскатисто прогремел гром, и Джи Би в страхе закрыла уши руками.

Когда разговор закончился, они заметили, что к их столику приближаются двое мужчин. Один невысокого роста, в промокшем до нитки черном костюме и белой рубашке; второй — высокий, с рыжими, потемневшими от дождя волосами.

Это были Ясон Брилл и Дональд Уилер.

426

Брилл выглядел испуганным и продрогшим до костей.

— Я должен был приехать сюда гораздо раньше, — сказал он Даймонду, стуча зубами, — но эта чертова погода помешала. Идет тропический тайфун, аэропорт закрылся, наш самолет был последним, совершившим посадку.

— Не понимаю, зачем ты вообще прилетел сюда, — фыркнул Даймонд, — и зачем привез с собой этого черта?

Он бросил недобрый взгляд на Дональда Уилера.

— Он оказал мне неоценимую помощь, — ответил Брилл. — Мне было так плохо в лодке, настоящий приступ морской болезни. Я так страдал, никогда в своей жизни не чувствовал себя так паршиво. Кроме того, у меня для тебя печальные новости.

Арни, по лицу которого было видно, какое у него подавленное настроение, с любопытством переводил взгляд с Брилла на Дональда. В толпе танцующих показались спешившие к столику Вера и Сент.

— Как хорошо, что ты приехал, — сказал Сент, протягивая Дональду руку.

Даймонд бросил на Брилла враждебный взгляд:

— Что такое могло случиться, чтобы ты лично приехал сообщить мне последние новости? Здесь есть телефон, можно было послать факс. Твой приезд лишен всякого смысла, особенно если учесть, что завтра мы возвращаемся.

— Дело не терпит отлагательства. Дэви прислал нас сюда на своем самолете.

— Дэвид Циммерман? Прислал? — Даймонд окинул Дональда Уилера холодным взглядом. — У вас должны быть очень веские причины, чтобы приехать сюда.

— Они у меня есть, можете не сомневаться, — вежливо ответил тот.

Музыка гремела, лучи света продолжали свою пляску, окрашивая лицо Даймонда в желтые, красные и синие цвета. Он крепко схватил Брилла за руку и потащил к выходу.

— Нам лучше поговорить на улице, — сказал он, волоча за собой своего помощника, словно страж порядка — преступника.

Они спрятались за грузовиком с генераторной установкой, который защищал их от ветра и постороннего глаза. Дрожащей рукой Брилл достал из внутреннего кармана пиджака смятую газету.

— Что это? — грозно спросил Даймонд.

— Сегодняшний номер «Нэшнл инкуайрер», — шепотом ответил Брилл. — Похоже, ты не все знаешь о Старфайер.

— Глупости, я знаю все.

— Нет, не все.

Так оно и оказалось.

«СТАРФАЙЕР БЫЛА ПРОСТИТУТКОЙ» — гласил заголовок. Под ним помещалась черно-белая фотография, на которой молоденькая девушка, вне всякого сомнения Джи Би, совершенно обнаженная, вызывающе смотрит на мир широко распахнутыми глазами.

Даймонд молча изучал фотографию.

— Где они раздобыли эту дрянь? — спросил он, приходя в себя.

На глаза ему попался подзаголовок, где более мелкими буквами сообщалось: «У нее были постоянные любовники» — так говорит ее сестра.

— «Говорит ее сестра», — передразнил Даймонд. И ногтем подчеркнул слово «сестра». — Значит, эта твердолобая сука вылила на нее все дерьмо... Она у меня пожалеет, что родилась на свет, — добавил Виктор с мрачной усмешкой.

— Полагаю, что сейчас уже миллионы таких фотографий разошлись по всей стране, — бесстрастным голосом заметил Брилл.

Даймонд сильно потер затылок, несмотря на жару, его прошиб холодный пот.

— Их можно отозвать, — сказал он. — Они моя собственность.

— Нет, не твоя. Она позировала для этих фотографий десять лет назад. Согласно договору, все права на нее отданы другому агентству. Компания по производству игрушек «Маклин корпорейшн» подала в суд на студию «Омега» и на тебя лично, обвиняя в недобросовестности и мошенничестве. Они не могут позволить, чтобы «их продукция вызывала такие грязные ассоциации», если точно цитировать их слова.

Даймонд выхватил газету из рук Брилла и стал рвать ее на мелкие клочья.

— Я сам подам в суд на эту газетенку.

— Неразумно. У нас нет ни единого шанса выиграть дело. Судебная тяжба с газетой не только не приведет ни к чему хорошему, но и влетит в копеечку. Что касается «Маклин корпорейшн», Дэйв сам займется этим делом. Он планирует закрыть этот печальный бизнес со «Старфайер» раз и навсегда.

— «Печальный бизнес», — медленно повторил Даймонд. — Сейчас кое-кому действительно станет очень печально.

Он вернулся к столику, сопровождаемый Бриллом.

— Где она? — спросил Даймонд тихим, спокойным голосом. — Где Старфайер?

— Расскажи нам, что это за новости? — потребовал Сент.

— С этим можно подождать.

— Тогда скажи хотя бы, что привело тебя к Циммерману?

— Потому что он главная шишка. По крайней мере формально он считается начальником Даймонда. Он член корпорации, и Даймонд подчиняется ему. Где она?

— Где-то здесь.

Арни в это время пил что-то из коричневой бутылки без этикетки и, оторвавшись от нее, заметил:

— Она танцует.

— По правде говоря, — сказал Дональд, — я попал в ужасную ситуацию Циммерман был рад меня видеть, и мы хорошо поговорили. Ему ненавистны все делишки Даймонда, и он хочет как можно скорее с ним расстаться, даже если придется аннулировать контракт на «Старфайер III». На «Омеге» сейчас «оттачивают ножи» и собираются покончить с этой мафией раз и навсегда. — Дональд немного помолчал. — Мне надо что-нибудь выпить, дорога была ужасной, и я весь измотан.

Он взял со стола наполовину пустой стакан и выпил содержимое, краски стали возвращаться на его лицо.

— Теперь мне немного лучше. — Он потер кулаком мокрую от пота щеку. — Что за дрянь я выпил, эта жидкость напоминает растворитель для красок. — Он посмотрел вокруг себя. — От этого жуткого света меня просто мутит. Где же, черт возьми, Джи Би? Ей пора бы уже вернуться.

Было очень темно, на небе ни звезды. Она спотыкалась о неровности почвы, а мальчик продолжал тащить ее все дальше и вдруг крепко прижал к груди. Джо-Бет совершенно потеряла ориентацию и не понимала, лежит ли она на земле или все еще стоит на ногах. Ей было невыносимо жарко, жарко до тошноты, до одури в голове; все тело взмокло от пота. А мальчишка возбудился и, несмотря на ее бешеное сопротивление, пытался повалить на землю. Он улыбался, в темноте блестели его белые зубы. Девушка почувствовала, как жадные руки шарят у нее под юбкой. Ей были отвратительны и его улыбка, и его руки.

— Чириуатетл, — прошептал мальчик.

Невероятным усилием она собрала остатки сил и снова стала Джи Би Финей.

— Эй! — закричала она. — Отпусти меня немедленно, иначе я оторву тебе все причиндалы.

— Чириуатетл...

— Сейчас я покажу тебе Чириуатетл!

Она откинулась назад и что было силы ударила его коленом в пах. Мальчишка взвыл и схватился за низ живота. Джи Би размахнулась и ударила его кулаком в лицо. Он согнулся пополам, зажав руки между ног.

Земля уплывала, и Джо-Бет изо всех сил старалась сохранить равновесие. Прогремел гром, и порывистый ветер окатил ее дождем. Она попыталась убрать с лица прилипшие волосы, но в это время дождь хлынул сплошным потоком. Он был таким плотным, что девушка едва различала огни кантины, и таким шумным, что заглушил даже громкую музыку. Джо-Бет крутилась на одном месте, не зная, куда идти. Чья-то холодная рука взяла ее крепко за локоть.

— Сокей, — прошептал кто-то прямо в ухо. — Сокей, пошли.

«Дональд, — подумала она с облегчением. — Наконец-то он приехал».

Ее тело мгновенно наполнилось силой, возможно, Старфайер передала ей свою энергию. Сейчас она возьмет его руку, и он уведет ее от Даймонда, подальше от этих мест, туда, где она будет в полной безопасности.

Дождь стучал по оцинкованной крыше, заглушая гром и звуки музыки.

— Видео! — закричал Томас. — Сейчас запустим видео! Сильный ветер, прилетевший с океана, надул простыню, как парус.

Дональд Уилер осушил до конца стакан и, ошеломленный, откинулся на стуле.

— Эта жидкость сшибает с ног. Что это такое?

— Это грейпфрутовый сок, который пила Джи Би, — сказала Вера.

— Шутишь?

Дональд передал стакан Сенту, и тот понюхал жидкость.

— Водка, — ответил он и, поймав недоуменный взгляд Дональда, добавил: — водка из сока кактуса, местное варево. Неплохо идет, если смешать с... — Лицо его побледнело. — О Господи! Она ведь думала, что пьет просто сок. По-моему, Джо-Бет выпила шесть таких стаканов.

— Нам лучше поискать ее, — сказал Дональд.

Свет погас во второй раз, но сейчас его выключили специально.

Из громкоговорителей, включенных на полную мощность, чтобы заглушить раскаты грома и шум дождя, полились первые аккорды музыки, сопровождающей боевик с участием Майкла Джексона, а вскоре на экране появился и он сам в сопровождении хорошенькой девушки. Толпа разразилась криками и аплодисментами.

К уху Сента склонился Даймонд.

— Где она? — спросил он. — Где Старфайер?

В темноте лицо Даймонда было страшным.

Сент ничего не ответил и, расталкивая людей, бросился к двери, чувствуя спиной, что за ним бежит Дональд.

На экране мелькали кадры, церковное кладбище закрывал густой туман. Из разверстых могил поднимались страшные мертвецы.

Сложив из пальцев крест, отец Игнасио с ужасом смотрел на экран.

Мертвецы, покрытые зияющими ранами, образовали хоровод и закружились в бешеной пляске.

Дождь стучал по крыше, лил изо всех щелей, но никто, казалось, не замечал этого. Томас смотрел на экран затаив дыхание, возможно, вечер все же удастся.

Раздался оглушительный треск, будто сами небеса обрушились на головы присутствующих. Порыв ветра — и простыня с ее ужасным хороводом мертвецов слетела на головы потрясенных зрителей. Вспыхнул яркий голубой свет, запахло азоном. Музыка стихла.

— Черт! — раздался в темноте голос с явным кентуккийским акцентом. — Боюсь, кина больше не будет.

Дональд, Сент, а за ними Даймонд, Вера и Арни выскочили на улицу под проливной дождь, где к ним подбежала согнувшаяся пополам фигура.

— Она ушла, — сказал Сенту мальчик. — Мы избавились от нее. Она чертова ведьма, мужик.

— Ушла? Куда?

Дрожащей рукой мальчик показал в сторону пляжа, где в это время над сгоревшей гостиницей сверкнула молния, осветив две бредущие по песку фигуры.

— Она ушла с Ройалом Гутиеррессом. Вам лучше поспешить, если хотите получить ее целой, иначе он изрежет ее на мелкие кусочки.

Все побежали к пляжу, мальчик закричал им вдогонку:

— Не забывайте, что сейчас полнолуние, а в полнолуние он становится бешеным.

Человек буквально волок ее по пляжу, Джи Би спотыкалась, ее ноги увязали в сыром песке. Дождь привел ее в чувство, и девушка поняла, что ее тащит за собой не Дональд, а кто-то чужой. Она стала упираться.

— Отпустите меня! — закричала она. — Куда вы меня ведете? Я с вами не пойду.

— Сокей, — повторял он снова и снова. — Сокей.

Джи Би стала ругать себя за то, что по неосторожности выпила какую-то дрянь, которая опьянила ее, сделала безвольной и глупой. Если у нее раньше были просто неприятности, то сейчас она попала в настоящую беду. Этот человек был тем самым стариком в шляпе, торговцем марихуаной. У него вставные металлические зубы, и все считают его безумцем и зовут Эль Локо. Он был маленьким и старым, но обладал невероятной силой, и у него было мачете.

Джи Би охватил страх, сердце в груди бешено стучало. «Что мне делать? — думала она. — Как мне вырваться от него?»

Что оставалось делать? Только ждать, когда он ослабит тиски, и убежать, хотя девушка сильно подозревала, что этот маленький человечек не только бегает быстрее, но и отлично видит в темноте.

В небе блеснула молния, и Джо-Бет увидела, что они уже на краю пляжа. Она нарочно споткнулась и упала на колени. Старик с удивительной легкостью поднял ее на ноги и потащил дальше, мимо бассейна, ресторана, к лестнице, ведущей в сгоревшую гостиницу.

«Не паникуй, — приказала себе девушка. — Не борись с ним. Иди и делай вид, что ты не собираешься удрать, а когда он хоть немного ослабит хватку, беги что есть мочи. Ведь должен же он хоть на секунду отпустить мою руку».

Вспыхнула молния и высветила видневшиеся впереди заросли джунглей. После каждой вспышки молнии темнота сгущалась. Хоть бы какой-то свет, хоть лунный... ведь сегодня должно быть полнолуние...

Джи Би чувствовала себя совсем одинокой, всеми покинутой. Ее хлестал дождь, били по лицу невидимые в темноте ветви.

Она скользила по мокрым камням и падала, но каждый раз железная рука старика с легкостью поднимала ее и ставила на ноги.

Оглянувшись назад, она не увидела огней деревни. Если ей удастся бежать, она вряд ли сможет найти дорогу, но лучше об этом пока не думать. Даже если удастся вырваться и убежать, он легко ее поймает. Никуда не деться от этого человека. С отчаянием Джо-Бет вспомнила, что никто не видел, как она уходила из кантины. Никто не хватится ее, пока не будет слишком поздно. Им никогда не найти ее, она исчезнет без следа вместе с бурей; он утащит ее в свое логово и искромсает на мелкие кусочки...

Постепенно Джи Би начала успокаиваться и смогла трезво мыслить. Она вспомнила, что когда-то прочитала в одном журнале по психологии, что в экстремальных условиях человек может стать необыкновенно сильным. Там приводился пример одной беременной женщины, которая с легкостью подняла грузовик, спасая своего двухлетнего сына.

То была беременная женщина, а ведь она тоже беременна.

«Спасай своего ребенка», — приказала она себе.

По ступеням водопадом неслась вода. Джи Би подалась вперед и уперлась коленями в верхнюю ступеньку, затем, собравшись с силами, подняла одну ногу, другую и стала быстро взбираться вверх, пока не поравнялась с Ройалом Гутиерресом.

Теперь она точно знала, где находится. Она работала здесь неделями. Это было то самое место, где она еще сегодня утром бегала вверх-вниз. Вспомнила девушка и еще одну деталь.

Сверкнула молния, и она увидела справа от себя небольшое отверстие, за которым была прорублена в джунглях узкая тропинка, по которой к месту съемки пробиралась их команда. Когда Гутиеррес свернул на дорогу, ведущую, вне всякого сомнения, в верховья реки, Джи Би изловчилась, прыгнула ему на плечи и, схватив лиану, кольцами намотала ее вокруг его шеи. От неожиданности хватка его ослабла. Этого было вполне достаточно.

Джо-Бет с силой рванула руку и побежала вниз по ступеням в сплошную черноту, моля Бога, чтобы он по звукам шагов не определил, где она находится. Старик сейчас был справа, безумный, опасный, с мачете в руке.

Вместе с дыханием из ее легких вырвались рыдания. Она попыталась сосредоточиться и вспомнить утренние съемки: правая ступня идет вниз, тело расслаблено, ноги согнуты; теперь левая ступня. «Помни о крае каждой ступеньки, старайся бежать легко и непринужденно, учитывая их высоту и ширину».

Сзади послышалось грозное ворчание. Джи Би показалось, что он вот-вот схватит ее за волосы. Девушка громко закричала и ускорила бег. Сейчас она почти летела, скользя по мокрым ступеням, туда, где за стеной дождя мелькали слабые огоньки.

«Свет... Что это за свет? Подумай! Свет могут нести только люди».

Она не рассчитала следующий прыжок и чуть не упала, но вовремя сбалансировала.

Грозное рычание повторилось. Старик догонял ее. Она мысленно представляла себе его безумные глаза, сдвинутую на лоб шляпу, острое мачете в руке, готовое нанести сокрушительный удар.

«Забудь о нем, сосредоточься, правая ступня, прыжок, левая».

Огни приближались. Джо-Бет испустила громкий, раздирающий душу вопль. Луч света поймал ее и уже не отпускал. Молния ярко озарила небо, и в этом свете она увидела сцену, которая навсегда запечатлелась в ее памяти.

Сент прыжками мчится ей навстречу, его взгляд устремлен на что-то за ее спиной; следом бежит Даймонд, белые волосы светятся в темноте, рот открыт в крике; за ним поспевает Дональд, Дональд Уилер, хотя это невозможно.

У нее просто начались галлюцинации. Она с ужасом подумала, что все ей только почудилось, что никого вокруг нет. Скорее всего Джо-Бет уже мертва, ей отсекли голову и она дергается в конвульсиях, как это бывает у цыпленка.

В глазах у нее потемнело, и девушка оступилась. Ей показалось, что она слышит крик Сента:

— Остерегайся! Пригнись! Ложись!

Она упала, что-то просвистело у нее над головой. Кто-то схватил ее за волосы. Сент одним прыжком достиг Гутиерреса и перехватил поднятую руку. Она видела, как сверкнуло острие мачете, новая вспышка молнии, вытянутая рука Даймонда хватает Сента за горло и отбрасывает назад.

— Вэ... н... джиии...! — протяжно кричит Даймонд.

Свист металла, глухой удар, шлепанье убегающих голых ног. Джи Би закрыла глаза. Земля уплывала из-под нее, и она, стараясь удержаться, вцепилась в грязное месиво и опавшую листву. Справившись с головокружением, девушка оперлась на руки и встала на колени, ее вывернуло наизнанку. Дрожа от озноба, она посмотрела туда, где на ступенях лестницы лицом вниз лежал Даймонд, одна рука его свесилась, пальцы слегка сжаты. Казалось, что он спит.

Ступенькой ниже Дональд Уилер и Сент склонились над каким-то неясным предметом.

— Не смотри сюда, Джи Би, — просил Сент. — Пожалуйста, не смотри.

Но было уже поздно, она посмотрела и в новой вспышке молнии увидела отсеченную голову Виктора Даймонда, в глазах его застыло удивление.

Глава 28

Вера, запыхавшись от ветра и проливного дождя, бежала вверх по лестнице, стараясь не отставать от Арни. Ей казалось, что она карабкается по этим крутым ступеням целую вечность, но все будет напрасным, потому что они не успеют и не смогут помешать Даймонду убить Джи Би.

Внезапно Арни остановился как вкопанный и схватил Веру за руку.

Впереди стояли Дональд и Сент, их фонарики были направлены вниз, а их лица, подсвеченные снизу, выглядели словно черепа с пустыми глазницами.

И вдруг они увидели Виктора Даймонда.

Вера только взглянула и сразу отвернулась, ее желудок сжался и исторг из себя все содержимое.

Однако никто не обратил на нее внимания, потому что Джи Би нуждалась в помощи больше, чем она. Арни повел Веру обратно, подальше от этого места, поддерживая за талию, так как ноги ее заплетались и она едва могла идти.

— Все хорошо, — шептал Арни. — Теперь все кончилось, идем.

Они спустились вниз по ступеням, прошли через пляж, стараясь не столкнуться с деревенскими, бежавшими им навстречу, поднялись по тропе к трейлеру, где размещалась клиника студии «Омега». Там Арни уложил Веру на кровать и принес ей стакан горячего чая.

— Арни... его голова... Как это могло случиться? Арни, у него не было головы!

— Я знаю. Успокойся.

Спокойный голос Арни благотворно подействовал на Веру, чай тоже помог, и девушка чувствовала себя вполне сносно, когда Дональд и Сент принесли Джи Би.

Вера помогла Дональду смыть с Джи Би грязь и уложить в постель.

— Все, что мы можем для тебя сделать, — сказал Дональд Джи Би, — это согреть, успокоить и подлечить.

Джи Би лежала, крепко сжимая его руку и глядя на него с доверием и радостью. Сейчас, когда с ее лица смыли весь грим, она больше не походила на Старфайер, а напоминала испуганную шестнадцатилетнюю девочку.

Арни принес ей чашку горячего сладкого чая.

— Выпей, он тебе поможет.

Пришла медсестра, растрепанная, пахнущая пивом, но вся ужасно деловая. Она предложила Джи Би принять снотворного и постараться заснуть.

Джи Би решительно отказалась.

— Я не принимаю никаких лекарств, — сказала она.

— Но ты же прошла через ужасное потрясение. То, что с тобой произошло...

— Оставьте меня в покое! Я не хочу пичкать своего ребенка лекарствами. Я себя прекрасно чувствую.

— Ребенка? — удивилась медсестра.

— Уверен, что ты чувствуешь себя прекрасно, — успокоил Джи Би Дональд. — Не всякий может вынести такое, особенно если учесть, сколько водки ты выпила.

— Я об этом ничего не знала. Я же могла убить своего ребенка. Это не повредит ему?

— Нисколько. Эта дрянь не просочится через стенки твоего желудка.

— Но я к тому же падала.

— Дети хорошо упакованы и защищены от ударов.

— Не надо меня обманывать.

— Я когда-нибудь тебя обманывал?

— Дональд, ты должен спасти ребенка, — продолжала настаивать Джи Би.

— Конечно, я сделаю все возможное, но и ты должна мне помочь. Сейчас же замолчи и спи. Тебе надо побольше отдыхать.

— Не оставляй меня одну.

— Я никогда тебя не оставлю.

Вера с интересом наблюдала, как Дональд погладил Джи Би по голове, затем нагнулся и поцеловал, в то время как Джи Би судорожно цеплялась за его руку. Вера знала, что он просидит вот так всю ночь.

— Идем, Вера, — сказал Сент.

Арни ждал их на улице. Дождь продолжал лить как из ведра, но он, казалось, не замечал его. Его клетчатая рубашка насквозь вымокла и прилипла к телу, шейный платок походил на мокрую крысу.

— Там все в порядке? — спросил он.

— Более чем, — ответил Сент.

— Тогда увидимся утром.

Арни повернулся и направился к деревне.

— Куда идешь? — спросил Сент.

— В церковь. Они отнесли его туда. Хочу помолиться за его душу. — Лицо Арни было бледным и мокрым. — Из всех людей, которых я знал, у этого человека была самая черная душа, над ним висело проклятие. Сейчас ему нужны все молитвы на свете.

— Но, Арни, ты же не католик, — заметила Вера.

— Какое это имеет значение?

Арни решительно расправил плечи и направился к церкви, где сквозь окна виднелись огоньки свечей и слышался голос отца Игнасио, читавшего заупокойную молитву.

— Ну вот мы и дома, — сказал Сент, закрывая дверь каюты Веры.

— Да, дома, — согласилась Вера, не зная, что еще сказать. Она чувствовала себя совершенно разбитой и опустошенной, но знала, что стоит ей только прилечь и закрыть глаза, как весь кошмар снова повторится. Голова у нее раскалывалась, глаза жгло от невыплаканных слез.

— Я чувствую себя точно так же, как и ты, — сказал Сент. Он подошел к ней и заключил в свои объятия. Вера уткнулась ему в плечо. Сент повернул ее лицо к себе и поцеловал сначала нежно, затем со всевозрастающей страстью, и девушка почувствовала, как с этим поцелуем ее покидают смущение и отчаяние.

— Господи, Вера, — шептал Сент, — как ты мне нужна.

Она едва чувствовала крепкую хватку его пальцев на своих плечах и боль на губах, когда Сент укусил ее. Не помнила она, как они, обнаженные, оказались на ее узкой койке, где долго вертелись и боролись, словно два диких животных, пока страсть не захлестнула их с головой. Не думая ни о чем, ни о чем не жалея, она отдалась этой страсти. За окном каюты бушевал ветер и лил дождь, а они крепко сжимали друг друга в объятиях, и их тела двигались мерно и плавно, как волна, на которой качалась яхта.

Вера проснулась утром с ясной головой и, повернувшись, увидела, что Сент смотрит на нее. Она чувствовала себя на удивление отдохнувшей, обновленной и полной надежд, как будто все, что наболело, смыло дождем. Сент, казалось, чувствовал то же самое.

— Все, что я говорил тебе вчера в кантине, Вера, правда до последнего слова. Я люблю тебя. — Он повернулся на бок к ней лицом. — Я всегда любил тебя, — сказал он, очерчивая пальцем линию ее губ. — Просто я был потрясающим дураком и не осознавал этого. Ты выйдешь за меня замуж?

— Да, — ответила Вера.

Она чувствовала на своей коже дыхание Сента, когда он целовал ее во впадинку на шее. Вера с наслаждением вздохнула.

— Я хочу заняться с тобой любовью при свете дня, — прошептал Сент. — Мы еще никогда этого не делали... Нам многое предстоит сделать вместе.

Ее тело очень подходило к его телу. Она сомкнула ноги у него на спине, и, несмотря на узкую койку, им было удобно и их движения были размеренными и плавными, словно они танцевали вместе, как когда-то танцевали в ее комнате в Сан-Франциско. Вера крепко держала его в своих объятиях и внимательно изучала, словно никогда не видела прежде, каждую пору на его лице, каждую жилку на закрытых веках, изгиб бровей, блеск волос, скульптурную резьбу ушей.

— Я люблю тебя, — прошептала Вера. — Я всегда тебя любила. Ты это прекрасно знаешь.

Он перевернул ее на живот и лег сверху; его руки нежно ласкали ее грудь.

— Они словно специально сделаны для моих ладоней, — прошептал Сент.

— Теперь, когда я похудела, они стали совсем маленькие.

— Они великолепны.

Он снова вошел в нее.

— Не останавливайся, — попросила Вера.

— Если бы это было возможно, — прошептал Сент ей в ухо.

Он положил руки ей на талию и крепко прижал к себе. Она чувствовала его живот на своих ягодицах и старалась войти с ним в один ритм.

— Господи, Вера, — услышала она сквозь его прерывистое дыхание.

Ему было хорошо в ее теле, он взял девушку за плечи и положил на койку. Сейчас для них ничего больше не существовало, кроме любви. Они слились в единое целое, растворились друг в друге, и так продолжалось долго, бесконечно долго.

Позже, согретая теплыми объятиями Сента и почти засыпая, Вера вдруг вспомнила о Ройале Гутиерресе, и ей стало жаль его. Одинокий, всеми покинутый, старик бродит сейчас где-то в джунглях.

— Как ты думаешь, они поймают его? — спросила она.

Сент сразу понял, о ком идет речь.

— Нет, — ответил он. — Им никогда его не поймать.

На следующий день Ясон Брилл снова превратился в умную машину, забыв о проявленной накануне человеческой слабости. Он сделал несколько нужных звонков официальным лицам в Мехико, доказав тем самым, что имя Виктора Даймонда работает даже и после его смерти. Все формальности, все нужные документы и разрешения, для оформления которых требуются недели, подготовили за несколько дней с потрясающей быстротой, и он, облачившись в свой черный костюм, погрузил гроб с останками Даймонда на личный самолет студии «Омега», который находился за пределами терминала Пуэрто-Валларта. Лицо Брилла при этом не выдавало никаких эмоций, как будто он грузил не гроб, а ящик с апельсинами.

Вера с Сентом, Дональд Уилер и Джи Би отказались лететь с ним. Вместо этого они полетели в Лос-Анджелес на частном чартерном самолете. В аэропорту их встретил шофер, управлявший похожим на вагонетку автобусом, который долго кружил по летному полю. Наконец он высадил их на стоянке автотранспорта, где рыскали взволнованные репортеры. Но их никто не узнал.

Дональд усадил Джи Би в грязную «тойоту». Она оделась в простую льняную блузку в зелено-белую полоску, голубую джинсовую юбку, голову ее прикрывал черно-белый платок, а большие солнечные очки закрывали половину лица. Ей казалось, что в таком наряде она выглядит совершенно незаметной — типичная туристка.

— Залезай скорее, пока кто-нибудь не узнал тебя, — сказал ей Дональд, помогая забраться в машину.

Джо-Бет чудесным образом шла на выздоровление. Она снова стала Джи Би, Старфайер ушла из ее жизни, чтобы уже никогда не вернуться, а вместе с ней ушла и аура Виктора Даймонда.

Девушка отмела от себя еще один кусок жизни с такой же легкостью, с какой змея меняет кожу.

— Я уже к этому привыкла, — сказала она Сенту, высунувшись из окна машины, чтобы поцеловать его на прощание, — но клянусь, что это в последний раз. Сейчас я поеду в Напу, где буду выращивать виноград и воспитывать моего ребенка.

Джи Би выглядела веселой, и улыбка не сходила с ее губ. Вера никогда ее такой раньше не видела.

— Мы остановимся на ночь в Биг-Суре. Затем приедем в «Дубы», и я никогда оттуда не уеду.

Она наотрез отказалась присутствовать на похоронах Даймонда, которые вызывали у нее страх, смешанный с отвращением, и поэтому Сент и Вера поехали одни, так как Сент внезапно оказался в нелегком положении наследника монарха.

Король умер, да здравствует король!

Они с Верой ехали в черном лимузине Дэвида Циммермана, следовавшем сразу за катафалком и возглавлявшем вереницу таких же черных лимузинов, свет фар которых пробивался сквозь пелену дождя.

После кремации Сенту вручили урну с прахом Даймонда, который, согласно его завещанию, должен быть развеян над пляжем Малибу, рядом с его домом, который по его воле переходил к Джи Би вместе со значительной суммой денег.

— Мне он не нужен, — решительно возразила Джи Би. — Делайте с ним что хотите. Я никогда туда больше не войду.

Она наотрез отказалась забрать даже свои личные вещи.

— Я ненавижу этот дом и не хочу, чтобы хоть что-то напоминало мне о нем. Все это принадлежит Старфайер, а у меня с ней нет ничего общего. Деньги Даймонда мне тоже не нужны, они дурно пахнут.

— Деньги есть деньги, — ответил Сент. — Просто люди не всегда зарабатывают их честным способом. Если они не нужны тебе лично, то сделай на них что-нибудь хорошее, например, обеспечь свою мать до конца жизни или открой приют для сирот. Я думаю, ты сама найдешь им хорошее применение.

— Хорошо, — согласилась Джи Би после некоторого раздумья. — Я потрачу их на Вэнджи. Я много думала о ней. Вот с нее-то я и начну. Я должна обеспечить ей пожизненное обеспечение и как-нибудь съезжу навестить ее, пусть она даже не будет знать, кто перед ней.

Хамура содержал дом в Малибу чистым и проветренным, но тот, словно живое существо, постепенно выпускал из себя жилой дух, как будто предчувствовал, что Виктор Даймонд никогда в него не вернется, и затаился в мрачном ожидании новых обитателей.

Вера с Сентом, Дэвид Циммерман и адвокат, чье имя Вера так и не запомнила, исследовали дом сверху донизу, включая огромную спальню, мрачную медитационную комнату и расположенную внизу проекционную.

— Здесь где-то должны быть фильмы с участием Вэнджи Селлорс, — сказал Сент. — Мне бы хотелось на нее посмотреть, просто для сравнения.

— Для какого сравнения? — удивился Дэвид Циммерман.

— Мне хотелось бы знать, действительно ли она так похожа на Джи Би.

— Вэнджи? — еще больше удивился Циммерман.

— Одной из причин, почему Джи Би осталась с Даймондом, было чувство вины, — объяснил Сент. — Вера и Арни считают, что она вовсе не похожа на Вэнджи.

— А как же иначе? — удивилась Вера. — Ведь мы никогда не видели ни единой ее фотографии, не говоря уже о фильмах.

Адвокат с нетерпением посмотрел на часы.

— Даймонд обвинил Джи Би, что та бесчестно обошлась с ним, загримировавшись под Вэнджи, чтобы тем самым привлечь его внимание.

— Не вижу в этом никакой логики, — сказал Циммерман, заряжая в проектор фильм «Образ Терри» с участием Вэнджи.

Он выключил свет, и все расселись по местам. На экране замелькали кадры.

Фильм был ужасным, адвокат заерзал на месте и тяжело вздохнул.

— Вам не стоило платить мне такие деньги, чтобы заставлять смотреть фильм, особенно такой отвратительный, как этот...

— Вот она, — тихо сказал Циммерман. — Это она. Это Вэнджи Селлорс.

Все затаили дыхание, когда на экране появилась стройная девушка и, держась за поручни, плавно пошла по вагону электропоезда метро.

Циммерман остановил кадр, и Вэнджи Селлорс, лицо которой возникло крупным планом, в упор посмотрела на них с экрана, прекрасная какой-то неземной красотой и вся озаренная внутренним светом.

— Но она же совсем не похожа на Джи Би, — прошептала Вера, разглядывая ее.

Тогда зачем же он это сделал? Зачем сказал, что Джи Би похожа на Вэнджи?

Был серый, промозглый день, в воздухе стоял сырой туман, но никому из них не хотелось оставаться в доме. Все четверо уселись за столик на веранде, куда Хамура подал им чай в маленьких фарфоровых чашечках.

— Даймонд с самого начала водил всех за нос, — сказал Циммерман. — Он заявил Арни, что отказывается от проекта «Старфайер», так как Сент сидит в тюрьме за наркотики, но узнав, что Спринг Кентфилд — его мать, был заинтригован и, сославшись на наркотики, решил выиграть время, чтобы побольше разузнать о Сенте.

— Что значит выиграть время? Всем известно, что Даймонд ненавидел наркотики.

— Ему было наплевать на них, — ответил Циммерман. — Его война против наркотиков — всего-навсего игра на публику.

— Но почему?

— Мы еще дойдем до этого.

— Но разве он не сказал Арни, что заинтересован в этом проекте и что ему надо все обдумать? — спросил Сент.

— Вполне возможно, что сказал, но такое не в духе Даймонда. Ему обязательно нужно заманить вас в ловушку, чтобы потом было легче манипулировать. У Даймонда был византийский ум. Он отказался от проекта по соображениям морали, и это незамедлительно поставило вас в зависимость от него. Когда же он решил принять участие в проекте, вы были ему настолько благодарны, что ничего не требовали взамен. Он мог вертеть вами, как хотел.

— А если бы Арни пошел с этим проектом на другую студию?

— Из этого бы ничего не вышло. Рано или поздно он все равно вернулся бы к нему. Именно так случилось с твоим фильмом «Выхода нет».

— Потрясающе, — выдохнул Сент.

— Такой же трюк он проделал и с Джи Би, — продолжал Циммерман. — На вечере у Стивена Романо он соврал ей, что она точная копия Вэнджи, хотя у них нет ничего общего. Виктор хотел, чтобы девушка чувствовала себя виноватой, пристыженной и обязанной ему. Короче, он загнал ее в угол. Даже более того, поставил ее мать и сестру в зависимость от себя.

— Но ведь она могла увидеть фотографию Вэнджи, — возразила Вера.

— На это у нее не было ни малейшего шанса. Даймонд сделал все, чтобы Джо-Бет никогда не увидела ее. Если бы она попросила показать ей фотографии, он бы ответил, что уничтожил их, так как это связано с тяжелыми для него воспоминаниями. Не осталось ни единой копии фильмов с ее участием, потому что Виктор все выкупил. И потом, если вы помните, Джи Би говорила, что он держит дверь проекционной под замком, и она никогда не бывала там одна.

— Так если вы все это знали, то почему же до сих пор молчали? — спросила Вера с укоризной.

— Я многого не знал. Во всяком случае, до недавней поры, пока ко мне не пришел Дональд Уилер. Он собрал целое досье на Даймонда, не упустил ничего. Все свидетельства, объединенные вместе, очень впечатляют. Там так много людей, которые перебежали Даймонду дорогу, а потом бесследно исчезли или умерли не своей смертью, как это было в случае с Флетчер Мак-Гроу.

— Но ведь Вэнджи помешалась на наркотиках, — заметила Вера. — Она сама в этом виновата.

Циммерман поставил на стол чашечку и невидящим взглядом посмотрел на стальную женщину, державшую в руках лампу.

— Даймонд сам приучил ее к наркотикам. Он подсыпал ей в питье ЛСД. Она собиралась оставить его и однажды так и сделала, убежав с молодым директором студии Лестером Маршаллом. Даймонд не мог ей этого простить. Он отправился за ними в Нью-Мехико, хотел якобы привезти ее обратно, но вместо этого схватил ее, отвез в пустыню и сказал, что если она долго будет смотреть на небо, то увидит Бога. Затем уехал, оставив ее одну, стоящую на раскаленном песке и смотрящую на небо.

В наступившей тишине было слышно, как волны с шумом бьются о берег.

— После этого, — устало продолжал Циммерман, — он объявил свой крестовый поход против наркотиков, но это было просто прикрытием.

— Как это ужасно, — прошептала Вера. — Он был настоящим дьяволом.

— Как вам удалось все это узнать? — спросил Сент.

— Лестер Маршалл — мой друг. Он поведал мне эту историю. Он видел, как Даймонд увозил Вэнджи, и просил меня никому об этом не рассказывать. Он смертельно боялся Даймонда.

— Я никогда не слышал о Лестере Маршалле.

— И не услышишь, он мертв. Его нет в живых уже много лет. Он сорвался со скалы, смертельно пьяный. Последнее время он часто пил. Тогда этому случаю никто не придал значения. Дональд Уилер докопался до него, хотя я всегда подозревал...

— ...что Даймонд...

— ...организовал это. Вполне возможно. — Циммерман немигающе смотрел на торшер и разговаривал как бы с самим собой. — А ведь я любил ее, я любил Вэнджи Селлорс. Но, наверное, все-таки недостаточно, потому что не бросился в погоню за Даймондом, чтобы спасти ее, так как отчетливо понимал, что следующим буду я. Я даже был рад, когда Маршалл погиб, ведь только он знал о моей любви. После этого я прошел через ад, где сейчас находится, как я надеюсь, Даймонд. — Его голос сорвался до хрипоты, когда он добавил: — Пусть он горит вечным пламенем.

Циммерман и адвокат ушли, а Сент с Верой остались в доме Даймонда.

Сент стоял на песке, держа в руках урну с прахом, и смотрел на океан.

— Там на лестнице я стоял впереди него, — сказал он Вере, — и если бы Даймонд не оттолкнул меня, Гутиеррес снес бы мою голову. Он спас мне жизнь.

Вера молча кивнула. Какой бы ни был у него мотив, но факт остается фактом, хотя она не могла отделаться от чувства, что он опять действовал в своих целях, она хорошо запомнила его крик, уносимый ветром:

— Вэ... н... джиии...

Ее так и подмывало сказать: «Даймонд был ненормальным, он оттолкнул тебя, потому что хотел убить ее... Вэнджи снова предала его. Неужели ты этого не понимаешь?» Но она так и не решилась произнести эти слова и молча стояла на холодном песке, наблюдая, как он отнес урну к самой кромке воды и замер там, глядя на океан. Затем Сент вырыл глубокую яму, высыпал в нее пепел и сровнял с землей.

Понурив голову, молодой человек с минуту постоял рядом с ней. Вере показалось, что он даже плакал.

— Он любил этот пляж, — сказал Сент, поворачиваясь к Вере. — Теперь он его часть.

Они молча наблюдали, как волны набегали на то место, где покоился прах Даймонда.

Теперь они жили в доме, расположенном на другом пляже, намного севернее того места, где стоял дом Даймонда. Все свое свободное время они проводили вдвоем, и им было совсем нескучно.

Вера лежала на полу в гостиной, животом на подушке, и листала старые альбомы со своими рисунками, время от времени поглядывая на открытый всем ветрам океан. Она лежала на полу, так как в их доме совсем не было мебели, за исключением двух больших подушек в голубых с оранжевым наволочках, ее рабочего стола, чертежной доски и кровати. Им постоянно не хватало времени на покупку мебели, а когда оно и появлялось, то находились дела поинтереснее.

Дом спроектировал умный архитектор, и поэтому он казался больше, чем был на самом деле. Его построили из красного дерева, бетона и стекла, потолок представлял собой раздвижную стеклянную крышу, через которую проникали солнечные лучи, в разное время дня по-разному освещавшие комнату; вокруг дома располагалось крытое патио с небольшим плавательным бассейном. Когда погода была теплой, они проводили большую часть времени именно там, на открытом воздухе. Сейчас, в начале января, Вера и Сент больше лежали у камина или совершали длительные прогулки по пляжу. Очень часто, вернувшись с таких прогулок, Сент хватал Веру за руку или заключал в свои объятия и тащил в спальню, где они резвились, словно два веселых щенка, а иногда они даже и в спальню не заходили, а занимались любовью у камина, открытые взору людей, выгуливающих собак или праздношатающихся по пляжу. Веру это совершенно не беспокоило. Ей было безразлично, хоть весь свет соберись у их окон.

Иногда они могли часами не разговаривать друг с другом, а иногда болтали всю ночь напролет.

Может, кому-нибудь и непонятна такая жизнь, но им было хорошо вместе.

Они старались не вспоминать о той последней ночи в Ла-Плаите, но однажды к этому разговору пришлось вернуться. В одном из баркасов нашли изуродованное до неузнаваемости тело Ройала Гутиерреса, хотя, впрочем, с полной достоверностью нельзя было сказать, что это именно он. Над ним хорошо потрудились дикие звери, и остались одни только кости.

— Конечно, это не он, — решительно заявил Сент.

— Почему ты так убежден?

— Он знал страну как свои пять пальцев. Человек, которого нашли, был скорее индейцем, случайно оказавшимся в неподходящем месте в неподходящее время.

— Ты высказал им свое мнение?

— А зачем? Я ничего не могу им доказать. А даже если бы смог, мне все равно никто не поверит. Мексиканцы — очень практичный народ, Вера. Им нужно тело, и они его нашли. Все счастливы.

— Согласна. Пусть все остается как есть.

— Давай сменим тему разговора или вообще помолчим. Что ты предпочитаешь?

— Помолчать.

— Я надеялся, что ты скажешь: «Иди ко мне». Я люблю тебя, Вера Браун, — добавил Сент, целуя ее.

Вера улыбнулась и подложила подушку под грудь, пытаясь в сгущающейся темноте рассмотреть Сента, который, несмотря на дождь, убежал к лагуне Болинас. Днем океан разбушевался, ветер гнал по нему высокие волны.

Сенту нравилась такая мрачная погода. Он вернется взъерошенный, мокрый, но со счастливыми, сияющими глазами; прижмется к ней холодной щекой, поцелует и приласкает. Сейчас он уже исчез из виду.

Вера перевернула последнюю страницу своего альбома и стала рассматривать рисунок, сделанный в Ла-Плаите, который она никому не показывала, особенно Сенту, и никогда не покажет. Этот рисунок она сделала, чтобы избавиться от наваждения, которое мучило ее, считая, что, перенеся его на бумагу, она обретет душевный покой.

Виктор Даймонд лежал на ступенях лестницы; его глаза широко открыты и смотрят на мир с удивлением и, возможно, с радостью, что жизнь закончилась.

Это единственный портрет, где он не выглядит чудовищем. На этом рисунке, уже мертвый, он выглядел как нормальный человек.

Каким бы он стал, если бы не эти печальные обстоятельства?

Они этого никогда не узнают.

Чисто импульсивно Вера открыла другой альбом и нашла рисунок, где Сент работал за компьютером.

«Да, — подумала Вера, сравнивая лица, — конечно, да».

Сходство было не явным, но если присмотреться как следует, можно заметить одинаковую комплекцию, строение черепа.

Кроме внешнего сходства, у них была одинаковая манера движений и жестов, оба обладали несомненным талантом, хорошим воображением, вкусом, оба любили большое пространство, огромные пляжи, океан и оба, отметила про себя Вера, предпочитали «ягуар» всем другим машинам.

Возможно, Сент где-то в глубине души чувствовал это, а может, и знал наверняка?

Знал, решила Вера. Конечно, знал. Недаром тогда в Малибу, на берегу океана, закопав прах Даймонда, он плакал. «А может, я напрасно усомнилась в Даймонде? — подумала Вера. — Может, тогда на лестнице он оттолкнул Сента не для того, чтобы убить Вэнджи, а просто спасал своего единственного ребенка?»

Об этом она тоже никогда не узнает.

Вера вырвала из альбома портрет Даймонда, разорвала его на мелкие кусочки и бросила в камин, где огонь сразу превратил их в пепел.

Эпилог

1990 год

Сент и Вера поженились в сентябре в «Дубах» долины Напа. На церемонии присутствовали только родственники и близкие друзья. Джи Би была подружкой невесты, а Арни во второй раз шафером Сента.

Вера была на третьем месяце беременности. Пока они держали это в секрете. По традиции, Вера первой должна была сообщить эту радостную новость маме, но та отказалась, сославшись на то, «что это сразу убьет ее. Я скажу через месяц-другой».

— Тогда она будет думать, что у тебя преждевременные роды, — сухо заметил Сент.

— Не сомневаюсь, — согласилась Вера.

Сент слетал в Англию, чтобы пригласить на свадьбу маму, ее сестру Синтию и друга Альберта, бухгалтера в совете графства Харрогит.

Мама, все еще крайне недовольная тем, что ее дочь избрала новую родину, долго колебалась, прежде чем лететь туда, а уж сама свадьба показалась ей совершенно странной. Она происходила не в церкви, а на открытом воздухе, и вместо викария был обыкновенный судья, а уж об одежде и говорить не приходится. Вместо белого кружевного платья на Вере было желтое с белой отделкой, бедра ее опоясывала шаль с бахромой, что делало ее похожей на цыганку, в то время как на Слоуне были

453

белые слаксы и пиджак, слишком широкий для него. Сколько Вера ни убеждала маму, что этот костюм был сконструирован самим Армани, та осталась при своем мнении.

Подружка невесты сразу после церемонии повесила себе на грудь сумку с крепким светловолосым малышом, чем испортила все впечатление от ее хорошенького льняного розового платья. По мнению мамы, единственным человеком, который был одет соответственно случаю, конечно, если не считать ее, Синтию и дорогого Альберта, был толстый мексиканский джентльмен в сером костюме, хотя и здесь весь эффект свелся на нет из-за его подружки, не знавшей ни слова по-английски, с толстым слоем косметики на лице и затянутой в такое узкое красное платье, что из него выпирала пышная грудь.

— Мне бы и в голову не пришла такая свадьба, — говорила она, отказываясь от сандвичей с пастой из семги и крошечных огурчиков, которые, по ее мнению, никак не могли заменить барбекю, огромных блюд с различными салатами, сладкого и фруктов. По ее железной логике, именно такой стол должен был организовать Дональд Уилер, хотя, надо отдать ему должное, он был радушным хозяином.

— С меня хватит, — запротестовала мама, когда он подошел к ней с бутылкой шампанского, однако опоздала прикрыть рукой свой бокал. Ей совсем не хотелось пить по такой жаре, а уж что касается бедного Альберта, то ему вообще пить не полагалось.

— У него печень, — с гордостью заявила она Вере. — Я должна все время следить за ним.

— Бедняжка, — отозвался Дональд об Альберте. — Мама сведет его в могилу своими заботами.

— Возможно, — отозвалась Вера, — но пока у них есть время пожить друг для друга.

— Они чудесная пара, — встряла в разговор тетя Синтия, одетая в ярко-розовое платье, которое оживляло ее несколько поблекшее лицо. — Она встретила его в палате для хроников, во время посещения больницы. У него чудесный домик с небольшим садиком, где он выращивает георгины, которые получают награды на всех выставках. Ты знаешь, дорогая, мы все так счастливы, что ты вышла замуж. Если она поймет, что больше не может опекать тебя, то, возможно, сойдется с Альбертом и в один прекрасный день они поженятся.

На свадьбу из Сан-Франциско приехал Арни со своим новым другом Шоном Келли. Шон, служивший юристом в епархии архиепископа, был человеком слабого здоровья, с тонкими чертами лица и тихим голосом. Он выглядел бледным и изможденным, подслеповатые глаза его болели от солнечного света, и молодой человек все время щурился. Арни ухаживал за ним, следил, чтобы тот сидел в тени, приносил ему еду и вино, хотя Шон ел только виноград. Карьера кинозвезды для Арни закончилась. Он снова стал Арни Блессингом и начал изучать основы богословия. Арни произвел грандиозную сенсацию, объявив себя на празднике сексуальных меньшинств гомосексуалистом, но общественное порицание не было таким сильным, как он опасался, и, как предсказывал Сент, его поступок приветствовался многими, и он приобрел миллионы новых поклонников взамен тех, которых потерял. Блессинг чувствовал себя счастливым и, как говорил Вере, теперь жил полной жизнью. «И почему я этого не сделал раньше? — удивлялся он. — Столько времени потрачено зря!»

Поддержка братства ободряла его, к нему возвратилось чувство собственного достоинства, как когда-то возвратилось здоровье после лечения в Раунд-Маунтинз; он продолжал бороться против СПИДа и это делало его нужным людям; любовь и забота о Шоне давали жизни новый смысл.

— Я счастлив, — искренне признался он Вере. — Господи, я по-настоящему счастлив, и, как это ни смешно, этим я обязан Виктору Даймонду. Если бы не он, может, ничего такого никогда бы не случилось.

— Даймонду? — удивилась Вера.

— В тот последний вечер в Ла-Плаите он говорил мне такие ужасные вещи, что я чувствовал себя униженным. Мне даже в голову не приходило, что один человек может так унижать другого. Мне тогда казалось, что я умру со стыда или сойду с ума, но я выжил. Уже потом, когда я немного успокоился, мне стало жалко Даймонда. Спасибо Господу, что он никогда не узнает, что чуть не убил меня.

— Ты продолжаешь молиться за него?

— Конечно. В тот день я наблюдал за отцом Игнасио, и хотя он стар, весь трясется и был слегка пьян, он сделал свое дело, а это главное. Во всяком случае, именно тогда я решил, что глупо оставаться Арни Блейзом, и я сделал то, что хотел. Теперь перед тобой брат Арнольд. Кстати, Вера, почему вы не говорите, что ждете ребенка?

— Я не ожидала, что Сент расскажет тебе, — ответила Вера, покраснев.

— Это и не нужно.

— Ты хочешь сказать...

— Ты очень изменилась, Вера. Ты вся светишься изнутри, и к тому же твое платье ничего не скрывает.

Вера дотронулась до живота.

— Но предполагалось, что платье скроет мою беременность. Эти оборочки должны отвлечь от него внимание, во всяком случае, так мне сказала продавщица.

— Она наверняка получает комиссионные с каждой продажи, — возразил Арни. — Тебе нужна была моя помощь, Вера. Ты совсем не разбираешься в одежде. Но почему вы все держите в секрете? Почему не расскажете всем? Я бы на вашем месте рассказал.

— Это было бы слишком для мамы, — со вздохом ответила Вера. — Ей и без того все не нравится.

— На твоем месте я бы все рассказал ей. Ее реакция может быть совсем противоположной. Во всяком случае, — Арни поднял стакан с холодным чаем, — примите мои поздравления. Когда должно произойти знаменательное событие?

— Врачи говорят, 21 марта.

— Шон к тому времени уже уедет. Мне бы хотелось, чтобы он увидел ребенка.

— Поздравляю, Санто! — закричал Хавьер Гальегос. — Ты воспользовался моим советом, и сейчас ты самый счастливый человек на свете. Я оказался прав, не так ли? Ты женился на львице, и скоро она принесет тебе первое потомство.

Сент был рад, что друг говорит по-испански и Вера их не понимает, но, однако, был страшно удивлен.

— Как ты узнал? — спросил он. — Вера сказала?

— Зачем ей мне говорить? У меня самого есть глаза.

— Пока мы еще официально не объявляли об этом.

— Что значит официально? Ты говоришь смешные вещи. Ребенок уже существует и... — Внимание Гальегоса отвлекла вошедшая пара. — Санто! — снова закричал он, хватая Сента за руку. — Кто это? Познакомь меня с ней!

Повернувшись, Сент увидел яркую рыжеволосую женщину, идущую под руку с солидным пожилым мужчиной.

— Я рада, что ты приехала, Мел, — холодным тоном сказала Джи Би. — Разрешите вам представить мою сестру Мелроуз и ее мужа Германа Шварца.

Гальегос с энтузиазмом пожал Мелроуз руку.

— Рад познакомиться!

Мелроуз так и не узнала, что была на волосок от смерти, и уже почти забыла, как неосторожно поступила и сколько шума наделала. Правда, сейчас она относилась к своему поступку как к вполне оправданному. Уж если смотреть правде в глаза, с ней поступили несправедливо, и в конце концов «каждый должен позаботиться и о себе». Большую часть полученных от газеты денег она потратила на приобретение модной одежды и на круиз по Карибскому морю, где и встретила Германа.

Правда, она считала, что если бы еще немного подождала, то заманила бы в свои сети кого-нибудь получше, но, успокаивала она себя, «дареному коню в зубы не смотрят».

Герман Шварц, владелец сети дамских магазинов в одиннадцати западных государствах и на Гавайях, сделал из Мелроуз не только честную женщину, но и накупил ей особняков, мехов и долгожданный «мерседес». Он также написал завещание, согласно которому после его смерти ей доставалось состояние в четыре миллиона долларов, чем он немало взбесил своих бывших двух жен и их отпрысков. Все, что оставалось Мелроуз делать, это ждать. Теперь она заняла свое место под солнцем и очень жалела бедняжку Джо-Бет.

— Вижу, что ты наконец встала на ноги, — сказала Джи Би, холодно оглядывая сестру.

— Да. Некоторые люди рождаются победителями, — ответила довольная Мелроуз, поглаживая себя по пышным бокам, обтянутым зеленым платьем с рюшами. — Может, я могу сделать что-нибудь для тебя, дорогая? — великодушно предложила она. — Ты только скажи. Мне совсем не нравится, что ты похоронила себя на этой ферме да еще с ребенком на руках. У меня есть хороший адвокат, настоящий дока в своем деле.

— Спасибо.

— Тебе, наверное, скучно здесь. Это все-таки не Лос-Анджелес.

— Ты скучаешь по Старфайер? — спросила Вера.

— Старфайер? — не сразу поняла Джи Би, аккуратно поддерживая своего малыша за круглый задик. — Это все в прошлом, и я не хочу вспоминать о нем.

— Ты, наверное, очень занята?

— О да. Мы засадили виноградом еще несколько акров земли и все время экспериментируем с новыми прививками. Я стала их полноправным партнером. — Джи Би с гордостью улыбнулась. По всему было видно, что она чувствует себя на своем месте. — Я все время учусь. Столько надо узнать! Как только я отниму Анну от груди, я пойду изучать виноградарство и виноделие.

— Виноделие?

— Да. Так что сама видишь, сколько у меня дел, поэтому мне некогда думать о Старфайер. — Джи Би отстегнула ребенка и протянула его Вере. — Хочешь подержать?

Вера неловко взяла девочку на руки, Анна захныкала.

— Мне кажется, что я сделала ей больно.

— Ничего, практикуйся. Вы с Сентом еще не придумали имя ребенку?

На тете Глории был тот же костюм, что она надевала на первую свадьбу Сента.

— Эта жена мне нравится больше, — сказала она, поздравляя его.

— Спасибо, тетя Гло. Она мне тоже нравится больше.

— Ты прекрасно выглядишь. Я рада, что ты счастлив. Я слышала, ты очень занят.

— Очень.

Сент продолжал работать на студии «Омега», и недавно они с Верой изобрели новую компьютерную игру «Проклятие колдуна». Эта новая работа имела потрясающий успех и была гораздо интереснее, чем комиксы.

— Она у тебя очень умная, и платьице на ней хорошее, беременность ей идет. Почему ты смотришь на меня с таким удивлением? Я же все вижу. И другие, думаю, видят.

Спринг Кентфилд, молодая и красивая, как всегда, в платье цвета кукурузы с голубой отделкой, примерно того же стиля, что и платье Веры, едва ощутимым поцелуем приложилась к щеке своей новой родственницы.

— Мне кажется, что Вера могла бы выбрать более подходящее платье, — сказала она с ехидством. — Желтый цвет убивает ее.

— Глупости, — ответила мама, допивая четвертый бокал шампанского, — она выглядит такой цветущей.

— Она опять стала набирать вес, — продолжала Спринг.

— Еще бы ей не набирать, если она ест за двоих. Думаю, что вы ждете не дождетесь своего первого внука, — не преминула уколоть мама.

— Вера, отдай Джи Би ребенка. Нам надо резать торт, пока мороженое не растаяло.

Они направились к дубовой роще, где стоял на столе огромный торт с засахаренными фигурками жениха и невесты.

— Джи Би все знает, — сказала Вера. — Она спросила меня, как мы хотим назвать ребенка.

— Все знают, — ответил Сент, — даже тетя Глория.

— По крайней мере мама не знает.

Они взяли в руки длинный нож с ручкой из старинного итальянского серебра, покрытого орнаментом, и заняли исходную позицию.

Вспыхнули лампочки, и они медленно поднесли к торту нож.

— Всем улыбаться! — закричал Дональд, хватаясь за камеру.

— Она все знает, — шепнул Сент.

Все дружно заулыбались.

— С чего ты взял? — сквозь зубы спросила Вера.

— Я слышал, как она сказала моей матери, что ты ешь за двоих.

— О, Сент, неужели? Это ужасно.

— А еще она сказала моей матери, что той, наверное, не терпится заиметь внука. Ты бы видела лицо Спринг.

Веру душил смех. Ее рука дрожала, и она крепче ухватилась за нож.

— Твоя мать гораздо мудрее, чем ты думаешь. Эй, что ты делаешь? Он же сейчас упадет.

Огромный торт стал крениться вперед.

Вера перестала смеяться и с ужасом смотрела на него.

— Что ты стоишь? — закричала она. — Сделай хоть что-нибудь!

Сент протянул к торту руки. Его нога зацепилась за стол, и они с Верой вместе с засахаренными женихом и невестой и верхним слоем торта полетели на землю.

Дональд Уилер снимал все это на пленку.

Вера сидела на земле с куском торта на коленях.

— Вот черт! — воскликнула она и начала смеяться.

— Произошел несчастный случай, — сказал Сент, сидя с ней рядом и вынимая из волос кусочки мороженого, которые тут же слизывал. — Не волнуйся. Все равно очень вкусно.

— Конечно, вкусно, — успокаивала их Анна Барделучи Уилер. — Нижние слои даже не пострадали.

Она побежала за бумажными тарелками.

— Напрасно они назвали девочку Анной, — заметила Вера. — Это очень неудобно.

— Ты права. Если у нас будет девочка, мы не станем называть ее Верой или Луизой в честь твоей матери.

— Или Спринг, — добавила Вера.

— Бог нам этого не позволит. А если у нас будет мальчик, то мы не назовем его Слоун Сент-Джон.

— Хорошо, — согласилась Вера. — Начало положено.

— И ты знаешь, что лучше всего? — Сент намочил салфетку в шампанском и стал стирать крем с носа Веры. — Никто никогда не будет звать его Джуниор.

Литературно-художественное издание

Хейз Мэри-Роуз

Бумажная звезда

Редактор Е.Н. Кондрашова
Художественный редактор О.Н. Адаскина
Компьютерный дизайн: А.А. Кудрявцев
Технический редактор О.В. Панкрашина

Подписано в печать с готовых диапозитивов 15.04.99.
Формат 84×108^1/$_{32}$. Бумага типографская. Печать офсетная.
Усл. печ. л. 24,36. Тираж 13 000 экз. Заказ 1204.

Налоговая льгота – общероссийский классификатор продукции
ОК-00-93, том 2; 953000 – книги, брошюры

Гигиенический сертификат
№ 77.ЦС.01.952.П.01659.Т.98. от 01.09.98 г.

ООО "Фирма "Издательство АСТ"
ЛР № 066236 от 22.12.98.
366720, РФ, Республика Ингушетия,
г.Назрань, ул.Московская, 13а
Наши электронные адреса:
WWW.AST.RU
E-mail: astpub@aha.ru

При участии ООО «Харвест». Лицензия ЛВ № 32 от 27.08.97.
220013, Минск, ул. Я. Коласа, 35—305.

Отпечатано с готовых диапозитивов заказчика
в типографии издательства «Белорусский Дом печати».
220013, Минск, пр. Ф. Скорины, 79.